Arias de Don Giovanni

Arturo Arias

Arturo Arias

ARIAS DE
DON GIOVANNI

F&G
editores

Arias de Don Giovanni
Arturo Arias

Primera edición

© Arturo Arias
© Esta edición F&G Editores
Ilustración de portada: Nina y Viviana Silvia Orozco
(www.elcuartooscuro.com.ar)

Foto del autor: Pepe Luarca

Impreso en Guatemala
Printed in Guatemala

F&G Editores
31 avenida "C" 5-54 zona 7,
Colonia Centro América
Guatemala
Telefax: (502) 2439 8358 – 5406 0909
informacion@fygeditores.com
www.fygeditores.com

ISBN: 978-9929-552-07-4
Colección Premio Nacional de Literatura, 5

Guatemala, octubre de 2010

Monstruosa, obcecada, peregrina, Juana continúa trotamundeando arrebujada, premiando a otras con los ojos, mientras para mí sigue sin aparecer. Se dice fácil, como si la retahíla de palabras simples pudiera señalizar errabunda las intensísimas emociones contradictorias, el desvelado vértigo, los mojados flujos desatados por esa marcada ausencia de años de la cual prometí siempre hablarle, y que me ha costado tanto llegar a hacerlo. Desangrarse toma su tiempito. Y yo aquí, clavadota en el balcón de mi casa de Laguna Beach con carita de babosa, reconociéndolo por fin. A veces sólo huelo el mar, la mentada galana que me hizo escuchar ritmos celestiales evaporada de mi mente. A veces navega por mi ceño fruncido en las noches crepusculares como se decía en la poesía antigua, llagándome la frente a latigazos, latinajos afines y desafines tatuándome en la conciencia *nunc et latentis proditor intimo, gratus puellae risus ab angulo...* Horror el amor mendigante que se derrumba, y más horror sentirse imbécil, inadecuada, inútil, más de tres años después. Ojalá y la próxima me la metan más sabrosito, despacito y con mucho lubricante para que duela menos el culebrón del amor.

Empezó anoche. Sentí aguda su ausencia al llegar a casa, como espuma alborotada. El fantasma peregrino me cayó encima con todo su peso. Volví a derramar bilis, como decimos por mi tierra. Me sentí jodida. Esa es la frase, y se lo digo con franqueza. Jodida. Hundida. La realización evidente de su continuo no estar, como si fuera novedad a estas alturas, me produjo repentina náusea que se asentó huera en la boca del estómago como percutante acidez aterciopelada. De tanto ir y venir el pecho se me contrajo un poquito, atisbo de los hediondos ataques de asma de mi niñez. Puse uno de mis CD favoritos, vieja grabación con Samuel Ramey, Anna Tomowa-Sintow y Agnes Baltsa, dirigida por Herbert von Karajan. Enseguida abrí violenta la refri y saqué una lata de Tecate con gestos melodramáticos que deberían darme vergüenza. Repensando en esa tormentosa e inexplicable desaparición que me herventaba, tiré la lata contra el muro con violencia cómicamente varonil, como si esa penosa autocomplacencia pudiera salvarme de mi choteo. Solté un largo grito desenfrenado amenazando con descomponer mis rasuradas cuerdas vocales, dejándome adolorido el cielo de la boca, y lloré.

La lloré por primera vez a fondo, hasta lo último, con el afán de revivir sus huellas para liquidarlas de mi corazón. No se lo voy a negar. Tanto tiempo pasará, tanto tiempo sin perderme ahora en la entumecida canción que nos desgobierna las confesiones quejumbrosas, pero por fin pude llorarla. Enseguida me serví un vaso de scotch con hielo (del bueno; Glenmorangie) y me lo bebí de un gran, largo, prolongado sorbo. Me adormeció las lisonjeadas cuerdas vocales pero también me quemó el esófago como conciso ácido sulfúrico, me ardieron hasta las orejas. Luego me puse a ver una tetuda película pornográfica en la televisión para calmar la nostalgia del deseo, mientras bebía más, más, sintiéndome desvalida hasta que ese cansancio alcoholizado permeó mi cuerpo como temblorosa aura encargada de hacerme reír con dolor, abrupta idiota sentimental que siempre fui. Mientras me desvanecía resonaba en mi cabeza la frasecita, "Pretendamos que volvieron los buenos tiempos, cuando nuestra tierra todavía era verde y aun creíamos que era posible salvar el mundo."

Al amanecer engomada, la inevitable resequedad empedernida de la boca implorando líquidos, cualquier líquido, los pies acalambrados, caí en la cuenta de que no podía seguir caminando de puntillas. Allí decidí escribirle sobre todo esto que no pude contarle antes, sobre todo lo que me anudaba la lengua y atascaba la garganta, lo que me hacía perder la voz gangliosa. Tenía que sacármela de encima, la fogosa obsesión que me encendía, me erizaba con un temblor convulso de toro agónico. Comprendí que ya no había más espacio para los silencios.

Aunque no me lo va a creer, entre el párrafo anterior y éste han pasado cerca de dos días. Es sólo un agitado párrafo, pero son más de 48 horas en las cuales infinitud de sentimientos licuantes me trenzaron finito los nervios hasta agrietarlos con redoble y campaneo. Fue cuando decidí cumplir la falsa promesa de escribirle para ordenar mis pensamientos y fundamentar mis emociones mordientes. Es el milagro de la escritura, del tiempo, de las oquedades de mi ombligada mente, y de los saltos entre un párrafo y otro, que, como el omatidio o el omento, no explican las interminables horas en que contemplo la pantalla enmudecida, colocada, como dicen en la madre patria, palabra que siempre me hizo reír de manera pedregosa. La verdad sea dicha, con estas líneas intento apenas evocar a Juana, dejándome ir por el bamboleo prístino de sus caderas desairadas, por una gesticulación que habla sin palabras.

La búsqueda del orgasmo infinito la confundí muchas veces con la del amor ídem. Se lo admití desde que me empezó a tratar. Desconocía la anonadada diferencia y perdí los límites en la semántica del semen. La sonrisa del esfínter era otra manera de esgrimir la creatividad preñada de esferoides sentimientos de mi Juana, de la que hoy quiero, por fin, hablarle. Ella hizo lo mismo. Era incapaz de reprimir sus esculturales apetitos, viviendo una exaltante aventura nueva cada día. Me vi reflejada en sus conquistas, sirviéndome de esas imágenes, sus frunces carnales, para ordenar mi mundo. Ahora entiendo la diferencia. Pero para llegar hasta allí tengo que forzarme a abrir la boca, lo que me negué a realizar cara a cara con usted, como si fuera hermético caracol al cual hay que sacarle a la fuerza los pequeños resabios de ligosa substancia. Tengo que liquidar la malhadada nostalgia sentimentaloide que me atosiga.

Pero como usted siempre insistió con que me

remontara a mi niñez, intentaré también hacerlo ahora, para que vea que por fin calaron sus descargas. Va entonces la reminiscencia.

A mi entender, todo empezó la plomiza tarde cuando me desnudé frente a mi prima Inge, en los días niños cuando me sobraba el tiempo. Tendría no más de nueve años, ella siete. Bonita era la Inge, en cierto tono alemancito que por falta de criterio se nos hacía más atractivo en esos inciertos años. Siguiendo con sus lineamientos teutónicos, cuando no tectónicos, es su poquito gorda. Tonta siempre. Pero noblota. Aunque en ese momento no me daba cuenta, me lo tenía que decir mi tía Elisa quien también se lo decía a ella, "¡Tonta!" Pacata por carencia de imaginación. Por ello se escapó del húmedo baño de sirvientas, de un cemento más desnudo que cualquier humano torturado por su agua gélida, con asomos de moho y mugre en sus esquinas y en el techo. Era un cuartito con escasa ventilación, sin ventanas, la pared grisácea por las razones ya dichas, y encima se descascaraba. El frío parecía no irse nunca aunque estuviera ubicado frente a un jardín edénico con su nisperal al centro, inundado por ese henchido solazo lacerando de quemante todos los días que no llovía. Sirvientas teníamos, pero no se dieron cuenta porque su dormitorio y baño estaban en la parte de abajo, al lado de la pila. Era necesario subir unas graditas para entrar a la casa por su parte trasera. Ese pequeño espacio era un añadido lamentable pero necesario. Su fea arquitectura y mal acabado reflejaban de manera perfecta lo que de la servidumbre se pensaba en esas latitudes azul y roca, duras, desoladas, ardentosas y brillantes como meteorito. La Alicia estaría en ese mismo momento sirviéndoles café a mis papás y a mis tíos arriba en el comedor, cantando canciones de "El Último Cuplé" mientras los adultos mataban el tiempo gritando salivosamente de política. Habían tomado mucho whisky, sus cabezas se disipaban en el humo, porque entonces todavía se fumaba tabaco y todos comentaban desorbitados las manifestaciones en el centro de la ciudad, seguido de bromas en voz alta. Mi papá gritaría feroz, chispas en los ojos saltones, machacando con voz ronca la mayor cantidad posible de consonantes mientras golpeaba la mesa para disfrazar sus salivosos complejos tras una aparente radicalidad política. Mi tío soltaba comentarios chistosos tras los cuales se relamía complacido los bigotes rubios, como si fuera fino aristócrata berlinés y no un huérfano de Escuintla. La Alicia les servía el café. La otra sirvienta, la de adentro, había salido. No me recuerdo de su nombre porque hubo muchas de adentro. Iban y venían para adentro y para afuera, pero sólo la Alicia seguía firme con nosotros, año tras año a lo largo de mis años niños cuando aun no tenía mañas, no me hacía moñas, no me sentía cercenado como si anduviera con muñones.

Nos separaba del griterío de los adultos la puerta de madera y tela de alambre abriéndose y cerrándose con grosero rechinido. De ella provenían las gradas de cemento bajando insípidas hasta el jardín con su nisperal cubierto de verdes gusanos peludos. En el rincón más lejano, un techo de lámina hacía de bodega para guardar los instrumentos de jardinería. En el otro extremo se ubicaba el cuarto de sirvientas con su baño, justito al lado de la pila. Allí estábamos esa tarde cuando, con el rostro morado, me inspiré con la idea de desnudarme. Nunca lo había hecho. Sólo frente a mi madre, pero de manera inconsciente, debido al letárgico peso del cansancio abrumador del sueño que me calaba, impidiéndome empijamarme sin su ayuda. Nunca como esa tarde. Nunca exhibiendo golosa mi cuerpo, con furia de desplante, buscando aplausos. Me había fijado en el de mi prima Inge, guapa pero con cara compungida, tal vez por el ligero problema de sordera aquejándola todos los días. Hasta me había fijado en los cuerpos de Ruth y de Ana María, sus amigas. Me gustaban. El de mi prima y el de Ana María sobre todo. En el mío, ni reparado. ¿Por qué me desnudé? Podría decirle que por la comedia de la vida, que porque me entró por primera vez la calentura en público. No lo sé. Quizás el cuerpo mismo tiene memoria de pasados placeres brumosos que busca re-ejercitar. No había descubierto el sexo. Todavía era demasiado chiquito. Mi prima Inge no se había desarrollado, era impúber. Sin embargo había en mi sorprendente actitud, el rito angosto, inapelable, húmedo, algún instinto inapelable, un sórdido tinglado cósmico operando por allí que yo mismo desconocía.

De pronto empecé a mover las caderas para un lado y para el otro, a girarlas, perlas en sugestivo bamboleo rítmico mientras las piernas se enlazaban, me desabotonaba la camisa, bam, entrecerraba los ojos y sonreía al exhalar, boleo, las manos en las tetillas, tarareando bajito para tranquilizarme, bam. No había música, fuera de los agudos cantares de la Alicia reptiendo "Neeenaaa, me decía lo-co de passióóóónnn..." o "Fumando esperooo, al hombre que yo quieroooo, tras los cristales de alegres ventanaleees..." pero no llegaban hasta abajo, como no llegaban tampoco los gritos bruscos de mi padre brutalizado por la insidia de los heterógamos coroneles que a diario mataban gente como moscas. No había visto nunca espectáculo similar a mis gestos del momento, pues eran los años cincuenta. No había televisión en casa, aunque al país acababa de llegar tres años antes, y nunca había visto película con escena similar en ese entonces. En la pesadumbre mansa ni enterado estaba del amor. Varios años más tarde sí escuché del otro lado de la puerta del dormitorio mientras mi padre rugía sobre lo que imaginé sería el desnudo cuerpo de mi agobiada madre, hasta ponerme nervioso en extremo. No resistí a tocarles aduciendo necesitar una aspirina. Escuché la lejana voz de mi madre, "un momentito, ya vamos." Abrió embatada y, desde luego, frustrada, cinco larguísimos minutos después. Pero el día que me desnudé, ni enterado. Vivíamos aun en la pasividad de la zona cuatro antes de la inauguración de la Terminal, antes de ser expulsados de la casa descrita por el insistente remolino chirrioso de las camionetas extraurbanas y la confusión delirante de las rock-olas gritonas.

No sabré nunca de dónde me vino la espontánea inspiración divina, pero me llegó hasta hacerme perder el aliento. Mecer las caderas venenosas, desabotonarse la camisa entre sonrisa y sonrisa, vibrando, hasta llegar a quitármela, sobarme el pelo sin ningún recelo, saborear el gesto de destrabar la hebilla vaquera del cincho del pantalón, fragancia de mango fresco. Se insinuaban, lo sabía, los calzoncillos Jockey blancos. Siempre blancos. En esa época todavía no existían de colores. Mi prima Inge seguía allí, aquietada, pasmada, como si alguien le apretara el cuello con una mano mientras con la otra le sostenía la cabeza en su lugar, sus ojos cafés prendidos del juguetón zíper de mi pantalón, la cintura nerviosa, sin yo poder distinguir el ocasional descenso horrorizado de sus párpados. Nalgueaba descontrolada. No había nadie más. Ni siquiera Ruth o Ana María, lo cual hubiera sido sabroso, nalguear para ellas, sus amigas. Sólo Inge y yo. Estaba de blanco, con listones celestes y amarillos amarrados por atrás, calcetitas también blancas, de vuelitos, y zapatitos de charol negros de trabita. Sus ojos en mi zíper con asombro helado. Mis muslos esbeltos, tensándose. Por instinto empecé a subir y bajar morbosa el zíper, arriba, abajo, arriba, abajo, boleo. Mecí apetitoso las caderas quemantes en lento bamboleo de piñata en rotación incesante y, riente, bam, di media vuelta, boleo. Al hacerlo, estiré las piernas e incliné la espalda hacia adelante, exhibiendo mi exuberante grupa con furia perversa, los pies muy juntos, la cabeza calurienta. Agité el bombón como si fuera puta perdida, arriba, abajo, arriba, y luego me bajé los pantalones de lona hasta medio muslo, lanzando besos de fuego, pujando, subiéndolos con rapidez para que no se mostrara desnuda la nalga. Me reí socarrona, susurros calientes, candentes, bamboleo. Cerré los ojos, limpios, agité el bombón hasta lo más, piel adentro, ahora con mayor confianza, mordiente provocación. Yo era la isla de la música. Mi cuerpo metamorfoseado en liquidez enérgica, como hoy en palabras. Ya dijo Pizarnik que escribir "yo" es volverse un pronombre. Los pantalones bajaron esta vez más allá de las rodillas, abajo, abajo. Me agité mimoso, los agité, volvieron a subir. Sentí un aleteo en el corazón, los cachetes ardientes. Solté una enloquecida carcajada tan larga como fresca, seguida de un ronroneo de gato en celo. Reempecé las gesticulaciones. Estiramiento de piernas, sacar el bombón redondo lo más posible, arquear la espalda hasta casi quebrar la columna, bajar el pantalón. Esta vez lo dejé ir hasta el suelo. Se fue espasmódico, desfallecido. Cayó como trapo arrugado. Saqué el pie. El cemento frío, el sudor brillando en mis brazos. Lo saqué, perdiendo algo de equilibrio y de gracia, mas quedó afuera el pie. El pantalón arrugado, desechado cadáver en torno a una de mis sedosas piernas, la otra disfrutaba de su recién ganada desnudez. Ay, ay, aplausos. Me di vuelta para ver la cara de mi prima Inge pero me hubiera gustado ver la mía en ese instante. Inge ya no estaba. En su lugar se encontraba su padre, mi tío Willy, mirándome de arriba para abajo con ojos semicerrados, la cara crispada, descompuesta. Me quedé petrificado. No se me ocurrió decir nada más fuera de, "¿Y qué se hizo Inge?" "Subió a decir que te estabas desnudando", respondió. "Mi primito se está desnudando, nos vino a decir." "Ay, qué chismosa", agregué. "Si era sólo entre ella y yo." Fue sólo de adulto en que, hurgando en las caricias de otros tiempos, tuve conciencia de la estupidez insondable de mi comentario. "Vestite, y subí inmediatamente" me ordenó imperante. Se dio media vuelta y se fue. Sentí vergüenza. No de mi baile. Vergüenza de ser descubierto por mi tío, vergüenza de que mi prima no supiera guardar el secreto y se lo contara a los adultos. Vergüenza de que mi mundo de niño sin mañas fuera violado por la incrédula mirada del adulto. Nunca se me ocurrió tener vergüenza por desnudarme. Ni se me pasó por la cabeza. Ya desde ese entonces desnudarse me pareció lo más natural del mundo. El cuerpo es un bien público. Fue tan solo muchos años después que supe que mis movimientos de ese día imitaban a la perfección los de Natalie Wood en *Gypsy*, donde ella imitaba a su vez a la famosa stripper Gypsy Rose Lee. Tampoco imaginé que ese día se iniciaba un larguísimo viaje que sólo terminaría cuando la conocí a usted, lo que me permitió volverme en quien ahora soy. Del humo de esa época, algo queda. Si me decidí al final a escribirle fue porque todos vivimos dentro de historias palpitantes y las vamos contando y ajustando cuando llegamos a sentir que si no las contamos, se pueden convertir en nuestras cárceles, al fin nacidos en jaula de animales. En la mía hormiguea todo lo viviente, todo se hace cuerpo. Mi palabra se erige gozosa contra la pretensión de que la naturaleza humana está sentenciada a ser fija, inamovible, permanente. Es por eso que ahora le presento desflorada mis recuerdos consentidos, furias ornamentosas, desiderativas. Seguirán en mis correos mi texto, textil hilado de palabras, mareando los caminos de mi baile, los contornos de mi geografía, mis ejes oscilatorios este-oeste, agua y fuego, el día y la noche, Madrid-Laguna, viendo el mar en el oeste, puerta del origen, de cuya migración le voy dejando mis huellas. Vivir y viajar significan la misma cosa.

*

A Zara la conocimos una tibia noche lechosa de Marbella, o más bien de Puerto Banús. Nos paseábamos tranquilas pero no contentas por el malecón esa noche veraniega. Juana y yo caminábamos despampanantes en apretadísimos pantalones, el mío blanco, el suyo negro, y tops relucientes de lentejuelas que apenas cumplían su cometido, el suyo dorado, el mío celeste, sandalias de tacón, negras las suyas, blancas las mías, a todo lo largo de la larga fila de pequeños bares y restaurantes, fantasiosa colección prefabricada tan solo para niñosbien. Yo llevaba una peluca rubia esa noche cuyas puntas me masajeaban la parte superior de la espalda. Mientras los antros hormigueaban de gente, los yates permanecían anclados enfrente, indiferentes. La mayoría blancos, meciéndose apenas en la tranquilidad sedosa del oscuro mar como evanescentes sueños de almas superficiales. Dudábamos de la existencia de un bar gay en esa zona pero nada se perdía con buscarlo. De cualquier manera, éramos nuevas en el vecindario y queríamos ambientarnos tranquilas. Estábamos allí porque Marina Piñol y su marido, a quien nosotras llamábamos cariñosamente el Condeduque de Geirola por ser auténtico aristócrata español, nos habían prestado su segundo apartamento localizado en la torre vecina a la de ellos, en un privadísimo complejo de apartamentos, piscinas y pistas de tenis llamado "Señorío de la Costa del Sol". El conjunto residencial quedaba calle de por medio de la opulenta residencia del rey Fahd de Arabia Saudita y para entrar era necesario subir por el mismo caminito angosto en el cual quedaba la vieja casa de la mítica Soraya.

Marina fue quien nos recomendó Puerto Banús, pues nunca antes habíamos estado en Marbella. Para empezar nuestras rutilantes travesuras nocturnas de esa primera noche, saltamos a nuestro carrito rentado, pasamos por la ya mentada casa de Soraya y nos dirigimos hacia San Pedro de Alcántara por la carretera, dejando atrás el Puente Romano. Pero antes de llegar tomamos el desvío hacia el mar. Aparcamos en una oscura avenida ancha cerca del puerto con arriate de por medio. Apenas se veía en el horizonte la silueta del Monte Concha, parecidísimo al Monte Santa Victoria de Cézanne. Juana de inmediato lo apodó como "concha de su madre". Caminamos hacia lo que nos pareció ser la entrada principal, un pasaje enmedio del gran muro blanco. Al cruzarlo se sentía uno como en Alicia a través del espejo. De la espumosa tranquilidad nocturna preñada de abandonos se daba uno de bruces con el ruido, el color y el caprichoso exceso. Los vendedores ambulantes nos acosaron en la mera entrada como si fuéramos terroristas sujetas a interrogación, pero en vez de encararnos de mala manera nos ofrecieron, todos al mismo tiempo y tratando de alzar la voz más que los demás, descontadas entradas a las miles de discotecas pululando alrededor. Atravesando el muro era una Disneylandia para adultos, una gran avenida sin descanso ni ternura, con negocios a ambos lados, bares al fresco, piano bares, boutiques con ropa de marca, y gran chorro de gente alegre y dicharachera luciendo todo tipo de esplendores ajenos con algún toquecito de contenida pretenciosidad, actitud que siempre despertaba el Torquemada dentro de mí, la hispánica cachureca escondida en la aurora de mi educación, y a quien tenía que contener siempre a fuerza de porros y de orgasmos. Vimos nombres como "Maxim's Cabaret", "Sinatra Bar", "Salduba Pub" o "Tipsy Turtle" y, desde luego, muchos "Change". Esto fue pocos años antes de la entrada del euro.

Comenzamos a caminar hacia la derecha por la Avenida José Banús, hasta llegar a unas gradas. Parecían subir hacia otro espacio en un nivel más alto después de la tienda de "Versace". Las subimos pero sólo encontramos una desagradable plaza llena de ojerosos adolescentes y ojetes, niñosbien en buen chapín, innumerables y proliferantes, fufurufos y arrogantes. Nos decían todo tipo de chuladas y trataban de meternos mano mientras caminábamos en el angosto pasillo serpenteando por entre las mesas. Apurando el paso nos dirigimos hasta el final del mismo. Allí nos sentamos en el último bar, desocupado y tranquilo. Para disipar el breve mal rato pedimos dos tequilas. El mesero nos miró con los ojos cuadrados y como perro temeroso de ser apaleado admitió no saber si tenían. Fue cuando conocimos a Zara. Salió del bar, provocadora, sonriente, y se dirigió hacia nosotras. Nos dijo ser la dueña. Ella sabía de tequila, tenía guardada una botella que le habían regalado y nos preguntó con el borde de los dientes si lo queríamos con sal y limón.

Nos le quedamos viendo con emoción sagrada. Era morena, medio árabe, medio europea, su piel con esa densidad oscura de la miel de abejas, con melifluo acento francés capaz de derretir a una estatua de hierro, sus ojos impetuosos verdes que los queríamos verdes intercambiando reflejos promiscuos dentro de sí como si tuvieran sometidos no sólo a toda la gama de colores del arco iris sino también a toda otra dimensión inenarrable del color. Me pasé las manos por el rostro pues creí estar viendo visiones. A la vez me puse nerviosita y no quería ofenderla, mirándola con esa ardiente codicia que se incomodaba dentro de mí y me derretía la entrepierna. Juana fue ella misma, recorriéndola de arriba para abajo con ese descaro que parodiaba las miradas ofensivas de los hombres y simultáneamente era un guiño de ojo para la entendida, mientras regalaba la mejor de sus sonrisas. Poseía el don de deleitar en vez de ofender y se posesionaba al instante de su presa sobre la base de sonrisitas silenciosas y miraditas desarmantes que las otras parecían olfatear, emitiendo apenas ligerísimos sonidos de voz cuyas melodiosas notas seducían con ese adormecedor tono de los solos de cello de Pablo Casals, voz ronca, medio grave, pero de timbre alegre, abierto que siempre producía escalofríos al preguntar, que siempre buscaba, indagaba, curioseaba... esa voz que excitaba apasionada cuando en el sexo se convertía en exclamación, en sorpresa, en estallido, en suspiro. Terminaba siempre frente a los ojos de la otra, hipnotizándola a su vez con ellos y con esos movimientos extraños que parecían tomar lugar fuera de su cuerpo como si se desdoblara en dos.

Le pedimos los famosos tequilas y nos los trajo en persona. Juana, toujours menos tímida, empezó a conversar de todo y todo con esa conversación alegre que parecían caricias. Interferí malhadado para no quedarme fuera de juego, preguntando quién le había regalado la botella de tequila. Zara como si tal cosa dijo que a veces se aparecían hombres por allí, príncipes árabes o dueños de yates. Muchos le dejaban regalos. La curiosidad de Juana comenzó a congelarse ante la mención de "hombres". Conforme el tequila en cuestión hacía su efecto se indiferenció de la dueña del bar, dejando de evidenciar su donaire.

—¿Nos vamos a buscar fiesta?

Nos despedimos, pagamos y salimos por otra recién descubierta escalera trasera, bajando de nuevo a la avenida principal, rondando la plaza que nos condujo hasta Zara, rehuyendo el molestoso manoseo mortificante de los niñitosbien. Como estábamos en la punta del puerto nos dirigimos en dirección contraria. Pasamos de nuevo frente a la entrada con su regazón de promotores de discotecas pululando como hambrientas ratas y seguimos de largo, merodeando frente a las boutiques hasta encontrar un antro donde tocaban salsa. Ostentaba el nombre de su conocido dueño, "Espartaco Santonni", de quien supimos había muerto pocos meses antes. Entramos, jaladas por la música. Como servían mojitos los pedimos mientras le echábamos el ojo al sitio. Era *estrecho*, desde luego, palabra inventada por la Juana para designar los ámbitos heterosexuales. En inglés se les decía *straight* y al traducir la palabra al spanglish salía como estrecho. Se prestaba imaginativa para denominar la estrechez efectiva del pensamiento y de la poesía sádico-anal de quienes ni entendían ni eran ambidiestros, y ni siquiera abiertos a las suculentas aventuras del amor en todas sus fluidas vertientes de siglos de yeyunas espirales incesantes de esa curiosidad santificada, toda una estética anillosa esforrocinante que Toña la Negra cantó como "todas esas cosas" y suele pernoctar sabrosa en los traseros bamboleantes que se roban siempre las miradas aunque se mueran sin cultura.

La música era rumba de las buenas, con todo y su cubanito exiliado somatando un par de tumbadoras con el filo de las manos y toqueteando timbales para agregarle locura y ritmo de autenticidad a esa descoyuntada noche tibia avanzando con la velocidad de tortuga. Los bailarines, de casi cualquier país europeo imaginable, tenían en común ser pésimos, incapaces de cazar el picante ritmo sabrosón con sus enormes pies aplanados de pasión. No pudimos sino sonreírnos, darnos esa mirada de pícara complicidad y acabado el mojito, guiñarnos el ojo con resignada complicidad antes de soltarnos a mover la colita al ritmo de, bueno, "A mover la colita". De súbito todos se apartaron y nos hicieron admirativa rueda. Bailamos como si cada una fuera el tentáculo de un mismo organismo, dando el espectáculo con el enclave denegado de deslave: culo culo culo culo culo. Juana me llevaba, haciéndome girar bajo sus brazos como gimnastas en los aros con la expresión de complicidad que nos aislaba en ese resplandor circular, que se ubicaba más allá de esa noche y se anudaba en lo inexpresable de nuestro pasado, sin dejar las miradas admirativas deslizarse hacia esa tenebrosa duda de, "¿serán o no serán...?" De allí que bailáramos una sola, cortáramos por lo sano y nos escabulléramos mientras la fuerte ovación todavía nos zumbaba en los oídos y el placentero griterío amistoso de la muchedumbre aún exigía "¡Otra! ¡Otra!" y vertía olés a nuestros pases de frente por detrás.

Caminamos por instinto de vuelta hacia el bar de Zara porque más allá del "Espartaco Santonni", Puerto Banús se acababa con el restaurante italiano de Tony Dally, el gran ex tenor cuyo CD de *Arias de Don Giovanni* teníamos en la guantera del carro en California. Seguía la playa de Levante, trepidante, oscura a esas horas de la noche donde sólo podría invitar a levantes, o bien a parejitas necesitadas de urgente oscuridad.

–Esto es para niñitos. Me voy a animar y preguntarle a Zara por algún sitio gay.

El ambiente era estrecho de estrechez muy española e incluso muy poco andaluza, si bien podría decirse que Puerto Banús era cualquier cosa menos Andalucía. Subimos de nuevo las gradas al lado de "Versace" y recién empezábamos a abrirnos paso entre los "niños pija" como les dicen en las Españas, nombre que va de lo mejor en la Guatepeor de las pijas chilosas y calientes de los mal hablados, cuando vi que caminando hacia nosotros, luciendo plena su gran sonrisa desarmante que obligaba a cualquiera a pedir perdón por haber nacido, venía Zara con pasos danzarios, semi flotando como las figuras delirantes del *Cirque du Soleil*, con agitar de caderas que al oscilar intensificaban el repiqueteo de los latidos en los corazones apasionados.

Nos saludó como si fuéramos sus viejísimos amigos. Juana se animó. Se le acercó, la besó en las dos mejillas y le dijo al oído:

—¿Conocés por acaso algún sitio donde la gente entienda por aquí?

Como si fuera la cosa más común, Zara, sin perder su sonrisa, dijo en voz baja como susurrando una canción:

—Sí. Se pueden ir a "La comedia". Regresan por donde venían y pasando la entrada, suben a la terraza del lado izquierdo.

Juana se lo agradeció con toda la delicadeza de quien transmite un cuidadoso secreto. Dimos media vuelta, nos volvimos por el camino andado, deshaciendo camino al andar, y a los pocos minutos, me confesó que ya no se acordaba por dónde. Nos volvimos a dar la media vuelta para buscarla, pero esa era nuestra noche mágica. Zara había seguido caminando tras nosotras y venía tan sólo unos cuantos metros más atrás.

—Se le olvidó dónde era, le dije, señalando a Juana.

—No importa. Síganme. Yo las acompaño.

Fue así como terminamos las tres en "La comedia" y se inició la alegría de la noche. Era amplio y oscuro, con dos bares, el segundo en forma de "S". Había escasos clientes a esa hora. Una pareja estrecha se abrazaba en el descampado rincón. Nadie ocupaba la pista de baile. En cuanto entramos Zara abrazó al viejo camarero, cuyos manerismos indicaban lo inevitable. Entendía. Estaban preparando un negocio juntos, nos contó. El rincón final del bar estaba separado del resto del antro por un lazo blanco, reservando sus mesas para los íntimos, las celebridades o bien los amigos del dueño del bar. Sin embargo, con la tranquilidad prosaica del hábito, el camarero, de nombre Carlos, levantó el lazo y nos permitió el ingreso a las tres. Sin perder el paso ni su conversación, Zara escogió mesa. Jaló las sillas para permitir que nos sentáramos y nos acomodamos las tres. Carlos se marchó y volvió a los pocos minutos con una botella de *Veuve Clicquot*.

–Yo sólo puedo tomar champaña, dijo tan campante como única explicación.

Juana y yo intercambiamos miradas y luego supimos que en efecto pensamos lo mismo: "Ésta nos va a sacar la plata aprovechándose de nuestras debilidades." Pero haciendo de tripas corazón no dijimos nada. Zara nos sirvió. Brindamos por la nueva amistad. Sabiendo que íbamos a gastarnos una fortuna en ese antro, decidimos por igual relajarnos y disfrutar del buen champán. Al fin, saldría de nuestras costillas. Carlos hacía conversación animada, contándonos haber trabajado en Francia con Zara antes de volverse para Marbella. Nos enteramos así que Zara era francesa como supusimos pusilámines, mediterránea del sur, lo cual justificaba su delicioso acento y piel morena. También nos enteramos que estaba pensando abrir restaurante en Barcelona.

Cuando nos acabamos la botella de champán no era muy tarde todavía para España, si bien en Chipilínlandia andarían ya solo violadores por las desoladas calles pueblerinas, llagas ampulosas de esas horas de la noche. Zara se puso de pie de pronto y dijo:

–Esto está muy aburrido todavía. Aquí se pone alegre más tarde. ¿Por qué no se vienen conmigo a otro sitio? Yo las llevo.

Nos miramos las dos. Apretamos los dientes tantito, como dirían los mexicas, temiendo nos fuera a sacar más dinero, pero como ya andábamos en plan aventurero, Juana leyó mi consentimiento en mis asustados ojos objetivizantes y dijo, "de acuerdo". Preguntamos cuánto era por la botella de champán y Zara nos dio la primera de muchas grandes sorpresas de esa noche que se destrampaba y avidriaba:

–No es nada. Ésta va por cuenta mía. Fui yo quien la pedí.

Sorprendidas, salimos. Balbuceando alegres como si tal cosa, Zara nos llevó hasta su carro, un Mercedes negro último modelo. Juana se sentó a su lado, yo atrás. Arrancó. Salimos de Puerto Banús y volvimos a la carretera. Siguió durante varios kilómetros. Me puse a pensar en nuestro propio carrito rentado. Se había quedado parqueado cerca del redondel con la solitaria estatua. Zara nos podía secuestrar, matar, y nadie se enteraría.

Traté de poner atención al camino. Distinguí tan sólo en el camino de Istán la mezquita de Marbella. Bajando por otra curveada calle de palmeras llegamos de pronto a una estructura de estilo moro andaluz con nombre que rebrillaba de luces: "Olivia Valere".

Bajamos. La cola para entrar era inmensa y en su puerta varios guardias impedían el avance de la multitud. Como si el asunto no fuera con ella, Zara nos guió hasta allí, saludó con mirada quieta y dos besos en la mejilla al primero de los guardias, le mostró a los otros un carnet y entramos así nomás, tan campechanas, tan tranquilas. Era de morirse de risa.

El sitio era inmenso. Había una vasta pista de

baile y era evidente que el edificio tenía diferentes salones con bares y terrazas. Zara balbuceó algo al maître d' quien nos condujo a otra mesa en un corredor no muy lejos de la pista de baile con ojos neblinosos. Antes de acomodarnos el maître d' ya estaba destapando otra botella de *Veuve Clicquot*. Juana y yo intercambiamos miradas de nuevo. Zara nos sirvió y enseguida se disculpó. Había distinguido a una amiga en otra mesa. Mientras Zara desaparecía, Juana y yo aprovechamos para intercambiar impresiones.

–Este lugar no es gay.

–Nopal, pero es sin duda la disco más lujosa de Marbella. Todo el mundo está eufórico y si supiéramos quién es quién en este país, te aseguro que ya habríamos reconocido a varias celebridades.

–Además, todos quieren entrar y pocos lo consiguen por mucho que puedan pagar. Aquí sólo entran los preseleccionados. Obviamente la Zara tiene palanca. A ver si nos saca ahora lo de la botella...

Nos distrajimos viendo a Zara en la distancia abrazar a otra chica bastante guapa de piernas musculosamente gruesas y firmes pero comestibles como diría yo a pesar de los reproches de la Juana, alguito más alta que ella. El abrazo fue lo suficiente inocuo como para no delatar nada pero lo suficiente apasionado y sugerente para quienes entendíamos. Juana se fue al baño. Aproveché para echarle ojo al inesperado lugar. En efecto, hormigueaban multitudinarios salones. Las terrazas bajaban graduales y sobrias hacia el mar, apasionando a todos los sobresaltados sujetos a quienes les gustaba beber o besar *al fresco*.

Volví corriendito pero la Juana no estaba en la mesa. Levanté la vista hacia la pista de baile. Las vi. Las dos. Doña Juana y doña Zara, agarrándose transfiguradas de la cintura sumergidas en una marejada de deseo que subía hasta el techo como vaho tufoso. Sentí como si los celos navegaran por todo mi cuerpo corroyéndome las vísceras. También me daba inapelable calentura al ver la sensualidad felina con la cual se movían en forma de ocho, Juana pasándole los brazos por detrás de la espalda, Zara con manos temblorosas dejándose llevar con imperdonable sonrisa por la dadivosa dictadora del ritmo. A Juana se le escapaban los ojos cuando al hacerla rotar, las golosas nalgas de Zara circulaban frente a ella y soltándole la mano la hacía girar otra vez en sentido inverso mientras se acuclillaba para que le rozaran la punta de la nariz, parándose rápida para retormarla por el frente, recorrida de alegría en un abrir y cerrar de ojos mientras cerraba los ojos y apretaba la cara como si no creyera su buena suerte. Los otros danzantes se empezaron a alejar de ellas, mirándolas de reojo con morbosa curiosidad. Entrecerré los míos y me bebí de golpe dos copas de champán.

—¡Nos vamos otra vez!

Ahora era la cínica voz defensiva de Juana anunciando palabras de ternura. Abrí los ojos. Estaban paradas frente a mí, tomaditas de las manos como tomada estaba yo del champán, unas cinco copas. Más bien Juana le apretaba firme la manita sudada a Zara quien se dejaba hacer, se deslizaba temblorosa por el resbaloso rumbo aceitoso ofrecido por la Juana como alfombra persa para conducirla hacia el sedoso paraíso erótico planeando entre dos nubes.

–¿A dónde?

–Regresamos a "La comedia", dijo Zara. –A estas horas ya debe estar a tono. Nos podremos colocar allí.

No dije nada. Me paré tan sólo y entre abatida y excitada las seguí. Ni me enteré quién pagó esta vez pero supuse sería Zara por los gestos corporales. Volvimos al Mercedes, subimos en sentido opuesto el camino curvo hacia la carretera gris y en pocos instantes estábamos de vuelta en Puerto Banús. Como si fuera la cuidadora, la niñera, o bien la chaperona, caminé pasos detrás de las dos mientras Juana, medio atolondrada como quien ha sorbido con demasiada rapidez su bebida favorita, intentaba acariciarle el brazo entero con las hirvientes yemas de sus finos dedos.

"La comedia" ya estaba llena de gente. Nos abrimos paso entre los innumerables danzantes que giraban en todas las posiciones y ángulos posibles hasta lograr acercarnos al rincón reservado por el lazo. Éste también estaba lleno, pero nuestra mesa seguía intacta. Carlos nos esperaba sonriente con otra botella de champán.

Siguieron momentos confusos. Tanto Carlos como Zara nos presentaron a varias de las personalidades sentadas en nuestro selecto espacio separado. Brindamos con todas, hicimos conversación nimia y trivial, las voces subieron de tono sin perder en nada ni su alegría ni sus múltiples acentos. No había oído hablar antes de ninguno de ellos y tampoco se me quedó el nombre de ninguno. Carmen algo, Lolita no sé qué. Me simpatizó tan sólo el más feo por ser también el más alegre, hombre medio calvo de bigotito rubio quien dijo haber hecho el papel de barman en la versión fílmica de *Las edades de Lulú* dirigida por Bigas Luna. El hombre derrochaba simpatía y se comportaba de lo más caballeresco con todos los individuos que lo rodeaban, acomodándolos como si supiera de antemano sus debilidades y les diera un relajante masaje con su fuerte voz grave, tranquilizando a tan heterogéneo grupo. Mientras tanto Juana y Zara, siempre de la manita, se levantaron varias veces y se fueron al baño, regresando cada vez más eufóricas y llenas de energía. La otra mano de Juana subía y bajaba lenta, tan lenta que podría impacientar a cualquiera pero con extrema delicadeza, por toda la longura de la columna vertebral de Zara, provocándome los escalofríos, mareos y vahos de deseo que la otra sentiría junto con la consabida vergüenza momentánea por sentirme parásita del placer ajeno, así como adolorida por no tener mi propio disfrute. Cada vez que la mano de Juana recorría la espalda de Zara, Carlos me lanzaba una mirada melancólica de comprensión. A la tercera vez me dijo suavecito:

—Lo mismo me pasó con mi novio hace un par de años. Y eso que yo había dejado a mi mujer e hijos por él.

El sitio estaba bañado en humo. Circularon habanos. Acepté uno por cortesía. Más humo. Me empecé a marear, a perder noción del tiempo. La voz de Juana me sacó de mi sopor.

—Nos vamos.

—¿Otra vez?, pregunté incrédula.

—Son las cinco de la mañana. Están cerrando, me dijo.

–Pero ahorita están abriendo el "Scream", agregó una Zara eufórica.– Además, su dueño está aquí. Es un francés muy simpático y muy trabajador, ven para que te presente.

Me presentaron al francés en cuestión, jovenazo rubio de menos de treinta años con barbita puntiaguda y ojos pequeñitos, más alto y delgado que nosotras, de pecho musculoso. El grupito de preselectos presidido por "el dueño", Juana y Zara siempre de la mano, seguidas de otra media docena de individuos, abandonó "La comedia". Yo cerraba el macabro desfile de sobrevivientes. Al salir amanecía ya. El cielo se aclaraba creando una extraña transparencia sosegante. Cubría como frazada el ámbito urbano casi libre de carros a esa hora. El Monte Concha era ya visible en la distancia.

El "Scream" quedaba casi en la esquina donde la calle Ramón se unía a la José Banús. Tenía entrada como de platillo volador y se bajaba una larga escalinata hacia el sótano. En las entrañas del nuevo monstruo bailable nadie se enteraba de que había amanecido. Las luces saltonas giraban y cambiaban de tonalidad como si la noche fuera eterna y en efecto, allí lo era. El sitio estaba bajo tierra, sin ninguna ventana indicando los tiempos reales del día y de la vida.

Entre lo contado hasta aquí y lo que sigue ha pasado una semana. Creí no poder acabarlo porque hoy me desperté tensa por un incidente en el trabajo, y además tenía que pagar mis cuentas, pasar por la lavandería e ir al banco. Sin embargo a la hora de sentarme frente a la computadora, la magia de Puerto

Banús me teletransportó de nuevo hasta allá, hasta hace ya más de tres años, hasta ese dichoso mes de julio cuando sentí por primera vez lo impensable. Juana se me iba de las manos, se me iba, se me iba, iba, iba, y yo era impotente para impedirlo.

Estábamos en el "Scream" y ya serían cerca de las siete de la mañana. Dada la hora me sentía cansadísima. Juana y Zara tenían sin embargo una energía de película. Un tanto frenéticas, eléctricas, no dejaban de bailar, de agitarse, de hablar, de acariciarse sabroso, de auscultarse el rostro con las yemas de los dedos. Juana no le soltaba la mano ni por un segundo. Poniéndome un tanto malhumorada de puro cansancio me atreví a interrumpir en esas oscuras regiones de la pista de baile el irregular abrazo sudoroso de las dos pimpollas. Les dije que no entendía cómo podían tener tanta energía a esa hora cuando yo ya me moría del sueño y sentía como si granos de arena picaran mis ojos. Juana soltó su amplia carcajada magnética y Zara se ruborizó. "Disculpa", me dijo. "Con el frenesí de la noche, se me olvidó ofrecerte." Dicho lo anterior soltó a la Juana, me tomó de la mano y corrimos las tres hasta el baño. Entramos todas en el mismo retrete. Zara cerró bien la puerta y se inclinó sobre el depósito de agua mientras la Juana, gesticulando chistosa, se tapaba la boca con el dedo índice para indicarme silencio. En los otros retretes los sonidos de dicharacheras chicas atosigándose de risas, de comentarios de toda índole que sorprenderían de verbalizarse en público y de aspiraciones de narices como si todo el mundo estuviera acatarrado, eran más que evidentes. Al final Zara se irguió y me sonrió con la complicidad y satisfacción de niña buena cumpliendo con su buena acción diaria. Sobre la tapa del depósito de agua lucía, como un enorme gusano choconoy, la rayota de coca más larga y gruesa que yo había visto en toda mi vida. "Disculpá", me susurró Juana al oído. "Hicimos ya varias y Zara me regaló una piedrita para vos pero se nos olvidó compartir antes por lo alocadas que andábamos."

–¿La hago de un sólo? ¡Es enorme!

–¡Shh! De un sólo. Ya vas a ver.

Me incliné sobre el depósito de agua, tomé el billete enrollado de cien pesetas y empezando por el extremo izquierdo de la raya, entrecerré los ojos y la inhalé de un solo tirón. Sentí como si me estallara la cabeza, como si una llama soplada por un desvergonzado jaguar me quemara los sesos, dejándomelos achicharrados. Los colores se me intensificaron como cuando uno hace LSD y los objetos se curvearon como vistos a través de vidrio muy grueso. El corazón se agitó, la energía me estalló tras las cejas, en la punta de la lengua y en las yemas de los dedos. Me brotó sudor por todos los poros del cuerpo. Levitaba. En efecto esas rayas no eran como las conocidas por mí hasta esa fecha. Las mías, subdesarrolladas y tercermundistas, apenas si servían para evitarle a uno la caída libre de las fatigosas noches tormentosas cuando el cuerpo se rendía de pronto y se dejaba ir con violencia hacia el abatimiento. De allí que las denomináramos con Juana de "paracaídas". Servían tan sólo para ayudarnos a caer más tranquilas y con mayor lentitud antes de rendirnos a los brazos de Morfeo, si antes no se nos habían atravesado otros brazos, los de alguna guapa en cuyas curvas y caderas nos perdiéramos salvajes al compenetrarnos de la oscuridad, como táctiles recursos fantasmales para atosigar la desbordante soledad.

Después de la raya de Zara volví a vivir como si hubiera nacido otra vez. Me sentía sin peso, como si me moviera sobre el oleaje del mar, como si fuera un viejo muro vuelto a encalar el cual de tan fresco ya ni toleraba la intensa blancura de mi misma cal. Bailé de lo lindo con una rubia un tanto pretenciosilla pero de tetas sabrositas, pequeñas y bien paraditas cuyos alargados pezones me podía imaginar perfectamente, y hasta con la chica de las piernas firmes pero comestibles con quien Zara se abrazó en la "Olivia Valere", y quien resultó ser la dependiente del "Versace" de Puerto Banús, pero la hacía también de brasienta modelo para fotógrafos en su tiempo libre y me confesó tener larga amistad con la abrazada Zara sin entrar en detalles. Le gusté pero para mi mala suerte, le gustó Juana también. A los pocos momentos bailábamos las cuatro abrazadas en una intimidad de glúteos endurecidos, sacudidas desarregladamente por descorridas risotadas y sutiles metiditas de mano en los senos o en la entrepierna hasta cuando Juana y Zara decidieron que había llegado la hora. Dejamos a la modelo, quien antes le hizo prometer a la Juana que la llamaría la siguiente noche. Salimos juntas. La picante transparencia brillosa del sol nos cegó de inmediato. Frotándonos los ojos, caminamos tresegueantes hasta el carro de Zara. Me subí en el asiento trasero y me llevó hasta donde el nuestro estaba parqueado. Juana se despidió con un beso en la mejilla y un "a'i nos vemos", y se marchó con ella.

Manejé sola de vuelta, pasando otra vez por la casa de Soraya, al lado del palacio del rey Fahd ahora a mi izquierda, hasta entrar en el "Señorío de la Costa del Sol". Agotada, conduje despacito por el angosto camino lleno de curvas bordeando las piscinas en busca del sitio para estacionarse. Vi al jardinero podando la hiedra del complejo. Como autómata le dije por la ventanilla abierta, "buenas noches". "Buenos días dirá usted", me respondió. "Son las once".

Al entrar al apartamento puse con el volumen bajo un CD con arias de *Don Giovanni*, lamentando no tener allí el de Tony Dally. Se me había quedado, como ya le conté. Caí como piedra en la cama, sin molestarme siquiera en cerrar las ventanas empapadas de la luz del sol. Me sentía desamparada, como si fuera tironeada por dos lindas manos, una que me atraía hacia sí y otra rechazándome. Con el pensamiento anegado de emociones aún indescifrables, perdí el conocimiento. Me desperté horas después con el ruido desencajado y arrítmico de maquinaria insoluble tronando en mis oídos. Juana, ya de vuelta, lavaba la ropa. Tenía tanta energía que no podía dormir. Me quejé apenas, entredormida como estaba. Burlona, Juana se aprovechó para entrar al cuarto y contarme emocionada el éxtasis cósmico vivido con Zara como si fuera un inextinguible chorro de burbujas de colores. Entrecerré los ojos de nuevo para dejar de escuchar, para poder huir hacia las fantasías donde nadie me acechaba y las guapas más guapas

siempre se venían conmigo. Cuando volví a despertarme había un papel sobre la cama. Lo tomé y lo
leí. Basado en la famosa rima de Bécquer, Juana me
había escrito el siguiente poema en su cuasi ilegible
letra de molde:

>Volverán los níveos polvos
>Las narices a llenar
>Pero las rayas enormes de Zara
>Esas... ¡no volverán!

*

Doctora querida. No es que le hubiera mentido en
realidad, porque no fue mentira. Pero releyendo mi
anterior envío, me doy cuenta que me salté una
información crucial. Le dije que me quedé dormida,
cosa cierta, y luego agregué que me desperté con el
bufido de la máquina de lavar, también algo que en
efecto sucedió. Es auténtico, incuestionable como
hecho. Pero hubo un detalle importante que de manera consciente o no, aún no lo se, dejé de lado. No
por vergüenza. Después de todo lo que ya le he
confesado personalmente y por escrito, queda poca
cosa bochornosa que podría ocultarle a estas alturas.
Sin embargo se me olvidó. Se me borró de la mente
aunque no lo crea.

Yo estaba dormida cuando Juana volvió. Es cierto. Pero la sentí llegar. Dormía ligero entre el sentimiento de abandono que me abrumaba y la imposibilidad de conciliar el sueño después de tanta
coca. Juana entró de puntillas y se vino a meter a la
cama conmigo. Dudé sobre si estaba apenas proyec-
tando un deseo vehemente como si me encontrara

prisionera de un acuoso espejismo, pero la sentí en ese entresueño engañoso en que las imágenes parecen más salidas de viejos anhelos borrosos que de una realidad vivida, quimeras de lo deseable pero inasible, desvarío de un sofoco que no termina de pasarme. El calor de su mano era inapelable, sin embargo. Quemaba como una plancha al colocar la palma sobre mi espalda desnuda. Con vigor, decisión y ternura me hizo girar hacia ella y me besó. Me besó largo, un beso profundo, hondo, que me atragantó, en el cual la amargura de su lengua encocada se disolvió rápido en una especie de sabor agridulce como de café con leche o de matagusano pero más con esa consistencia viscosa, empalagosa del chilacayote, derritiendo con relativa facilidad mi resistencia y mi rencor. "Te quiero mucho", me dijo. "Pero te vas con otra", le respondí. "Mi mènte lo podrá entender pero mi cuerpo no lo perdona. Lo siento aquí, bajo el ombligo, en este punto donde comienzan las tripas. Como un nudo, un apretón, una mordida que luego se va extendiendo por todo el vientre, hasta corroerme la razón. No aguanto que te acostés con otras." Me besó en los párpados semicerrados, en la nuca, me acarició el punto del vientre que le describía con esa mano quemante que se deslizaba con estudiada lentitud, en movimientos circulares que, en su sobar, parecía esponja absorbiendo mis dolorosas soledades. "Quiero ser..." "Sos." "No." "Sí." "Sos una torcida..." "Te parezco una ilusión." "No conecto contigo." No había lenguaje para expresar esa contradicción que sentía, fuera de entender que mi cuerpo y mente me jalaban en direcciones que chocaban entre sí, pasiones contrapuestas. La adoraba y la odiaba al mismo tiempo. Perdóneme la banalidad del cliché pero no existen, o no encuentro, palabras adecuadas para explicar ese dolor que me partía en dos. Juana era la única persona en el mundo con quien podía conectar y sin embargo me sentía burlada, desconectada de su majestad en el cuerpo y en las palabras, separada, como si yo fuera una outsider separada por una pared invisible de sus placeres y de su seducción. Ella me acariciaba con solemnidad, transmitiéndome su calor, me susurraba melosas palabras sin sentido como si la vida fuera sobre ruedas en un tono de ricos colores que calmaba, me calmaba como música de suaves violines que arrulla las entrañas, y dejé de prestarle atención a mi desaprendido cuerpo y a mi enturbiada mente oclusa, desprovista de razón. Me dejé llevar en su vertiginoso laberinto profanante que hollaba mi propio sentido de ser, y que sin embargo me envolvía en dulzura quemante que cicatrizaba mis melodramáticas heridas de la misma manera en que la sobriedad del violón curva la excentricidad chillante de la trompeta en la música del mariachi. Me tranquilizaba, me inquietaba, me arqueaba, me excitaba, me prometía la melodía de lo que no se podía ver, lo que sólo con ella había logrado ver en el paroxismo del orgasmo, una magra ilusión de sustancia pero que lo era todo, aislada como me sentía en un cuerpo que ni siquiera era el correcto, incapaz de conectar, ansiosa. Muerta en vida, vivía la muerte conforme la Juana me pelaba de aturdimientos, de decepciones, me cortaba la respiración conforme sus manos ejercían esa magia tan suya, me hacía levitar, me acallaba, me calmaba, me secaba la garganta dejándome desprovista de palabras, me complacía, rompiendo las fronteras entre su caos y el mío, me calentaba con murmullos, me aligeraba con abrazos abrasantes, se apretaba contra mí robándome de oxígeno, bañándome de ternura dilatada, ensanchada, expeditiva expera de la esperada explosión sublime, en ella, para ella, con ella, por ella, suya, suya, suya. Abrí los ojos en ese momento y vi que su rostro se crispaba envuelto con turbiedad en un dolor tan grande, grito sin grito, mudo, que era imposible de soportar, como si se despeñara todo el fuego del mundo, dejándonos sumergidos en una perpetua oscuridad. Me miró. La miré. "Sos la única", dijo. "Las demás son sólo deseo. Aparte es que uno ya esté acostumbrada a la mala vida".

*

Marzo viene atroz. Juana sigue sin dar señales de vida. Me siento ofendida, tratando de aparentar esa buena voluntad positivista que no siento para nada. Ni borra las humillaciones ni mitiga los deseos destructivos de acabar con Isabela "la duquesa", mordisqueante vampiresa pragmática que partía el tiempo con medida matemática, impasible, dividiendo cada instante de su vida en fragmentos de ritmo perfecto, mientras nado en el nadir nalgoso nanceando auxiliada por el salvavidas de la inolvidable frase, "pretendamos que volvieron los buenos tiempos, cuando nuestra tierra todavía era verde y aun creíamos que era posible salvar el mundo". Juana intentó disuadirme de continuar lo trazado en Laguna Beach, lo cual me llevó a permitirle salir a ese otro ser dentro de mí, historia que usted ya se conoce de memoria. Ella temía que lo hiciera tan sólo para obligarla a estar conmigo. Pero no era así, como se lo conté a usted desde el principio. Lo hacía por mí misma.

Estoy escribiéndole no sólo por haberme comprometido con usted, doctora, sino para no angustiarme por las deudas. Mis tarjetas de crédito están al máximo y ya no puedo pagarlas con el sueldo de este mes. Conseguí un préstamo y con eso las hubiera cubierto pero me cobraron otro que tenía, y la mitad del recibido se fue para pagar el otro, y ya no me quedó para las tarjetas. "Hay que conseguir amor de donde sea, porque es lo único que te ayuda a vivir."

Entonces, déjeme contarle esa niñez desconocida por usted. Yo era el amante de la modernidad. De niño quería ser ingeniero aeronáutico. Me la pasaba diseñando modelos de aviones, compañías aéreas, aeropuertos. Me inventé una compañía de aviones imaginaria, le puse King Aviation porque siempre me sentí rey, y en inglés desde luego, porque la fantasía natural, que palabra ésa, "natural", no diré nada de momento, pero la fantasía natural era la de estar residiendo en los Estados Unidos pese a no estarlo, porque al fin, estaba en Guatemala, vestigio no sólo de república bananera, sino de república tout court, aunque eso sí, con bananitos deliciosos de dulces, pero por alguna razón misteriosa que debe ser sicológica como diría Nabokov, la fantasía natural era la de estar en los Estates. No era rebuscada, sino que me salía así, nomás, y yo tenía sólo como doce años. La fantasía era que vivía en los Estados Unidos, y me inventé a la King Aviation, y diseñaba aviones. Imaginé cómo hubieran sido los Convair de haber continuado su producción luego del 990, su último jet comercial, pues no pudieron competir ni con el B-707, ni con el DC-8, y los diseñé, y les puse KA-1, KA-2, y así subsecuentemente. Esta fábrica quedaba en una ciudad imaginaria llamada Mazuma, ubicada en el estado de Nueva York. Si bien me gustaba Nueva York ciudad, o sea Manhattan, y me la conocía de memoria porque tenía sus mapas estudiados y reestudiados, en mi mundo de fantasía no era suficiente vivir en Nueva York. Nueva York ya existía, y quería una ciudad inventada por mí. Por eso inventé Mazuma. Quedaba a orillas del río Hudson, cerca de Albany. La idea era que si el canal de Erie hubiera continuado en el siglo veinte y lo hubieran ampliado de manera que existiera navegación de grandes buques entre Nueva York y los grandes lagos, habría un gran puerto en el punto de conjunción del río Hudson con el canal. Ese punto era Mazuma, puerto fluvial al interior del estado de Nueva York. Me la diseñé toda sobre la base de un viejo mapa de Montevideo. Me encontré en algún sitio que no recuerdo y allí quedaba King Aviation, en sus afueras.

Allí estaba también la sede de Transworld Air Transport, o TAT, sus siglas, la compañía aérea más grande del mundo, localizada en su aeropuerto, el cual también había diseñado. TAT estaba modelada en la Pan American. Cuando yo era niño, era la compañía aérea más grande del mundo, y yo me sentía medio parte de ella, porque mi papá era secretario de uno de los abogados de la compañía en

Guatemala. Como recompensa le regalaban un calendario de la Pan American cada navidad, y venía con fotos muy grandes del Taj Mahal, del Hawaii y de otros sitios exóticos que desde la Guatemala de mi niñez quedaban muy distantes, pero yo estaba seguro los conocería algún día, pues el mundo era mío, la compañía era casi de mi papá porque a él le tocaba mecanografiar las escrituras del abogado representándola en el país y quien después salía a emborracharse con el mentado progenitor, y yo me conocía su historia de memoria, el primer vuelo de Cayo Hueso a La Habana hacia fines de los veinte, las rutas exploradas por Lindbergh y que luego le concedieron a la compañía, las aventuras de Juan Terry Trippe, el presidente de la misma, además de parecerme muy gracioso que siendo presidente de esa gran compañía gringa, se llamara "Juan" y no "John" como mandaban las reglas del darwinismo social, a saber, que toda la gente poderosa tuviera nombres en inglés, razón por la cual me avergonzaba de mi propio nombre ordinario, español, los dos apellidos para colmo, hasta los cuatro si quería extenderlo hasta el segundo de mi padre y de mi madre, horror de los horrores, ningún alemán o yugoslavo entre nuestros ancestros, sino puro nombre español y pura cara aindiada. Híjole. Eso hacía casi mía la Pan American, en la cual modelé la TAT, la cual sí era mía, porque yo me la inventé.

Tan mía era la Pan American que cuando en 1958 iba a llegar el primer avión jet al país, el entonces nuevísimo, ¿o se dice "novísimo"?, Boeing 707, el cual había visto ya en las fotos del calendario del año anterior con los nuevos colores de la compañía que me hicieron preguntarme por qué las compañías cambiaban de diseño y de logo. Todavía no entendía yo de la modernidad. Era más tradicional aún. Los aviones de hélices, los DC-7, en los cuales nunca monté, decían "PAA" en la cola, con dos líneas horizontales azules arriba y abajo de la fila de ventanas. En la trompita tenían un globito con alitas. Pero ahora los jets tenían en la cola un mundo redondo, celeste, con las palabras "Pan Am" en blanco dentro del globo y la trompa nomás era negra, de donde se desprendía una gruesa línea celeste cubriendo las abundantes ventanitas más chicas del nuevo Boeing 707 extendiéndose hasta la cola, con blanco por encima. Se miraba mejor que el gris de los viejos aviones. Se anunció la venida a Guatemala del 707 y yo tenía que ir a inspeccionarlo desde luego, pues era mi compañía. Tenía que verlo, y se lo dije a mi mamá.

A pasos rápidos estaban expandiendo la pista del aeropuerto La Aurora. La pista era demasiado chiquita para acomodar a los 707 y el avión tenía que aterrizar, así que estaban como locos ampliándola. Nosotros vivíamos cerca de los arcos, razón por lo cual nos tocó ver muy de cerca las maniobras aéreas del levantamiento del 13 de noviembre del sesenta, pero de eso no quiero hablar porque es política así que dejémoslo. La pista llegaba casi hasta los arcos. Normalmente debí poder ya, quizás, a los ocho años, caminar desde mi casa hasta los arcos para ver la construcción de la pista. Eran sólo dos cuadras, y el tráfico de 1958 era risible comparado con el de ahora. Además, todavía no secuestraban niños. Pero mi mamá era mi mamá. Para ella el tráfico ya era tremebundo y tenía miedo que me atropellaran, porque no sabía cómo se pondría el tráfico después, y todavía estaba impactada por lo del bebé de Lindbergh, aunque eso pasó en los Estados Unidos muchísimo antes de que yo naciera, pero ella no lo olvidaba. Además, temía la bulla. En el país siempre había bulla, y es eso de lo que no quiero hablar aquí. Cuando había bulla había bochinche, y cuando había bochinche lo podían matar a uno, aunque en esa época eso pasaba siempre en el centro y nosotros vivíamos lejos del centro, por los arcos. La cosa es que no pude ir a inspeccionar la construcción, pero a cambio me prometió llevarme a ver el aterrizaje del avión. Como era en tiempo de vacaciones, no había problema alguno, y eso me consoló.

Llegó el día. Mi mamá también estaba de vacaciones, igual que yo, pues era profesora de escuela primaria. Llevaba un vestido medio blanco, medio flojo, medio floreado, con medios vuelitos alrededor del cuello, de manga corta. En esa época las señoras de vacaciones todavía no se ponían pantalones a menos que vivieran en Miami. Mi mamá era muy simpática, es, muy parlanchina, menos dura que ahora que es mandona y autoritaria. Tenía el pelo largo y lleno de ondas, más gordita, que ahora que la moda es ser flaca y ella puede serlo aunque esté vieja. Tenía también su vena de niña irresponsable. Eso sí ya no tiene ahora, salvo cuando deja perdido el celular en algún restaurante. En esa época éramos pobres hasta cierto punto, o sea, no éramos pobres pero tampoco ricos. Nunca lo hemos sido, aunque nuestros primos sí. Alquilábamos casa, no teníamos carro. Mi papá se iba al trabajo al centro en camioneta. Eso le pasaba por no ser abogado sino sólo secretario de abogado. Los abogados iban siempre en carro, tenían casa propia, y sus mujeres no trabajaban. Sin embargo no éramos tan pobres tampoco. Teníamos dos muchachas en la casa, la cocinera y la de adentro, además de abundancia de comida muy sabrosa. Oíamos todos juntos las radionovelas y la serie mundial. Era siempre los Dodgers y los Yankees en esos años por la cabalgata deportiva Gillette con Buck Canel y Lalo Orvañanos, y teníamos el calendario de la Pan American cada año.

El día ese, día muy especial, cuando Guatemala entraba a la era del jet, que era como decir, a la modernidad (postmodernidad dirán algunos ahora, pero todavía no había televisión a colores ni otras cosas, y nosotros ni siquiera la tuvimos en negro y blanco sino hasta 1963), nos fuimos caminando por la sexta avenida de la zona nueve hasta la rotonda del reloj de flores. La verdad no me acuerdo si ya era reloj de flores en esa época o todavía no, pero se me hace que sí. Nos subimos a la lomita que llevaba hasta la parte alta de los arcos, desde donde se veía la pista de aterrizaje. En esa época no había guerrilla todavía. Se podía subir todavía y ver el aeropuerto. Después, ya todo eso lo custodiaban soldados armados hasta los dientes y uno era cadáver si tan siquiera se acercaba. Pero en ese día no. Me acuerdo. Mi mamá me leyó en el periódico que no habían logrado terminar la pista, y quedaba un trecho de tierra sin asfaltar en la punta. La Pan American estaba preocupada y casi cancela la llegada del avión.

Nos atravesamos la Avenida Liberación y nos subimos a la lomita. No era tan empinada. Hasta mi mamá podía hacerlo en sus zapatos de mujer, pues era mucho antes de que se acostumbrara que las mujeres usaran tenis. El día era perfecto. Era fines de noviembre, o bien principios de diciembre, pero igual en vacaciones, con días despejados, en la época cuando todavía se veían muchos zopilotes en el cielo. Ya casi han desaparecido ahora a pesar de la abundancia de cadáveres. Será la polución. Los volcanes se distinguían nítidos en el horizonte, el Agua, desde luego, más perfecto aún que el Fuji japonés que veíamos en las fotos del calendario de Pan American. El Fuji tenía nieve y el Agua no, porque lo nuestro era puro trópico. Ésa era la razón por la cual no éramos modernos, pues todo el mundo sabía que las civilizaciones sólo podían florecer en latitudes frías y la única excepción eran los mayas quienes como nadie les dijo nada se metieron a la selva y florecieron, pero eso fue muchos miles de años antes.

El Agua entonces, y el Fuego, y el Acatenango, los tres perfectos en el cielo azul que como todos saben, no es azul, sino es azul-azul, o era antes de la polución, cuando los cielos de diciembre se ponían azul-azul, ese azul de intensidad tan destellante que parecía hervir de puro azul, y no existía en ninguna otra parte del mundo. Estábamos sentados sobre los arcos. Para gente como usted que no conoce, en realidad es un viejo acueducto colonial de ladrillos. Se parece al de Segovia pero no lo hicieron los romanos sino los segovianos, copiando el que los romanos les dejaron a ellos, pero más cortito, peor hecho, razón por lo cual se cayó en algunas partes en el poco tiempo que duró, pues ya no se usaba desde que yo nací. Ya no se usaba desde que mi mamá nació, no sé, la gente tenía cañerías, pero servía de decoración, dado que la ciudad es fea, no como Nueva York, la cual me conocía de memoria en fotos.

Me imagino que o rellenaron la zona o se desmoronó algún cerro con algún terremoto, o algo, pues el acueducto ya no estaba separado del suelo, sino que gracias a ese cerro ahora cubierto de grama, se podía caminar sin gran esfuerzo hasta su cima. Sólo en la avenida Hincapié, nombre que siempre me hizo gracia, donde vivía la Cathy Rugg quien a pesar del nombre su mamá era chapina, seguía siendo el arco arco, y las camionetas y carros pasaban debajo. En el resto se caminaba tranquilito hasta arriba por el cerro, y si lo hacía entre la avenida Hincapié y La Aurora, pues del otro lado estaba la nueva pista de aterrizaje, todavía sin terminar de asfaltar en su punta. Era posible bajarse y caminar, no era muy alto, cosa que desde luego, ahora sería mortal.

No éramos los únicos. Había mucha gente allí, muchos más con la misma idea de ir a ver la llegada del avión. Era "populacho" en su mayoría, como decía mi mamá, o sea, gente del pueblo, a diferencia de nosotros. Éramos "gente bien" aunque no tuviéramos carro y mi papá no fuera abogado. Por una parte, mi papá siempre andaba de saco y corbata, hasta los domingos, mientras el populacho nunca se ponía corbata, menos saco, y peor, andaban con sombrero de petate casi siempre. Además, hablaban vulgar. Decían palabrotas que yo tenía prohibido decir, y no iban todos los años a la Semana del Ganadero, cosa que sí hacía yo con mi papá, pues a pesar de no tener ganado, ni finca, ni propiedad de ningún tipo, los clientes del abogado para el cual él trabajaba y cuyas escrituras mecanografiaba sí lo tenían. Íbamos a ver cuáles de sus vacas y toros ganaban listones azules.

Como pasa siempre en Guatemala, donde se junta gente aparecen vendedores, y aparecieron, las inolvidables "¡paaapalinas, maaanías, a cinco la bolsa!" Refrescos también, los cuquitos de sabores. El sol de diciembre pega fuerte cuando no hay mucha nube y el cielo está azul-azul. Algún cuquito me compraría. Venían en bolsas de plástico y había que abrirles un hoyito con el diente para poder tomarlos. Yo siempre fui de mucha sed. Conversaríamos de miles de cosas con mi mamá. Ella siempre es muy parlanchina, y hablaríamos de todo y de todos, cuando en eso apareció el avión.

Venía de norte a sur, bajando hacia la pista. En cuanto lo vi no pude creerlo. Era idéntico a las fotos del calendario, con el nuevo logo del mundo celeste y las palabras "Pan Am" en blanco, todo él celeste y blanco con la naricita negra, ya con el tren de aterrizaje desplegado con elegancia. Me impresionó lo igualito que era a la foto, porque las fotos eran fotos, como las de Nueva York o las del calendario, otros mundos, ilusión o fantasía de lugares que no eran Guatemala, el único lugar del mundo, y no se parecía nunca en nada a ninguna de las fotos de otras partes donde sí había modernidad, todas ellas lejos de Guatemala, aunque yo no esté "aquí" ahora, pero siempre estuve.

Lo vi bajar, rápido y lento a la vez. No me había malacostumbrado todavía a las cámaras lentas de la televisión pues todavía no tenía, pero quizás por la atención al detalle, o por estar embelesado con la imagen, me parecía durar una eternidad. Verificaba la rapidez con la cual el avión descendía, mucho mayor que la de los aviones de hélice. Los Viscounts de la TACA eran lo más rápido que yo había visto antes y eso no era nada. Ni siquiera los Mustangs de la fuerza aérea. Esto era rapidez. Me fijé también en el ángulo de descenso. Era mucho más agudo, a pesar de que a mis ocho años aún no había estudiado geometría, pero era tan sólo asunto de observación. Bajó y pasó sobre nosotros, encima de nuestras cabezas, mero encimita, pero todavía un tantito alto, aunque tuvimos aquello de instintivamente agacharnos cuando pasó, reflejo natural me imagino, porque en realidad tocó tierra como a media pista, no tan cerquita de nosotros. Vimos el humo negro que sale cuando las llantas tocan tierra, el avión alejándose hacia el otro extremo, y me sentí como gigante de diez metros de alto, embobado por el avión. Era como en las fotos, por su poder, por ser lo más moderno que existía en todo el mundo y recién empezaba a llegar a algunas partes, y estaba en Guatemala, frente a mí, la modernidad.

Entre las risas incrédulas del populacho y más de algún comentario de mal gusto produciendo carcajadas dentro de los que menos entienden de las cosas, vimos cómo el avión se fue hasta la otra punta, un puntito él mismo, se dio vuelta en U, y comenzó a avanzar de nuevo sobre la pista, esta vez más despacio, hacia nosotros. Los cuatro motores le colgaban de las alas, la silueta era perfecta. Avanzaba lento hacia nuestra punta de la pista. Conforme lo hacía se veía más grande, más claro, más resplendoroso, señorial, potente. Vino como cuando se llama al perro y éste viene, se deja venir en efecto para asombro nuestro, el perro obedece y viene, estaba lejos, emprendió la carrera y de pronto ya esta allí cuan largo es, frente a uno, saltándole y lamiéndole la cara y uno se hace el quite muerto de la risa sin dejar de asombrarse de lo rápido que llegó y de lo alto que saltó. Así estaba ya el avión mero enfrente de nosotros, y a mí se me caía la baba de sólo verlo.

Pero entonces apareció el problema. Al llegar hasta nuestra punta volvió a darse la vuelta en U. Sabíamos por el artículo del periódico, y el administrador de la Pan American se lo había contado a mi papá cuando se pasó por el bufete a hablar con sus abogados. El avión venía sin pasaje, tan sólo para probar la pista y verificar si era adecuada para iniciar el servicio regular a Miami, reduciendo el tiempo de vuelo de cuatro horas en los viejos aviones de hélice a dos horas y media, que no era nada, como ir a Panajachel. Sabíamos también que después de aterrizar el avión estaría aparcado frente a la terminal, la actual vieja terminal usada por la fuerza aérea. Entonces era amarilla y no celeste pero igual, de tejas, estilo colonial, como el actual aeropuerto de Santa Bárbara. La gente importante del país podría entrar a visitar el avión. Yo me moría de celos de no poder ir, se me hacía injusto, como se me hizo injusto también años después cuando no gané la rifa para ir a la feria mundial de Nueva York y no fui.

Lo que no sabíamos, era que al volver a darse la vuelta en U tan cerca de nosotros, el ruidajal de los motores casi nos rompería el tímpano. Pero peor aún. Nunca había estado antes tan cerca de un avión de pasajeros con los motores prendidos y no sabía lo fuerte que podía ser el viento disparado hacia atrás. Peor aún jet, con los motores más potentes del universo, aunque parezcan ratitas comparados con los usados hoy por los jumbos. Al dar su vuelta en U, nosotros encaramados en los arcos con el montón de gentuza, de curiosos abriendo la boca y nosotros también abriendo la boca como Vicente quien va donde va toda la gente, no nos esperábamos para nada no sólo el ruidajal, sino el golpazo del escape de los motores que tendrían fuerza de huracán. En serio. Un ventarrón brutal como a más de cien kilómetros por hora de fuerza justo hacia donde todos nosotros estábamos parados guanaqueando con ojos de chivo ahorcado.

Pero eso todavía no era lo peor. Lo peor en verdad fue que la punta de la pista no había sido asfaltada todavía, no habían podido terminarla. Cuando el chorro de aire se disparó contra nosotros levantó una gigantesca y violenta nube de polvo de la punta sin asfaltar. Nosotros sentimos las dos cosas al mismo tiempo. El golpe del viento caliente brutal, como cuando se camina muy cerquita del escape de un carro con el motor prendido, pero era obvio que mil veces más fuerte. El polvo nos cubrió de inmediato. Vaya que no usaba lentes de contacto aún porque me matan los ojos. Sentimos las partículas de polvo literalmente bombardeándonos la piel como pequeñas balas, rasgándola, hiriéndonos, y el griterío de la gente cuando hay algún percance. Por puro instinto nos abrazamos mi mamá y yo, y así abrazados nos tiramos a la loma para ser medio protegidos por el saliente del acueducto. Nos tendimos, la cara contra la hierba, el culo al aire, los ojos pegados a los brazos, y sentíamos como si nos quemábamos, no tanto por el calor del escape el cual no era caliente para ofender, sino por el ardor de las partículas de polvo, suciedad, piedritas, atacándonos como plaga de microscópicas langostas con furia de abejas por todos los poros de la piel. Conteníamos la respiración no tanto por contenerla en sí, sino porque la misma presión del aire y del polvo nos obligaba a contenerla. Es decir, no se podía respirar, como cuando uno abre de manera intempestiva el horno de la estufa y le pega contra la cara el vaho caliente como manotazo que aturde y noquea. Allí tirados, protegiendo el cuerpo como bien podíamos mientras la polvazón nos azotaba, nos desquiciaba, nos zangoloteaba, yo pensaba para mis adentros que el avión era un desagradecido por responderme así al cariño y amor dedicado a él desde mis primeros días. Esto no era la ternura de la foto, la transparente ingravidez flotando al interior de un cielo azul-azul, amo del espacio cuyas líneas aerodinámicas, perfectas, yo mismo había diseñado, no era justo que me pagara así, no era justo. Estaba yo, aunque no lo quisiera, del lado sucio de la barrera a diferencia de los caballeros quienes visitarían sus adentros. Estaba con la chusma recibiendo la ira de sus gases, pedorreado por mi obsesión, separado de mis anhelos, turbado. La modernidad había por fin llegado, me había zurrado y me había dejado envuelto en una gran nube de polvo.

*

Fuimos con la Juana al "Abbey", el popular bar de North Robertson Road en West Hollywood, por las razones más locas que pueda imaginarse. Yo tenía un amigo gay que quería presentarnos a su novio. Este amigo en cuestión era latino, un morenazo simpático, moreno por el origen caribeño, no por la piel cobriza, y bastante guapo. Tal vez deba aclararle. Cuando esto sucedió ya no me acostaba con hombres, aunque he de admitirle también que el cordón umbilical con esas preocupaciones aún no se había cortado del todo, la sangre de su misterio todavía atiborraba mis agitadas venas sin haberse transformado en otros fluidos de mejor humor, aunque según la Juana, logré muchos cortes menos el de la mirada. Confusa, tendía a excluir los sentimientos, a excluirla a ella. Cada vez que me lo decía yo soltaba una carcajada.

Sé que no conoce el "Abbey" aunque me dijo haberlo oído mencionar por otros de sus pacientes. Del lado de la calle tiene un gran patio exterior con fuente al centro, y un bar lateral. El sitio está protegido por una singular estatua blanca de San Francisco de Asís ubicada de manera estratégica frente a la entrada del corredor, como bendiciéndonos a todos nosotros, sus animalitos descarriados. Ese largo corredor, en realidad un zaguán interior, es donde sirven la comida. Conduce a otro gran salón cubierto en cuyo centro se ubica otro bar en forma de herradura. Hasta atrás hay todavía un espacio más. Es lo que sería el patio trasero de cualquier chalet, pero lo han cubierto con lona para proteger a los clientes en las escasísimas noches que llueve en nuestra esmogueada parte del mundo. Por aquello de que suba del mar una ocasional corriente fría tiene chimenea hacia un lado, donde se paran a conversar quienes ya van para abajo, sea de tanta coca, de tanto equis, o bien están tramando alguna venganza por las humillaciones recibidas, víctimas de emociones morales operando a niveles premorales al confundírsele los múltiples subsistemas de la mente en su profunda soledad gayética disfrazada de fiesta perpetua. Este último patio termina con cuartitos con camas como si fuera un caserío de pobres, pero con lujosas camas king size con montones de almohadones a lo Alí Babá. El frente de los cuartitos está descubierto para que los meseros puedan servirles, para que los incapaces de llegar a agarrar cuartito se mueran de envidia, y para observar a la vez a quienes están allí para que nada ilegal transcurra en su interior. En el techo de lona el aire caliente es aliviado, cuando no alivianado, por una serie de ventiladores en forma de rehiletes que parecen bailar para un lado y para el otro como fila de idénticos danzarines, como las rockettes de Radio City o las cockettes de San Francisco, más como si acariciaran la tibieza de la noche con su única mano disponible que como los prácticos sacudidores del tufo morboso del ambiente que en efecto son. Gruesas cortinas separan cada cuartito del otro. Me olvidé de decirle.

La música house, Cher, Madonna, Cindy Lauper, imagínese, suena a todo volumen por todos los rincones del malhadado antro divino que le confieso me encanta por esa su prestidigitación atávica de todo posible cliché gay.

Cuando llegamos esa triturante noche era aún temprano. Juana llevaba su maletincito rosa colgándole del hombro. Ya había bastante gente pero los cuartitos en cuestión, donde uno puede tirarse como si estuviera en la cama, estaban todavía libres. O por lo menos, uno de ellos lo estaba. Con Juana corrimos, echamos la carrerita para asegurarlo, tirarnos hasta rebotar en su colchón y disfrutar de lo lindo. Pensé que yendo las dos solas para juntarnos con dos hombres nada podría pasar. Olvidé desde luego que Juana era Juana, consiguiendo el amor donde sea por ser lo único que le ayudaba a vivir, aun en las noches cuando no estaba maliciosa para nada, cuando no se había levantado del lado retorcido de la cama sino estaba tan sólo queriendo divertirse como dulce niñita traviesa. El problema era su capacidad para despertarle apetencia sexual hasta a las piedras. De mi suerte mejor ni hablar por ahora. Ya bastante sabe usted de mí. Así que déjeme seguirle contando. Estábamos tiradas nalgudamente en esa cama de los pequeños espacios privados como si fuéramos dos sublimes Maria Antonietas, con nuestros pantalones negros bien apretaditos, Juana con un top plateado que era como un brassiere con lentejuelas y flecos, el mío parecía chaleco vaquero de color blanco. Al ratito, apenas si empezábamos a entrarle al primer trago, llegó George, mi amigote, tan simpático como siempre, y se lo presenté a la

Juana. Conversamos varios minutos antes de preguntarle por fin:

—¿Y tu compa?

Muerto de la risa, como abandonado a la alegre voluptuosidad cálida de la noche recién entrada, alzó la vista y lo distinguió en el lejano bar del salón interior justo en el momento en que alzaba un trago hacia su bocaza. Era anglo, guapo, de pelo rubio muy corto, la sonrisa maliciosa de quien ha hecho de todo con todos, piel reseca y apretada, un arito en la oreja izquierda. Muy modosita, Juana se ofreció de voluntaria para llamarlo. Me extrañó. No dije nada porque a George, mi morenazo musculoso, le pareció encantador su gesto. Juana se paró y caminó despacito por el patio. Se desvió en diagonal hasta quedar cara a cara con una chica guapísima que de pronto estaba justo frente a ella, y en mucho se parecía a la mejor Angelina Jolie, con la blusa abierta casi hasta el ombligo, los ojos ligeramente achinaditos y un look similar a las expresiones a la Natalie Wood de *Esta propiedad está condenada*. Se miraron como si se lamieran las caras. Fue apenas ese instante pero pareció durar infinitas horas. Luego la Angelina en cuestión siguió caminando trastabillada con los suyos y Juana por fin cumplió con jalonear al novio de George hasta nosotros. Cuando volvieron revoloteando hasta nuestro cuartito, George se paró, lo abrazó, lo besó en la bocaza y luego nos lo presentó mientras el susodicho nos extendía su mano firme:

—This is Jerry.

De saltito de amaneramiento discreto y fino, Jerry se sentó a nuestro lado. Llevaba pantalones negros de cuero brilloso muy pero muy apretaditos, con cuerpo de envidiar evidenciando sacrificadas horas en el gimnasio más chic de West Hollywood. Quedamos como si fuéramos cuatro halagadas María Antonietas desplegadas a todo lo largo de la anaranjada cama. El turulato mesero se nos acercó y le pedimos otra ronda de tragos. Conversamos más y más. Conforme los tragos nos aflojaban la lengua Juana miraba en todas direcciones como si sus ojos fueran finos radares de murciélago. El patio se empezó a llenar. La gente bonita se apretujaba contra la entrada de nuestro cuartito. Más aligerados todavía por la tercera ronda ligosa, tanto a la Juana como a mí se nos ocurrió platicar con los individuos parados frente a nosotros, donde todo nuestro grupo seguía recostado como grandes pashas en orgiástico harem.

Mientras George y yo conversábamos mitad en serio con un flaquito colocho acerca de la pobreza del teatro reciente exceptuando al sin par Robert Wilson, y mitad en broma acerca de si queríamos irnos con George y Jerry a verlos coger en el cercano hotel de suites donde se estaban quedando, el Wynham Bel Age en la esquina de San Vicente y Sunset Drive, incluso más bonito que los Summerfield Suites o el Mondrian, percibí de reojo a Juana, mañosa, a quien se le había soltado la lengua con una guapa. Frené la conversación a media frase y le puse la debida atención. Conversaba alegre y despreocupada con la doble de la Angelina Jolie, la cual por arte de magia había reaparecido y estaba parada justito frente a ella y a quien en ese mismo instante invitó a sentarse a su lado, acariciando el colchón. La chica aceptó con sonrisa parca, y toda la energía y atención de Juana fueron para con la Angelina chiquilina, inquilina tranquilina de los labios carnosos, quien, enternecedora, relamiéndose como ternerito, en realidad resultó llamarse Stephanie. Mientras le contaba cantidad de rollos humorosos cuando no húmedos con abundancia de gestos histriónicos, se iba inclinando de manera gradual hacia ella y subía su mano derecha hasta reposarla en el hombro izquierdo de la susodicha. Ésta se dejaba hacer un tanto nerviosa a pesar de mantener tieso el cuerpo. De pronto saltó, se puso de pie a su lado y como si no tuviera nada que ver con ella, mientras yo pensaba, a dónde vas conejo Blas, nos anunció a todos:

–Los dejo un momentito, tengo que ir al baño.– Y, volteándose hacia la criaturita que asediaba, agregó de la manera más natural del mundo: –¿Me acompañás?– Sin esperar respuesta, Juana la tomó de la mano con esa señalada naturalidad capaz de diluir cualquier resistencia y la condujo por entre la multitud hasta desaparecer de mi vista.

Esa espera fue tan larga como los días transcurridos entre lo escrito y lo que sigue. La corrección de los exámenes de medio semestre y los desesperanzadores bajones que tuve al ir constatando la alborotada realidad de lo acaecido a la Juana y los cuales ya le contaré cuando encuentre palabras para hacerlo, se me atravesaron cortándome el relato. Por suerte el día de hoy, luego de regresar del gimnasio y de hacer las compras me sentí lo suficiente tranquila como para volver a sentarme frente a la pantalla de la compu y retomar el hilo de la memoriosa noche cuya gracia me permite alejar otros espantos.

Me quedé con mala espina con esa ida al baño

y apenas si me preocupé de las mil cosas dichas por George y Jerry con ese rugido profundo de los animales en celo. Fue sólo cuando Jerry dijo "en cuanto regrese Juana nos vamos", cuando me di cuenta que venía de aceptar el irnos con ellos a su hotel.

Juana volvió como a los veinte minutos, suficiente como para que me acabara otro trago. Regresaba con la Stephanie/Angelina jaladita de la manita como ranita. Nos la presentó ahora a todos los presentes con su dichoso nombre. Jerry le dijo que yo había aceptado irnos con ellos al hotel, lo cual no pareció inmutarla demasiado. Eso sí, extrajo papel y bolígrafo de su bolsita diminuta y le pidió de inmediato su teléfono a la tal Stephanie mientras escribía el suyo en otro papelito. Terminado el rito del intercambio cabalístico le dio soberano besote húmedo en la boca, de esos que salpican con saliva a media humanidad y podrían acabar con la sequía de California, y un abrazote que de tan largo fue necesario arrancarle las extremidades tullidas de la espalda de la Stephanie que yo ya me traía entre ceja y ceja, más temerosa del abandono de la Juana que propiamente celosa. Nos despedimos de la susodicha, de todos los demás, y salimos.

Caminamos hasta el boulevard Santa Mónica cruzando a la derecha y pasando frente al "Mother Lode". Juana me preguntó los planes.

—No sé. Ni lo discutimos. Les dije que sí nomás así, porque sí, porque me dejaste...

—¿Pero les dijiste que yo no me meto con hombres?

—¡Son gay, Juana, por dios!

Cruzamos el boulevard, pasando por la entrada

de "Rage". Su patio no estaba muy lleno todavía y la cola para entrar no era tan demasiado larga, de manera que nadie se daba todavía besos aterciopelados para matar el tiempo. Tocaban música de la buena, de ésa que se mete hasta el espinazo obligando a agitar caderitas y pelvis sin darse cuenta, y sentí en la piel el calorcito de los calentadores del patio de enfrente. Seguimos subiendo por la arboleada San Vicente, la cuadra más o menos larga llevándonos hacia Sunset Drive. La torre del hotel se asomaba por arriba de las copas de los árboles a mano derecha, vislumbrándose más pequeño de lo que en realidad era.

Entramos atravesando el lobby a todo lo largo, directo hasta los elevadores del fondo. El tipo que atendía el escritorio apenas si levantó la vista. Subimos al tercer piso. Saliendo del ascensor caminamos por un corredor zigzagueante decorado de papel barniz con enormes florotas rosadas hasta la puerta del cuarto de los susodichos. Abrieron, y entramos.

La suite estaba dividida en dos partes. Enfrente, la sala, con dos sofás y una mesita de vidrio al centro. Al fondo la kitchenette con todo y su pequeña refrigeradora llena de alcohol de todo tipo. A la derecha, la puerta del baño. Luego una grada de más o menos veinticinco centímetros de alto. En esa superficie más alta estaba el dormitorio con una gran cama king size muy similar a la del cuartito del "Abbey". La cortina podía cerrarse a la altura de la grada, separando de manera nítida los dos espacios de la suite.

George y Jerry se sentaron en el sofá y comenzaron a besuquearse con alguna rigidez sicofántica.

Yo, que siempre fui voyeur de primerísima, me les quedé viendo con malicia socarrona. Conforme pasaban los minutos se fueron relajando y dejaron de fingir. Empezó el jugueteo de verdad. Ayudó que la Juana sacara en ese momento un purito de yerba de la buena rebuena nochebuena y lo circuláramos de forma un tanto amaneradita entre todo el grupo. George, a su vez, sacó más whisky de la refri y nos lo sirvió. Yo suelo ser caprichoso y tomar tan solo los de malta de origen pero en ese momento ni siquiera pregunté si era ordinario whisky de vulgares maltas mezcladas. Cuando volvieron al detalle, los besos se volvieron más apasionados, los labios se hincharon y las camisas volaron por los aires hasta caer como coloridos paracaídas sobre la gruesa alfombra color vino. Indecisa, decidí igual sacarme mi camisita también para tetear, digo, animar más la fiesta. George y Jerry se lengüeteaban desenfrenados en toda la cara y se mordían las tetillas moradas con la constancia y consistencia del zompopo de mayo. Ninguno de los dos era muy peludo. Le confieso que a mí siempre me gustaron mis hombres peludos y mis mujeres pelonas.

Jerry le bajó los pantalones a George y en cuanto cayeron, saltó firmes el mamotreto ese que se cargaba entre las piernas. Como me lo imaginé, era grande y grueso. Con la excitación y el color de George parecía un suculento plátano morado de aquellos que invitan a que se les cubra con miel de abejas antes de ser deleitados con lengüeteo sabrosúrico de saurio tropigourmet. Jerry comenzó a acariciárselo mientras lo miraba a los ojos, y a inundárselo de besos, ensalivándole toda la verga cuan larga era como si se la hubiera cubierto de parafina hirviente. La cabeza de George se dejó ir hacia atrás mientras ligeros alaridos roncos emergían entrecortados desde lo más bajo de su vientre, ascendían por todo su esófago y se soltaban por fin de sus gruesas cuerdas vocales como monitos tití que se escapaban por entre las ramas de los arbolones.

El corazón se me aceleró hasta amenazar el pecho con un estallido nuclear. Me sentí gorda de la excitación que recorría mi cuerpo. Entre las piernas ni le cuento. Me temblaban las manos y sentía que me vibraba cada poro moro hasta sin porro. Jerry tomó el glande, glandísimo como diría un chino, de George dentro de su boca, ¡papá! Y lo jaló de las musculosas nalgas hacia sí, mientras la baba le chorreaba por la comisura de la misma. Lo jaló hacia él hasta que tuvo casi toda la enorme vergota dentro de su cenote sagrado. Fue impresionante la cantidad de cuerpo cavernoso que podía tragarse hasta la laringe sin sentir náusea alguna. Luego lo empujó hacia afuera y lo volvió a jalar, repitiendo la misma operación. Con mi propio maxilar colgándome de la impresión, mis ojos estaban pegados al movimiento.

Me senté en el sofá de al lado porque me temblaban tanto las piernas que pensé que si no me sentaba, capaz y me desmayaba de la pura excitación. Jerry le apretaba las tetillas a George con tal fuerza que yo misma sentía el dolor del retorcijón en las mías. Tenía los pezones hinchados, tres veces su tamaño natural. Respiraba como si tuviera asma. George se recostó en el sofá y abrió las piernas lo más que pudo. Jerry se hincó frente a él y mientras le seguía chupando la verga empezó a juguetear con la boca de su culo, dándole toquecitos con la punta de la lengua a todo su alrededor. Servil como siempre, gesto que detestaba en mí y que contribuyó al posterior alejamiento de la Juana, les acerqué la botella de lubricante. Jerry apenas si me lo agradeció. Sin embargo se sirvió de ella, embadurnándose el dedo índice e introduciéndolo en George. El mencionado se retorció todo como si fuera culebrita sabanera que hubieran agarrado de la cabeza. Sentía la sangre corriéndome a borbotones por las venas del pescuezo. Me agarraba entre las piernas temerosa de venirme. Ahora Jerry le metía tres dedos, del índice hasta el anular, como si el clásico saludo de los boy scouts se hubiera convertido en hacedor de la estética del esfínter, esa ávida hondura centroamericana tan ensanchadora, escarbando sus almibaradas paredes borrascosas en un entrar y salir, entrar y salir, intentando descubrir los últimos secretos de los mayas. George se retorcía como electrocutado, gritando ronco como si le estuvieran dando hirientes latigazos que le quebraban las cuerdas vocales, le machacaban la lengua.

Jerry sacó los dedos, le dio la vuelta como vulgar bistec cocinándose en el asador, y ahora con el tesoro de Tikal frente a su rostro le abrió las musculosas nalgas y comenzó a lamerle el anillo periférico con la puntita de la lengua. El estómago me tronaba y se retorcía evocando el sonido de las tripas cuando están digiriendo. Jerry le metió la punta de la lengua, la sacó, se la metió, se la sacó, tomó más lubricante en su mano y le metió cuatro dedos, el meñique uniéndose a los otros jinetes del apocalipsis. George pegó enorme grito. Me asustó. Tembló electrocutado y empezó a emitir sonidotes como si roncara grueso. Me ardía entre las piernas. Sentía que estaba a punto de orinarme y los ojos me lloraban. Me ahogaba por las puras ganas de pajearme pero George se ahogaba de placer sin placebo mientras Jerry le metía los cuatro dedos para adentro y para fuera, arqueológicamente reconstituyendo su archivo, cambiándole el epistema. Los ojos nublados casi se habían dado vuelta hacia adentro, los dedos blancuzcos de lubricante deslizándose como sinfonía de melancólicos violines cuyas notas daban volteretas por toda la habitación preanunciando las más altas del dúo de arias de Arias en tormentoso debate.

Jerry hizo pausa para quitarse el pantalón. No llevaba calzoncillos y tenía a su vez una erección monstruosa. Incapaz de resistir, también me quité la ropa y me hinqué religioso al lado de Jerry para ver mejor, diligente estudiante que era, contemplando el ensanche del tubo anal de George mientras éste dejaba caer la cabeza hacia abajo detrás del recostador del sofá como si le hubieran roto el cuello, rugiendo rugoso regozoso como león destronado. Jerry se acarició sus propias tetillas, levantó la cabeza con una mirada extática y dirigió su vista hacia la cama. Me volteé.

Se me había olvidado la Juana por completo. Absorta como estaba con la escena de George y Jerry ni me acordaba de su existencia. Pero ahora que volteé a ver, siguiendo la dirección de los ojos delatorios del Jerry, la vi parada frente a la cama, desnuda pero con los zapatos puestos, las piernas abiertas. Se introducía dos de sus dedos dentro de la vagina mientras le lanzaba besitos a Jerry. Incapaz de resistir a objetivizarla con mi mirada masculina de fémina, noté que la pusa rasurada era suculenta, apetitosa, los pezones tan erectos que, saltones, ya parecían los dedales usados por mi madre para zurcirme la ropa cuando niño, apuntando sentenciosos hacia arriba como artillería antiaérea. Las caderas, si usted me permite extenderme como ella nunca me lo permitió, eran perfectas desde luego. Amplias como cellos para subrayar su carnal femineidad pero no tanto como para romper la preciosa y delicada armonía de su figura perfecta, una "s" sin igual que no existía en ninguna otra parte del mundo, ni siquiera en el Grand Prix de Mónaco. Sólo de verla allí, parada, desnuda en sus zapatos de tacón alto con las uñas de los pies pintadas de rojo oscurísimo, ostentando mercurial todas sus gracias, me fui para atrás y hubiera caído al suelo de no sostenerme en la pierna de George.

Recostado en ella me quedé así unos instantes. George no se movía. Cuando ya se me hizo raro no sentir movimiento alguno levanté la vista. George se había venido, parecía ahora los restos de un plátano en mole blanco. Se reposaba en la misma posición de culumbrón adoptada durante toda esa última parte de la noche. Me di cuenta de mi respiración ruidosa. Me medio levanté y busqué con la vista al Jerry. Estaba ahora acostado en la cama y la Juana encima de él. La mentada le lamía los muslos y le apretaba los dedos de los pies. El chupado hijueputa del Jerry cherry rugía de placer, chocho chorreoso que nos olvidó a los dos otros allí presentes, ninguneados como si no existiéramos, otra vez yo invisible, otra, y del mentado Jerry sólo pude entonces pensar en chés sin que fuera el Che ni por asomo. Chís. Pero la gran mirona era yo, ojotes así de grandes con una boba pupila sin destino, y en cuanto se sintió observada, la Juana paró, se sonrió maliciosa maliciosa maliciosa y abrió el maletín rosa ubicado al lado de la cama. Sacó un enorme dildo color carne, poco mayor que un pene de tamaño natural. La imitación era perfecta hasta en las pequeñas venitas abajo del glande. Lo estudió en el aire con cuidado, lo acarició y luego volvió a introducir la mano en el maletín. Ahora extrajo el arnés de cuero negro. Dejando a Jerry en la cama se paró, introdujo un pie dentro del arnés y luego el otro. Se lo subió hasta la altura de la cintura y se lo apretó. Enfrente, el arnés tenía un gran círculo plástico sostenido por grandes remaches a cada lado. Juana abrió los remaches y colocó en su lugar el dildo. Luego los cerró de nuevo.

Ahora, Juana parecía ser la singular poseedora del más grande pene de la noche. Volvió a encaramarse en la cama, hincándose frente a Jerry. Enseguida tomó sus piernas de los tobillos y las levantó hasta la altura de sus hombros. El dildo quedó como misil, apuntando derechito al tesoro oculto del Jerry.

—Pacha. Serví para algo por una vez. Alcanzame el lubricante.

Como pasiva esclava tomé el bote de lubricante y me acerqué hasta la cama.

—Untalo.

Apaché el lubricante. El líquido blancuzco saltó en la palma de mi mano izquierda. Me acerqué temblando al singular cuerpo de la Juana, cuyas tetas erectas estaban a la altura de mis ojos a sólo un par de centímetros de distancia. Me daban ganas de comérmelas enteritas y casi me atrevo furtiva a hacerlo a pesar del sacrilegio de violentar tal perfección pero de nuevo la Juana me interrumpió:

–Que lo untés, te dije. Y nada de meter nada donde no deberías, carajo.

Acaricié el dildo con la mano llena de lubricante hasta dejarlo embadurnado desde una punta hasta la otra. Lo hice más de una vez porque el acercamiento de mi brazo al vientre de Juana me producía cosquilleo incontrolable, plancha de calor quemante que acolochaba los pelos de mi brazo.

–Ya. Suficiente le dijeron al teniente con dos dedos en la frente.

Me fui al baño a lavarme la mano. Al volver George estaba sentado en la alfombra al lado de la cama viendo el espectáculo. Me senté a su lado. Jerry tenía las piernas levantadas en el aire como si iniciara una vuelta de gato. Juana tenía el dildo metido en el centro del blanco y se balanceaba para adelante y para atrás, las tetas agitándose para arriba y para abajo en perfecta sincronía polifónica mientras Jerry maullaba como gata.

Silenciosos, George y yo contemplábamos la escena, absortos, sentados uno al lado del otro, sin tocarnos. Juana le metía el dildo hasta el fondo y Jerry se alborotaba y sudaba como si recién saliera de una sauna, la frente empapada, los brazos aleteando, el vientre revolviéndose todo como musculoso maelstrom. Juana empezó a acabar, gritando, gritando, gritando con cada oleaje orgásmico imparable, gritando más aún, gritando, metiéndole el dildo al Jerry hasta la médula conforme gritaba-gritaba y se masturbaba el clítoris con el dedo, sacudiéndose toda como marioneta maricona con los hilos revueltos. El calor del cuarto subiría varios grados. Juana estaba bañada en sudor también pero un escalofrío recorría mi propia espalda. Fue cuando Jerry dijo:

—Por favor, por favor, chúpame mi clítoris.

—¿Y dónde estaría localizado el mismo?, preguntó la Juana con gesto de malicia y un tonito de ironía, de sarcasmo, que no le hubiera tolerado nadie más.

—Aquí, aquí, dijo Jerry, apuntándole a un punto invisible entre el ombligo y el inicio de su vello púbico, público en ese momento, donde quedaba el músculo pyramidalis iniciándose en la cresta púbica, pública también de llevar jeans bajos, y apretaba la línea alba, la línea media vertical de los músculos abdominales, donde la confluencia de los mismos producía una ligera hondonada como cuando el Amazonas entra al mar.

La Juana extrajo el dildo con lentitud, tirándolo del otro lado de la cama. Jerry bajó las patarracas. Inclinándose hasta el vientre mientras hacía a un lado su pene erecto con el mismo disgusto del caminante que empuja la molesta rama de un arbusto en su camino, Juana comenzó a lamerle el clítoris. Jerry se retorció, se contrajo y maulló aún más. Juana lo siguió lamiendo con mayor intensidad y fijación en el mismo sitio, lamiendo y lamiendo, su propio culazo parado mientras ejercía las dotes de su gran bocaza y larguísima lengua fina. Absorta en su culo me escurrí hasta los pies de la cama para ver las maravillosas nalgas entreabiertas, admirarle la fuerza prepotente de los glúteos máximos, la desbordante rotación de los tensores, la finura de sus músculos gracilis que graciosamente tensos, dada la postura, recorrían el espacio desde el hueso púbico hasta la entrepierna, los abductores bien tirantes, el sartorio, me dejé hipnotizar por la fuerza proyectada por los tendones de la corva y me fijé, desde luego, en la hermosura solemne de su vulva rasurada, los finos labios mayores apenas entreabiertos evidenciando coquetos el rosado intenso de su interior, el clítoris deslumbrante como enorme botón puntiagudo, el otro prepucio crecido separando la vulva de la boca del culo, los dobleces arrugosos poquito cafesuzcos bordeando la entrada de este último como hermoso cráter lunar. Comencé a masturbarme, fantaseando que le lamía toda la pusa, le introducía mi lengüita en ella, mientras mis dedos visitaban el hoyo grácil de su culazo como antes lo hicieran los de Jerry en el de George. Mientras ella le lamía el clítoris al Jerry, yo soñando lamérselo a ella. Sentía el espeso sabor dulzón con sus toquecitos amargos de sus jugos vaginales evocándome aciertos culinarios chinos o japoneses similares al cerdo MooShoo, me masturbaba con la boca entreabierta, Jerry maullaba, Juana le lamía el clítoris, yo soñaba mordérselo a Juana quien pegaba un enorme salto de asombro, le daba un sopapo en su redonda nalga de curvatura perfecta y de puro placer me venía lamiéndole su clítoris, gritaba. Jerry maullaba, se venía también porque le lamían el suyo y nos venimos los dos al mismo tiempo, Jerry y yo, como dos grandes volcanes en súbita erupción si me perdona el uso del cliché, como el sebo derretido de las candelas ardientes que derramado, volaba por los aires en espesa transparencia quemando la piel sobre la cual caía antes de solidificarse de nuevo.

Ahora ya todos nos habíamos venido. Entre retroactivos espasmos musculares con sus consecuentes gemidos nos limpiamos, nos vestimos con pereza sin comentar mucho los acontecimientos, nos despedimos de ellos y nos marchamos.

—¿No que con hombres no?

—Pero si no era hombre. ¿Acaso no viste que le chupé el clítoris y que me lo cogí como me gustaría cogerme a la Stephanie?

—¿Y que hay con ésa?

—Nada. Intercambiamos teléfonos.

—¿Y los veinte minutos que se pasaron en el baño? ¡Como si no te conociera!

—La cola estaba muy larga. Aunque la verdad...

—¿Sí?

—Nos abrimos las blusas en el baño y nos frotamos las tetas una contra la otra... Sólo eso.

Caminamos silenciosas en la oscuridad de la noche. Juana sacudía la cabeza para mantenerse despierta, pero la gigantesca sonrisa de placer no se le borraba de la cara ni con ácido. Lo vivido esa noche se había grabado con fuego en el cerebro sin posibilidad alguna de olvido. Me sentía cansada, con frío, penetrada por la ligera caída de temperatura. Pero más que eso, me sentí vacía. Desolada de una desolación sacudiéndome las entrañas. Me sentía como si fuera apenas un títere al servicio del deseo y del placer de la Juana quien, siendo la más bella, era siempre el centro de la atención de todos, hasta de los hombres gay, aunque dudaba que ella misma tuviera conciencia de lo que hacía. Pese a ser viernes parecía haber poco tráfico en la San Vicente a esa hora y los árboles bordeándola creaban un ambiente lúgubre, un código de gestos alienantes en cuyas membranas me encontraba atrapado, en las cuales su negrura borraba los límites de la ciudad. Una hoja otoñal caía lenta de uno de ellos, dibujando un amplio semi-círculo. A lo lejos ladraba un perro, sonido impensable en estas latitudes. Me evocaba de inmediato el país perdido donde los coros nocturnos de ladridos eran siempre la regla. Sentí la tentación de dar un grito pero me contuvo la mirada dulce de la Juana buscando el cobijo de mi brazo.

*

Le mandé el anterior tal como lo dejé, no tanto porque sintiera la urgencia de enviarle el e-mail como tal ni porque ya era hora de irme para el gimnasio, sino porque creí que capturaba de alguna manera no sólo lo que en efecto pasó, sino también cómo me sentí yo, que de eso se trata también nuestro intercambio, ¿no? Al escribirlo y enviarlo, me sentí apaciguada, la anécdota cuajada. Sin embargo regresé del gimnasio, me duché, metí cualquier resto de pollo y arroz al microondas, lo mordisqueé frente al televisor (pasaban Assassination Tango en Showtime; lo había prendido para agarrar el último capítulo de Queer as Folk que no pude ver el domingo por quedarme a cenar a la orilla de una playa sentenciosa donde viví otra aventura colosal que luego le cuento), me eché la película entera muerta de ganas de encamarme con la Luciana Pedraza y todo ese tiempo mi cerebro carburaba que algo de lo que le dije estaba mal, cierto impulso que me succionaba. Por fin, ya tirada dentro de la cama, antes de ponerme el antifaz para dormirme en la endeble oscuridad adiposa de la noche tibia, se me vino como balbuceo. El e-mail reflejaría muy bien lo que sentí, mi complejo de abandono, pero dejaba la impresión equivocada de Juana y si usted la iba a entender, tendría que saber lo que seguía (que, por cierto, ¡las lesbianas adiposas de Queer as Folk me parecen un horror! Amitas de casa cocinando galletas, ¡un asco! Prefiero las muecas, chillidos y parloteos de las de The L Word aunque es muy inferior como programa, no se sabe si es comedia o tragedia y la psicología de los personajes cambia de una semana a otra como si fueran esquizofrénicas, pero eso sí, de glúteos nalgueables hasta las lágrimas de la nostalgia en sus shortcitos que las resaltaban a morir). Ahora, no se vaya a creer que sólo porque se me olvidaron algunos detallitos le ando falseando los factoides o mintiendo, ¿oye? Fantasiosa, falaz, felina, fútil, fetichista, falofóbica, emotiva y subjetiva seré, pero nada más Jonás.

Y bueno, lo que seguía son las líneas que en efecto siguen, reordenadas ya después de otro tembloroso amanecer de destrucción que conlleva la dispersión de los sentidos, la evaporación de la razón por falta de sazón, la angustia ulcerosa del espíritu, atrapado entre el engolosinamiento de mis recuerdos y el dolor por expurgar los fantasmitas que ingerí. Pero aquí le va, ¡bah! Pese a que deja mejor vista la Juana, a quien mi cantaleta peor quería retratar por lo que sabe. Mi identidad es una prisión, mi cuerpo un sitio en construcción, mis ojos entrampados.

Esa misma noche volvimos a la casa después de despedirnos calurosas de los chicos. La Juana manejó todo el camino. Me llevó sabrosita, mecida por los ritmos de la KIIS-FM que yo llamaba la estación de los besos, aupada por el humo dulzón de la mota vidriosa, hasta que por milagro del espasmódico emplazamiento de las apaciguadoras sustancias ingeridas, ya estábamos dentro del garage de la casa y yo medio dormidita. La Juana caminó alrededor del carro y mimosa me cargó, me cargó en sentido literal, hasta la cama. Vea lo fuerte que era ya que si de pesar habláramos me da pesar decirle que pesaba yo su tantito más que ese remilgo de mujer a quien se le veía que algo raro tenía, que no era una mujer como todas.

Me acostó babeante cuán larga soy y me quitó toda la ropa, prenda por prenda, con cariñito, paciencia de piojo y una suavidad que parecía hada madrina tocándome con su varita mágica. Cuando sentí, ya estaba desnudita toda, con ligero frío pese al clima, que me solucionó cubriéndome con el liviano edredón mientras me extendía el bong para darme una buena inhalada húmeda de la hierba buena, buenísima, bongazo, knock-out. De allí reapareció la majestuosa, ella ya también impúdicamente desnuda, caminando parsimoniosa con la botella de aceite en la mano como sargento en misión de patrullaje nocturno. No vaya a creer, no era cualquier aceite. Era Borealis, mi favorito, aceite botánico de lavanda mezclada con salvia que sólo de ver la botella azul y oler su lascivo aroma se me ponía el cuerpo henchido, los nervios de pandemonio, cada poro del cuerpo en erección continua anticipando su cualidad orgásmica. Juana se encaramó a la cama y enseguida a mi cuerpo, sentándose suavecito sobre mi vientre. Invirtió la botella de Borealis y dejó que el chorro manara disoluto sobre mi panza, pecho, escurriéndose goloso por toda mi piel hasta empapar las sábanas. Me miraba con aire mordiente de dominadora, apenas traicionando el humor en la comisura que se arqueaba hacia el techo. Le faltaban sólo las botas de cuero negro que dejó en el closet por pura pereza. El impacto del aceite frío recién me calaba cuando ya se inclinaba para amasarme como maíz de tortilla, las dos manos con cariñosa fuerza escurriéndose puyantes por el pecho, dale que dale, los brazos, la panza, cortándome la respiración, el pescuezo, los cachetes, zarandeándome, las orejas, morateadas por el apretón, el cuero cabelludo. Me puso luego el grueso antifaz negro en los ojos para que no viera nada más que puntitos luminosos. Era marca Sounds, acolchado bajo los ojos, con doble batería triple A para tocar los sonidos de las olas del mar a la hora de caer plácida en los brazos de Morfeo. Lo sentí aceitoso. Se levantó de sobre mi cuerpo. Sentí, por el hundimiento del colchón, que se ubicaba justo al lado de mi paralizado cuerpo. Enseguida salté ante el impacto ligoso del aceite en los muslos, las piernas, pero su efecto no fue duradero. Casi tan pronto como me electrocutaba el frío chorro, ya sus manos se deslizaban veloces por los muslos, arriba y abajo, arriba y abajo, pasando las rodillas y por sobre las espinillas y el camote hasta anillarme los tobillos, arriba y abajo, arriba y abajo, sobre el empeine tamaludo, la planta del pie con el debido cuidado para obviar el inevitable ataque de cosquillas y luego los dedos de los pies, jalando fuerte uno por uno, falange por falange apretadita en todo su alrededor, parrandeada y recolocada en su sitio, y para arriba otra vez, arriba y abajo, arriba y abajo, en movimientos ondulados que remontando de manera subrepticia la parte superior del muslo atacaban espiralados hasta las ingles. Hubo una pausa. Imaginaba lo que se venía. Se vino diferente sin embargo. Ya no era Borealis. Ahora era Pjur Eros Aqua, el mejor lubricante del mundo a base de agua, que caía como fuente de agua bendita sobre mis partes pujantes. Las gotitas se escurrían como desbandada de correlonas gacelas en la gran planicie africana pero antes de que llegaran muy lejos, ese leopardo feroz que era la Juana ya las tenía cazadas y bien cazadas, y a mí, casada, cazada y venida a más con esas filigranas obradas de manos fuertes, musculosas, sobándome las partes sin cesar. Sobaba de forma circular contra reloj, vuelta y coagulosa vuelta manoseándome arremolinada con la frescura de la mano experta, vuelta y vuelta, con alguna nalgadita tatuándome por aquí o por allá, mordiéndome la panza, hasta que tuve que implorarle que cesara para retrasar lo inevitable, quería prolongar esa deliciosa tortura inaguantable, explayarme en el tiempo del bacanal antes de que llevara hasta el fondo de los sueños, imponiéndome su delicioso recurso, su método: cuando sentí, ya estaba otra vez encima de mí, montándome, para arriba y para abajo, para arriba y para abajo, y yo, en tremebundo viaje acolchado al país de las maravillas que ya tan sólo con pequeña memoria moteada recordaba dónde era que me encontraba, porque me iba, iba, iba, y en ese escozor de irme sentía de pronto imponente en la nariz la patada indiscutible del olor del Iron Horse, supuesto limpiador de cueros mejor conocido como "poppers". Más que limpiármelo, al mío me lo erizaba en estado de suspensión desarticuladora en que la arremolinada mente se evaporaba con la rapidez de una patada al ojo del pie, sentía las arterias del cerebro hincharse, la respiración cortarse, un ligero miedo de que se me viniera un ataque del corazón conforme la respiración se me desvanecía pero, enseguida, era como si todas las sensaciones de mi cuerpo enteritas se concentraran en las partes, compulsión oscilatoria, como si me las electrocutaran, me las minaran y estuvieran en el momento ¡ya! de la explosión de la bombarda, bombón reconcentrado que cedía ante lo ya inevitable, los poppers ejerciendo su mágico bombardeo como si fueran bombeadores de bombín, la mente dispersa en la música de Cher, la piel erizada como puerco espín boca-arriba, indefenso ante el acoso de una gigantesca gatita gatota bonancible a punto de ensartarme los colmillos bonapartistas en el cuello, bonanza la mía, sintiendo los vertederos arder, el cuerpo temblar, crujir, sin saber si era terremoto de verdad o sólo mío, hasta la inevitable explosión, el sofoco al sentir el corte en la respiración, el alarido del degollado, la negrura turbia en la cual el grito se perdía, perdición de los sentidos, sentir de la explosión tronazón que gradual, muy gradual, se disipaba, envolviéndome en sedas de las más finas, los pies y las manos helándose, la mente ya ubicada en la sinrazón asmática, la llaga del sofoco. Allá a lo lejos, como en los sueños, sentí la tibieza de la toalla húmeda limpiándome con ternura, con amor. Al rato, pudieron ser minutos, horas, un brazo me sostenía la cabeza en su regazo mientras otra mano introducía un par de Sominex extra fuertes en mi boca y me animaba, como se anima a un bebé o un osito de peluche a sorber del jugo de manzana, tragármelo sin atragantarme. Luego, el retorno del edredón, un cuerpito caliente que se escurría a mi lado, que me abrazaba, que ponía su pierna elegante, alargada, perfectamente torneada, sobre las mías, ese arrebujado suspiro de alivio acalorado. Juana me arrullaba, arrastrando los escasos trazos restantes de mi mente hacia el esmaltado sueño sin cólicos, vómitos o diarreas. Antes de dormirme vi sus ojos. Ella me miró también. ¿Quién controla las miradas? Yo la veía mirarme, y ninguna de las dos veíamos lo que éramos.

*

Por favor no me regañe en sus respuestas. Lo que necesito es ser oída. Ya conozco mis propias trampas, y tan sólo lamento que usted logre verlas a través de mis codificadas descripciones. Me dice que por mi voz no oye tanto a la Juana, pero es que yo lo que quiero es que usted me oiga a mí. Además, ya que insiste en saber más de mi niñez, aquí le cuento otro episodio de esos. Fue en ese misma avenida de la Liberación donde casi me quedé huérfano, sabor ácido de miedo que todavía siento hoy en la punta de la lengua como si me hubieran hecho un injerto carrasposo. Casi me quedé huérfano porque casi matan allí a mis papás. Sería el mismo año cuando llegó el avión jet. Si no lo era andaría más o menos por allí. De cualquier manera fue antes del levantamiento del sesenta, cuando vimos los aviones despegar desde la terraza de la casa, sustos trascendentales que quisiera poder desprender de la piel como viejos tatuajes temporales necesitados de borrarse.

En realidad eran carreras de carros. Anunciaron carreras de carros en plena ciudad. Vendrían pilotos salvadoreños y competirían con guatemaltecos. Yo ni siquiera sabía de la existencia de pilotos chapines o guanacos. Nunca habían tenido carreras de carros en Chipilínlandia que yo supiera, aunque era tan pequeño como para no ser todavía el superinformado experto presumiendo de saberlo todo, de conocerlo todo y de controlarlo todo, aunque fuera sólo en mi empobrecida imaginación.

De niño aprendí a gobernar el mundo. Sabía de futbol porque mi papá era fanático y fue él quien me enseñó a ir por el Brasil, pues también es Latinoamérica aunque los taxistas brasileños le digan, ¿usted es brasileño o latinoamericano? Ahora vamos por el Brasil, me dijo mi papá cuando el mundial de Suecia y yo le pregunté por qué. Porque eliminaron a la Argentina, me dijo, y el Brasil es el único país latinoamericano que queda en el campeonato. Nosotros siempre vamos por Latinoamérica. Brasil ganó y lo celebramos como si hubiera sido la espectral Guatepeor, porque dizque era Latinoamérica la ganadora. Poco después mi primo Manolo, mayor que yo de bastantes años, me dijo que el campeón del mundo de fórmula uno era un argentino llamado Fangio y por lo tanto los latinoamericanos eran los mejores del mundo en carreras de carros. Así descubrí los carros de carreras. Después de haber sableado a mi mamá me iba donde Biener los sábados por la mañana y compraba Dinky Toys, carritos de metal de como diez centímetros de largo. Con mi primo me subía a la terraza de la casa, que era plana, planísima, de cemento fundido. Dibujábamos el trayecto de una pista de carreras con yeso de colores. Allí corríamos los Dinky Toys, gateando y moviéndolos con la mano hasta romper las rodillas de los pantalones. Jaguares, Ferraris, Alfa Romeos y Maseratis. Más tarde serían Lotuses, Coopers o BRM. Pero eso se lo contaré otro día, porque ahorita salgo corriendo a la tienda del Sprint PCS a comprarme uno de esos celulares que toman fotos digitales y me tienen embobada. Me lo prometí a mí misma, ahorré mi platita, y aquí nos vamos a gastárnosla. Por el cielo nublado grazna una gaviota.

Éste es otro pícaro párrafo correoso, donde andando el tiempo retomo el hilo de los carritos de carrera. Sobra decir que ya no es el mismo día cuando le empecé a contar esa historia. ¿Ve cómo es de ilusoria la realidad escrita? Pero vamos al grano. Según el periódico venía Manfred Schmid, que en la foto aparecía con ojos de muerto y manos huesudas. Sonaba alemán pero era salvadoreño. Venía también Wenceslao García y no me acuerdo quién más. Manfred Schmid iba a correr en un Jaguar igual al de mis Dinky Toys sólo que el mío era celeste y el de él, rojo. Era igual, decía mi primo, a los Jaguares de las 24 Horas de Le Mans donde Pierre Levegh se mató en uno llevándose a muchos otros de corbata. Además, aunque eran hechos en Inglaterra, en realidad eran guatemaltecos ya que los jaguares vivían en el Petén y eran el animal sagrado de los mayas. Entonces íbamos por Manfred Schmid y su Jaguar.

Las carreras iban a ser tres. Tendrían la meta en la avenida Liberación, cerca del preciado reloj de flores. Subirían por la avenida, bajando por otro lado de la misma ya que tenía un arriate anchísimo. Me imagino, no lo recuerdo bien, que daban la vuelta por donde estaba la estatua de Tecún Umán antes de que hicieran los pasos a desnivel. Volvían del lado de los arcos, bajando hasta el redondel de la séptima avenida. Allí agarraban la misma hacia el norte durante varias cuadras, haciendo luego un gancho en U muy apretado y regresando del otro lado hasta la meta. Tres carreras. Habría categorías pero no las recuerdo.

Como nunca había estado en una carrera de carros, quería ir. Mi papá decidió llevarme de manera un tanto melindrosa. Nos fuimos caminando, él y yo solitos, él siempre envuelto en su silencio obtuso, luciendo su boca torcida de enojo permanente. Mi mamá quedó de llegar más tarde con mi hermanita quien tendría entonces como tres años. Íbamos por la sexta, hacia la avenida Liberación, cuando alocados al interior de un rugido ensordecedor que lo encerraba baboso a uno dentro de una nube hermética de claqueteos metálicos aislando al resto del mundo pasaron zumbando todos los carros. Dijo mi papá que habían recorrido toda la sexta avenida desde el Parque Central.

En ese entonces yo le creía todo. Ahora tampoco

es como si haya mucho que creerle pues ya no dice nada. Pero eso es ahora. Antes sí hablaba. Más cuando chupaba, desde luego. Hablaba sin parar hasta quedarse ronco, afónico, eructando aire y la estocada se le olía como a un kilómetro de distancia. Pero incluso cuando no chupaba, hablaba. Siempre como si estuviera regañando, pero hablaba. Hablaba regañando como si cada palabra fuera un cinchazo, haciendo mala cara mientras las pronunciaba como si le doliera el alma al enunciarlas y estuviera en huelga de sonrisas. Además, con el bigote negro y los anteojos de carey parecía regañón incluso antes de regañar. Severo, achinando los ojos como quien anticipa pelea, torciendo la comisura de la boca para abajo mientras se arrancaba los pelos del pecho a manotazos de orangután de engorde. Eran bigotes de policía español aunque de niño nunca estuve en España y no sabía cómo eran los bigotes de los policías españoles. Me dijo con su hablar regañado que los carros venían desde el Parque Central rugiendo sus poderosos motores como si todos fueran jaguares, aunque no todos eran Jaguares. De todos colores, eso sí, y de verdad tenían números negros pintados dentro de grandes círculos blancos y los pilotos llevaban cascos y anteojos.

Llegamos a la avenida. Nos paramos. Empezó la primera carrera. Los carros pasaban a escasísimos metros de donde estábamos parados. No había barreras protectoras de ningún tipo en caso de que uno se saliera de la pista como Pierre Levegh en Le Mans. Guate es Guate. Zumbaban y yo allí paradito con carota de baboso, viéndolos a escasísimos centímetros de la camisa dominguera a toda velocidad, sintiendo el intenso viento de su fulgurante paso en el aleteo frío de la brisa agitando los pantalones flojos cada vez que pasaban, acompañado de la bofetada que nos pegaba el humo del escape oliendo a huevo podrido. ¡Pum! ¡Pum! ¡Pum! Uno tras otro, tan rápido, ya ni se sabía quién ni cuándo. Después la gente se atravesaba la calle como Pedro por su casa y salían los vendedores de todas partes con papalinas manías a cinco la bolsa, cuquitos o rodajas de naranja con chile igual a las del estadio de fut, sólo que éste no era el estadio de fut sino la calle, donde ahora había carreras sin barrera alguna, carros a centímetros de la piel.

Ni cuenta me di cuando terminó la primera. Ganó un salvadoreño porque los guanacos siempre les ganan a los chapines. Bueno, todos les ganan siempre a los chapines. En todo. Lo único ganado por la Guatehorror en toda su tristona historia es el campeonato mundial de desaparecidos, de asesinatos y de corrupción, pero le dije que de eso no le iba a hablar por irracional que pueda parecerle a estas alturas de mi escabrosa vida.

Ahora que me acuerdo, la selección de Guate, la del Grillo Roldán y Guayito de León, le ganó a Checoslovaquia en los octavos de final de las Olimpiadas de México en 1968. Fue memorable, primera y última. Desfiló la selección por toda la séptima avenida cuando regresaron. Yo fui a verlos. Mis papás describieron el espectáculo como cuando Mateo Flores ganó la maratón de Boston en 1952 y también regresó con desfile del aeropuerto hasta su casa. Desde entonces quise regresar con desfile desde el aeropuerto hasta mi casa pero no me había ido todavía, y no tenía todavía por qué regresar. Fue sólo después cuando aprendí que a la Guatepatria malandrina ya no se podía regresar nunca si se era alguien como yo.

Empezó la segunda carrera. En ella iba el Jaguar de Manfred Schmid. Lo miré pasar en primer lugar mientras subía la avenida Liberación. No vi el banderazo de salida pues mi papá no quiso caminar hasta allí. Mi papá era así. Terco, abúlico, mandón y de malas pulgas casi siempre, por lo cual no se le podía decir casi nada casi nunca. Yo era chiquito todavía y tenía que aguantarme. Estábamos parados en ese arriatón enorme entre las dos vías de la Avenida Liberación, pues antes de comenzar la carrera nos atravesamos para ver pasar los carros de los dos lados. Veíamos pasar al atigrado Manfred Schmid en su Jaguar rojo en primer lugar hacia Tecún Umán y después regresando por el otro lado, por los arcos, siempre primerísimo. Manfred Schmid, otra vez Manfred Schmid pasando por aquí, pasando por allá, siempre de primero Manfred Schmid, hasta que sucedió lo del platanazo.

Venía bajando por los arcos y fue cerca de la avenida Hincapié. Yo me distraía, era chiquito. De pronto miré al hombre en el aire como si fuera piñata, rechinidos lacerantes. La gente gritó, corrió. Nosotros, enmedio del arriate ya no vimos nada más. Quise correr también, pero mi papá, hinchados los bíceps, me tenía agarrado de la mano y no se movió. "No", me dijo, "es muy feo". "Qué cosa", le pregunté. "El muerto". Dijo estas dos palabras como si le renovaran todo el dolor de su existencia, la vista perdida en un horizonte inatrapable. Me enteré así del muerto. El hombre piñata era hombre muerto. Entonces me explicó. El hombre se atravesó la calle y venía Manfred Schmid. El carro de Manfred Schmid lo atropelló y voló por los aires. Cayó de cabeza al asfalto. Me impresionó pero sabía ya que si uno se atravesaba lo podían atropellar y había visto las fotos de los periódicos leídos siempre por mi papá en las mañanas, parado hieráticamente en su cuarto, frente a la ventana. En las fotos sólo se veían bultos cubiertos por una sábana blanca con alguna mancha grisácea, la sangre, pero yo ya sabía que eran atropellados y tenía la curiosidad acerca de la abundancia de sábanas blancas con tanto atropellado saliendo en los periódicos.

La carrera siguió, pero oí comentarios de que Manfred Schmid no pudo seguir y no ganó la segunda carrera. Dicen que dijo que después de matar a alguien ya no podía seguir y se paró. Pero el carro estaba bien e iba ganando. "Fue por conciencia", me dijo mi papá. "A diferencia de otros." Las venas del pescuezo se le hinchaban al decirlo. Un sudor espeso le empapaba la frente.

La fiestonga se alegró cuando apareció mi mamá, la única sonriente, con mi empurrada hermanita que andaría con tres años como ya lo mencioné. Habrán quedado a alguna hora y en algún punto convenidos. Se encontraron como si tal cosa, en el arriatón de la avenida Liberación, entre la segunda y la tercera carreras. Mi papá le contó del accidente. Mi hermanita, que de tan morena le decían "la negrita", llevaba vestidito corto bien parado. En esa época las niñazas se ponían fustanes con alambre dejando las faldas de pliegues casi horizontales. Tenía zapatitos de charol de trabita. Mi mamá con falda larga, beige, floja, y zapatos de tacón alto a pesar de ser domingo, pues en esa época, se lo dije ya y me repito, las mujeres todavía no se ponían zapatos tenis en los guateques, aunque ya se oían comentarios de cómo se vestían las de Miami por las fotos publicadas en *Life* en español. También usaba anteojos oscuros en forma ovalada con unas alitas de cisne blancas en las puntas. Pero no le gustaba asolearse y se empezó a quejar del sol bien rápido aunque nos compraron helados a los dos, pues los heladeros de los Helados Recari andaban empujando sus carritos por todas partes con las campanitas anunciando los diferentes sabores. Mi hermanita una cornucopia de chocolate, yo un vasito de frutas.

Iban ya las vueltas y más vueltas de la tercera carrera. Mi mamá dijo que estaba aburrida, la mareaba el run run previsible de tanto carro. Yo no me aburría pero no sabía cómo decírselo. Reinaba gran confusión en mi mente y creí que ella lo decía porque no tenía Dinky Toys y era mujer. En esa época yo diferenciaba mucho las cosas de hombre y de mujer. Así me lo habían enseñado, así lo hacían todos a mi alrededor. Eran los cincuenta y era Guate. Imagínese. De niño yo creía ser el centro del mundo y que los raros eran todos los demás. Shó trancazo el que me llevé al enterarme de las verdades verdes de Alá, ah la chucha.

En algún momento luego de que no le compraron algodón de azúcar, mi hermana hizo un gesto con la mano como si intentara borrar alguna invisible realidad. Enseguida se arqueó y comenzó a aullar con fervor, toda su cara la enorme boca abierta. Me enojé e intenté callarla con grito cortante que marcaba de manera clara la jerarquía de los hermanos. Mi mamá sin embargo le dio la razón porque también encontraba sofocante la calurosa mañana y le dio a mi padre una de esas intensas miradas inapelables. Al verla, él se irguió y decidió ser la hora de irse. Yo me encerré en un rencoroso silencio.

Estábamos arremolinados en el arriatón de la avenida Liberación. Para poder irnos era necesario cruzar la calle. Suena fácil decirlo pero el problema era que la tercera carrera no había terminado. Mi mamá llegó entre la segunda y la tercera así que no tuvo problemas en atravesar. A medio transcurrir la carrera era más difícil. Como solución inicial mi papá, quien había perdido buena parte de su ímpetu en el transcurso de la mañana y se le hacía un hilito de baba por la comisura de los labios retorcidos, cargó a mi hermanita. Mi mamá me agarró de la mano. Ella abría camino y él nos seguía dócil cargando el pequeño bulto que pese a sus arcadas no aminoraba los sollozos.

Juzgaron el momento adecuado de cruzar y nos lanzamos, bien plantadas las nalgas galopantes. Yo adelante, de la mano de mi mamá. Mi papá detrás cargando. No venía nada. Íbamos de lo más bien a media calle. Avanzamos apenas unos metros más cuando oí el cuentazo del somatón. Mi mamá y yo nos volteamos al mismo tiempo. Mi papá seguía cargando a mi hermanita pero ahora estaba sentado enmedio del asfalto. Llevaba los mismos zapatos de calle de todos los días porque no se cambiaba los fines de semana. Tenían las suelas completamente lisas. No como los de ahora, con suelas gruesas cortadas en formas caprichosas como llantas vulcanizadas. Bajo el musculoso pie eran lisas, una tira de cuero ordinario. Parece, y eso lo supe sólo después, que al frotar las suelas toda la mañana en la hierba húmeda se pusieron resbalosas. Total, mi papá se resbaló en el asfalto y se dio tremendo sentón, cayendo como lo vi de reojo, magnífico, reposando las posaderas a media calle, todavía cargando a mi hermanita, la cara inexpresiva. Mi mamá deslizó un grito histérico, "¡Eulogio!", frenó su marcha y se dio media vuelta para ayudarlo a levantarse. Pero como ya le dije, eran los tiempos cuando las mujeres hasta para salir los domingos se ponían tacones altos. Con la suela lisa y resbalosa a pesar del menor tiempo de contacto con la hierba y tan poca superficie de contacto con el suelo, el gesto brusco la hizo caer también sentada en el asfalto al lado de mi padre. No sé ni de dónde me vino el instinto pero me vino por algún lado. Se me salió retorcido. Como hechizado, solté la mano de mi madre y corrí hasta la otra orilla, la cual se me presentaba como algo vago, previsible pero novedoso. Ellos se quedaron allí sentados en el centro del pernicioso griterío ofuscante de la gente que me hacía sombra, los ojos inmensos. Oí el inminente pugido del carro. Nunca supe cómo lo alcancé a ver desde mi enceguecedora posición donde terminaba la banqueta y comenzaba ese gris más oscuro del asfalto aspirando sudores ajenos, mi madre parándose a toda prisa. Se estiraba en sus tacones altos, mi padre detrás. Todavía yacente levantó a mi hermanita. Se pararon. El carro ya venía. Todos regurgitando gritos roncos. Yo no. Lo veía como si no fuera conmigo la cosa. Como película. O como fragmentos tasajeados de una, combinados de manera caprichosa como si fueran múltiples objetos. En uno, mi madre hacia arriba como atleta recién salido del punto de arranque con las piernas dobladas en ambas rodillas, los brazos firmes al lado como gaviota, los puños cerrados. En otro, mi padre apoyándose en su brazo izquierdo para levantarse, mi hermanita con su fustán parado molesta por el reflejo del sol más que por la caída, taciturna, todavía en su brazo derecho. En otro más, el carro convertible kaki acercándose, su piloto con casco de plata relumbrando de mala manera por el sol. En el siguiente, mi madre se acerca hacia mí hipando, mi padre avanza como trompo, a los tumbos, medio dando vueltas, con mi hermanita todavía en su brazo derecho como el niño dios en el hombro de San Jorge, el viejo frunciendo el ceño como enojado en vez de asustado, o bien padeciendo de hemorroides. El carro kaki va directo hacia su festejado culo y ni parece disminuir la velocidad ni darse cuenta siquiera de que hay moros en la costa. En el penúltimo, mi madre a mi lado gritando "¡Mijito!" como si el imprudente hubiera sido yo, el relamido miedo en sus ojos, hipando semiahogada, las manos crispadas. Mi padre como con estertores todavía detrás, el carro kaki parecería remodelarle el culo, mi hermanita siempre empurrada, como si viviera en algún ensimismado estado infantil que le impidiera la alegría. Distingo los lentes oscuros de mi madre en el asfalto a escasos centímetros de las groseras llantas del carro kaki que pasan casi rozándolos, coronando así su baile. Los anteojos, arrogantes, indiferentes ante el peligro. En el último, mi madre diciéndole a mi padre, "Vaya que se atravesó y no se le ocurrió venirse a ayudarme a levantarme..."

Comprendí que ése era yo y me ruboricé. Me di cuenta que nunca se me ocurrió darme siquiera media vuelta y tenderle la mano a mi madre. Me seguí de largo pensando sólo en mí, sólo en mí, yoísmo, indiferente a las dentelladas del riesgo ajeno, si bien en este caso el riesgo no era tan ajeno. Eran mis padres. Sin embargo en el momento de apremio yo los viví como extraños desconocidos en su vituperable caída medrosa, haciéndose notar públicamente, tarados, vulgares, falibles en su mansa entrega. Admitirlo era una miseria sin nombre. Cautivado me sumergí en el silencio. No grité, no me agité, no abusé de gesticulaciones, nada engendró mi pena. Era como si anduviera aplomado, sin querer que eso tuviera que ver conmigo. Le temía al contagio. Quería borrar la mantecosa película. Yo no me caería nunca. Era señal de reprochable debilidad. Me señalaba la proximidad de una misteriosa nada, retortijón que quería evadir a cualquier costo. No se me ocurrió que para casi cualquier otra persona lo normal hubiera sido darse la vuelta y extender la mano de apoyo, de solidaridad, de ayuda, la fibrosa mano hermanando la consanguinidad.

Más o menos en ese momento un jovenazo buen mozo se acercó a mi madre y le entregó sus anteojos. Ella todavía consiguió decirle, "Muchas gracias, muy amable". Al mismo instante una vieja desdentada con un manto negro gritó como bestia herida desde dentro de esa histriónica masa agitada como hormiguero picado que nos rodeaba: "¡Brutos! ¡Imprudentes! ¡Cómo se atraviesan así nomás!"

Ya no supe si ganó Wenceslao García en su Triumph TR-3. Sin embargo, la siguiente vez que pasamos donde Biener me compré un Triunfito café. Estaba allí entre los Dinky Toys aunque fuera marca Georgy, y cuando reproducía carreras de carros en el jardín de mi casa el Triunfito café lo llevaba siempre Wenceslao García y le pegaba a los muñecos de plasticina que volaban por los aires como piñatas mientras yo sonreía de perverso placer.

*

El avión se sacude como palangana vieja, cosquilleándome las tripas. Para distraer el muequeo de inexplicable miedo, dado lo que me gusta volar y mi dizque conocimiento de los cambios de temperatura del aire, dejo a la mente deslizarse hacia una imagen vista por la calle: un hombre intentando besar a una mujer. Se la escribo en mi palm pilot. Recién estoy aprendiendo a usar el fregado y figúrese que consigue descifrar mi espantosa letra de molde. Se lo escribo para taparle el ojo al macho de lo último de la Juana y para machetear de mi pútrida alma los restallantes deseos revanchistas color morado contra Isabela "la duquesa", la carraspeante mujer de la sonrisa falsa.

Esa noche chapinlándica recién acababa de comprarme una oncita de mota. Se lo confieso así de claro porque ya usted sabe todo lo que me ha tocado estos últimos años. Conocía un bar de mala muerte donde la vendían. A pesar de estar en plena zona diez, a dos cuadras de una de las torres más modernas de la mamona ciudad, era de esos tugurios tenebrosos de paredes descascaradas necesitando su buena capa de pintura, medio revestidas de madera barata que había perdido hacía ya su tiempito el barniz que la cubría. Tenía pisos de cemento agujereado, la inevitable luz tenue producida al envolver una bombilla ordinaria con papel de china rojo y decoración consistente de viejos almanaques con fotos de mujeres semi desnudas. Cuando entraba los bebedores de guaro barato se volteaban a mirujear con instintiva desconfianza teñida de ese odio atávico tan singular, tan chapín. Yo evitaba el contacto de ojos y afinaba los instintos para adivinar quién soltaría alguna palabrota soez con el afán de provocar pelea, sintiéndome perseguida por agigantadas bestias de enorme hocico.

Después de alejarme de manera un tanto socarrona del barcito, me estacioné un tanto a la tín marín en una calle no muy lejos de la "zona viva" donde había poco movimiento para rolar el purito y probar ese producto recién adquirido que siempre me hacía sacudir el culo de alegría. Aunque estaba a poquitas cuadras de todo el purrún, era oscura como todas las aledañas. Alineada de grandes árboles, los mentados crecían en la yerba bordeando la banqueta. Indicaban el viejo abolengo de esa parte de la basureada ciudad-jardín que fuera zona residencial de los ricos como hasta mediados de los sesenta. Todos los chalets, si bien ya en estado decadente, paredes resquebrabajadas, muros despintaditos indicando su futuro destino de ser demolidos para sustituirlos por alguna nueva torre de acero cerote y cristal. Eran de los años treinta o cuarenta, torpe imitación de los originales del norte de Europa cuando no mezcla chocante de estilos rococó presagiando pusmodernidad tropical, picosa o tropicosa cuando no tropicolada.

Meditaba sabroso sobre los cambios generados por el tiempo cuando advertí al tipejo en la terraza de esa roñosa casa intentando besarla. De súbito ésta se le zafó de entre los brazos y empezó a dar de gritos. Me quedé fascinada, como si en un palco de la ópera. La lámina tenue del vidrio del carro me separaba de los otros cuerpos convirtiéndolo todo en arañazos de irrealidad como si fuera el cuerpo de una mujer ahogándose dentro de un gigantesco vaso de agua. Me generaba cierto desdén picado de mórbida curiosidad, como cuando uno se resiste a ver una foto pornográfica. Con ágiles gestos de trapecista de circo el tipejo se escurrió baboso a todo lo largo de la terraza, moviéndose, o por lo menos así recuerdo ahora esa imagen ausente, como si desplegara espirales uniformes, aceleradas. Alcancé a oír al individuo saltando hacia la calle por la parte de atrás. No lo divisé desde mi imaginada butaca, debido al coro griego de furibundos ladridos de chuchos. La niñita plástica, porque creí percibir que eso era, se quedó dando de grititos arriba, en su flamante terraza de lujos embarrotados. Alcancé a distinguir entre sus incomprensibles gesticulaciones el culito redondito muy bien formado y sabrosón, las tetas chicas, el pelo largo un poquito ondulado. Tenía las manos delgadas, surcadas por venas grandes que llevaban sangre a unos dedos finos pero fuertes, entrenados para cargar peso, para moverse rápido, y que terminaban en unas uñas muy recortadas y redondas. Buen gusto el del indiferente acosador de sentimientos helados aunque su metodología fuera cuestionable. Pero más peliaguda se puso la cosa cuando otro malencarado salió armado de la entrada de la casa, torciendo la boca en forma de zeta. Creí en un principio que era algún guardaespaldas por ser ésa costumbre nacional ya casi institucionalizada en el folklore junto con los hüipiles mayas, los panitos con frijoles y la marimba. Además la casa denotaba mínimo nivel económico de gran confort sin tampoco ser de las de la zona 14 o de Las Conchas, en cuyo caso ni siquiera hubiera podido entrar a la residencial. Pensé en un secuestro. La guapita tenía rasgada la blusa que con mucha dificultad, dada la eminente escasez de tela, conseguía serlo. Eran apenas dos tirantitos de fideo manteniendo las tetitas rerricas apenas cubiertitas, mirando de nuevo con esa mirada que Juana tanto me reprochaba. Casi podía olerle la piel de leche hasta donde yo estaba y llegué a pensar que desnuda sería menos atractiva y menos sexy sin por ello dejar de ser guapota. Se veía claro que tenía alguna joya en el ombligo.

El armado saltó a la calle en camiseta de tirantes y pantalón de dril, se volteó a la derecha y disparó. Sentí como si explotara una pecera. Me tiré al piso del carro muerta de pánico, no fuera a ser que por error me tumbaran y no tenía vela en ese entierro. Aguanté la respiración. La mota recién comprada se me desparramó por el piso. Recuerdo escuchar en ese instante un CD con Plácido Domingo cantando "Il mio tesoro". Tirada en el piso del carro se desató la balacera. Cuando volví en mí, que no es que me hubiera desmayado porque no, no vaya a creer, pero estaba como en trance, en onda pesada y sangrando del labio porque me lo mordí sin querer. Sentí un silencio que a fuerza de clichés, pero al fin, vivo dentro de ellos y hasta ya podría ser yo uno, podría llamar de "sepulcral", sólo que yo estaba separadito de la realidad como si fuera el señor de la Escuela de Cristo dentro de su urna de cristal. Fue roto tan sólo por mi curiosidad pasiva. "Hay que conseguir amor de donde sea, porque es lo único que te ayuda a vivir."

Pensé en largarme antes de que llegara la policía. Se me podía armar clavo de película si me involucraban y tenía mota desparramada por todo el carro. Con las manos temblorosas, "temblorosas" es un decir pues en realidad estaban agitándose como si fueran máquina de lavar ropas descompuesta, preparé desde el piso la llave del carro para sólo meterla en el estárter y arrancar en un solo, rápido cuentazo jamesbondesco. Lo hice. Metí la llave, me levanté de golpe acomodando el culo en el asiento en el mismísimo instante en el cual daba el estartazo, metí la primera y vamonós, patitas pa'qué te quiero. Apenas si di una miradita de reojo como quien no quiere la cosa. Me sorprendió ver al fulano tirado en el asfalto, desangrándose. El pecho le subía y bajaba como en un ataque de asma. Parecía pujar. Sin embargo tampoco me iba a poner a hacer las averiguaciones en esa noche que parecía piedra de obsidiana. Di por ganancia que no hubiera más guardaespaldas armados, que el secuestrador no merodeara por allí, que no hubieran aparecido todavía ni chontes ni guardianes. Rechiné las llantas más por baboso que por otra cosa y vámonos a contarla a otra parte. Nomás daba la vuelta cuando ya sonaron las sirenas, muchas sirenas, montón. Pese a ello salí de la zona sin novedad en el frente ni rasguños en la frente. Me detuve en el primer lugar donde podían servirme tres whiskachos en filita para calmarme. Lejos estaba de saber que después conocería al perpetrador de la mentada escena de escalofrío y menos aún de las consecuencias del caótico delito presenciado muy a medias. Me lo comentó el día en el cual conversamos acerca de eso, soltándome al cierre su melancólica frase característica al acabarse su campari, frase repetida durante muchas tardes:

–Pretendamos que volvieron los buenos tiempos, cuando nuestra tierra todavía era verde y aun creíamos que era posible salvar el mundo.

*

Más que de mi vida debería seguir hablándole a usted de la Juana. Era lo que le prometí. Y sin embargo, me cuesta. Se me borra a veces, se me aleja entre los espasmos de la arremolinada fantasía. ¿Habrá escuchado esa canción de "Juana la cubana"? Bueno, empecemos por allí. Ésta no era la cubanota vulgar de la canción. Mi Juana poseía brutal ligereza de movimientos como si corriera todo el tiempo hecha huevo pero de puntillas. Cada vez que me despertaba con los ojos pegosteados me daba cuenta que era de talla mediana, a pesar de acotar la impresión de más menudita. Tal vez por esa forma de menear los tacones sobre la alfombra acompañada

de risitas irónicas en las cuales apenas se evidenciaban sus dientes pequeños (aunque sí su capacidad
para abrir la pequeña boquita hasta reventar los
músculos faciales en su laxo fin). Podría deberse
también a esa cinturita que ilusionaba con agrandar
el resto de su cuerpo, aunque ella me mataría de
enterarse de esta descripción. ¿Qué decirle de sus
senos? Pequeños. Le diría que revoloteaban con la
perfección de dos mandarinas meciéndose en la
brisa primaveral si éste fuera idílico paisaje de novela
pastoril escrita por académico del siglo de oro y no
el vulgar e-mail de esta susodicha bien pasada. Agre-
garía que ese culo sólo podría describirlo como
culazo, el más maravilloso del mundo, tan solo porque la estilística desborda la sencillez de la emoción.
Pese a ello se quejaba de que era demasiado grande,
culona, con esa sentida obligación de las mujeres
para auto criticarse. El pelo oscuro y corto a lo gar-
çon, la piel morena clara como un latte perfecto. Los
ojos pequeños entre café y verde ejote, subrayando
zafarrancho expresivo por la pequeñez agitada que
acorralaba picardía oscura, encerrados en una perfecta almendra que empalagaba como la chufa de la
horchata. Poseían cien siglos de sueños. Invitaban a
bañarse en ellos pero eran profundos cenotes donde
diestras nadadoras podrían ahogarse con facilidad.
Los labios carnosos chorreaban trompitas provocadoras mientras movía como coneja esa nariz que
de tan perfecta parecía operada. Muchas le pre-
guntaron por la calle qué doctor se la había arregla-
do. Sacudía la muñeca como resorte y chupaba aire
para evidenciar su encabronamiento ante tan ahue-
cada pregunta. Piernas firmes con grueso muslo y

destacado camote redondo de esas que hacían que cualquiera se volteara a verlas cuando llevaba la anegadiza falda corta, que era casi nunca dado que fiel a su estilo prefería el pantalón tallado. Ah, y lo olvidaba. Tenía esa ambigüedad que hacía que si se le veía de lado pareciera hombre joven, chico adolescente en vez de mujer de treinta y tantos, segura de sí misma que prendía a cualquiera como si sólo apachara un botón y la otra fuera el cuerpo de una lámpara.

La conocí en Guatemáspeor en condiciones demasiado sangrentosas como para detallarle hoy, esa purulenta vida de antes, zafia, de la cual sólo puede hablarse con desdoro. La volví a ver ya en este país. La recuerdo una tarde con la Almendra, colega hondureña. No eran amantes. Almendra tenía su propia novia, una mujer amplia, pantanosa. Aunque se hacía la distraída, la Almendra se derretía mamada cada vez que la veía, empurrando su piquito de gorrión. Juana, consciente de su pegue y capaz de machucar hasta los glúteos más macizos o concisos, artificiaba provocaciones y culeos a más no poder. Mientras soltaban babosadas yo la miraba en el espejo. Sonreía apenas pero desbordaba malicia al pasarse la lengua sobre los labios, primero con el de arriba, luego más tiempo con el de abajo. Le dijo a la Almendra con voz ronca de esas que salen de grutas carrasposas paralizando todo el ambiente por el tono y fuerza de su palabra:

—Pensé al evocar esa primera impresión, primera visión, en el himen en vez del falo como imagen de la escritura, porque es una pantalla protectora. El himen es y no es, porque sigue allí a pesar de todo, como el dinosaurio del inmortal Tito que vivió, fue amado, y dejó obra. La escritura es el recuerdo de una virginidad mitificada que divide lo interno de lo externo, lo interno de lo eterno, es el deseo de una... una consecución, vaya, que implica siempre la destrucción de esa misma pantalla protectora que se transforma en puerta giratoria, algo así como árbitro de lo que entra y lo que sale. El himen redistribuye las consecuencias del impulso creativo dejando que uno, el sujeto que es también el objeto de la creación, se desplace de sí mismo, deje de ser quien es. Tal vez porque tenemos un cuerpo diferente con un falo intercambiable, el hímen está en proceso de convertirse en significante trascendental que marque ese desplazamiento.

Sobreponiéndose al encanto de su canto en el recanto, Almendra le respondió con voz lenta y ademanes nerviosos, con una respiración contenida que delataba malestar:

–Tenés razón. Es una visión común que es ilusión, que es espejismo. Parecía lo que no era y creaba ilusiones de otra cosa, no sé, como un cáliz creativo perdido en el cancel de la puerta que nos permitía entrar a las vanguardias que no necesitaban de guardias, si me permitís el jueguito de palabras.

–Lo que decís en el artículo me recuerda una conversación que tuve con Pacha en Río. Pacha dijo que había un nuevo lugar de strip tease pero era un lugar con clase, para que las parejas pudieran ir juntas a ver desnudarse a las chicas en shows finos, con muy buena música, similar a los grandes shows de los años treinta, cuando el mundo todavía era inocente. Pero igual a como vos te interrogás en tu

artículo yo le dije, "¡Que se lo cuenten a mi abuelito!"
Mi pregunta era obvia: "¿Y se desnudan también los
hombres o sólo las mujeres? ¿Ah, sólo las mujeres?
¿Y eso se supone que es de mayor categoría? ¿Las
parejas van juntitas para ver a mujeres desnudarse?
¿Por qué no tenemos a parejas viendo a hombres
desnudándose? ¿Por qué tienen que ser siempre las
mujeres las que aparecen proyectadas como fantasía
objetivada de la imaginación masculina? ¿Por qué los
hombres quieren llevar a sus mujeres a un show así
para excitarlas con una fantasía pseudo-erótica,
pseudo-lésbica donde ellos siguen siendo el centro
de atención, de poder y de control?" Te aseguro que
los hombres nunca irían con sus mujeres a ver a un
hombre desnudarse, porque amenazaría su masculinidad. Prefieren mantener las nalgas tersas, oculto
el culo por si las dudas. Los hombres, hasta cuando
son travestis, siguen siendo hombres.

–Todo lo que pintás –respondió Almendra con
súbitos ojos avinagrados y gesto fruncido– es la viva
imagen de mi padre. Pero eso sí, por mucho que se
las llevara de liberal, cuando le dije que dejaba a mi
marido no sólo por ser lesbiana sino porque encima
me pegaba enfrente de la niña me gritó "¡Puta, te
vas de esta casa dentro de cinco minutos sin despe-
dirte de tu madre!" Dijo que por la niña debería
aguantarme; que, además, nunca podría mantenerla
yo solita, para no hablar de mis "vicios".

Tembló todo su cuerpo como si se hubiera electrocutado. Se sonrió avergonzada de haber mostrado
debilidad, hinchando los hoyos retintos de la nariz
larga y despintándose los labios al pasar la lengua

sobre ellos. Sus dedos se retorcieron unos contra otros. Juana palpó la situación.

–Ahora te oigo mejor que nunca. Lo siento, querida.

Almendra no dijo nada. Tembló apenitas como con escalofríos y se puso rígida, la cara contraída. El rostro de Juana se endureció, los ojos se le agrandaron.

–Seguí hablando, Almendra –dijo la Juana, acariciándole apenitas la mano mientras se apoyaba en el codo del otro brazo–. Cuando hablás los ojos se te engolosinan como si fueran dulce de coco. Enseguida se tendió a lo largo del sofá. Sus ojos se entrecerraron. Agregó:

–¿Te has dado cuenta de que los hombres creen que la vagina es sólo un receptáculo del pene? Ninguna mujer pensaría eso. Para mí, la vagina es activa. Alberga líquidos, se contrae para mejor penetrar a otra, como especie de pene interior, de válvula convulsionante, achispada. Pasiva, nunca. Habría que interrogarse acerca de lo que es ser hombre, con esas vergas jadeantes que les arden de punta a punta como si se las hubieran rociado con bocado de chucho. Sin duda esa tenue ilusioncita asume siempre posesión, nunca ser poseído y, peor, confunde la posesión con el placer como si fueran lo mismo. La masculinidad es la crueldad de no querer hacerse las preguntas más difíciles. Se creen compulsivamente que en el simple y rítmico ágil agitar de la muñeca se resuelve y disuelve todo en un par de minutos. El falso orgasmo produce falsas lecturas del sentir. En realidad, el clítoris es el significante del sujeto sin rostro, sin legalidad o representación. La falta de rostro es su misma fuerza. El clítoris es lo que el hombre intenta evitar, si no cortar, porque cree equivocadamente que la vagina o el útero deberían ser su objetivo, cuando no su propiedad, su perentoria inmortalidad.

El atolondrado rostro de Almendra había cambiado por completo. Los ojos cerrados con gratitud cafesuzca, dejó que la desvalida lagrimita que se le había asomado se le escurriera por el cachete. Dijo que le agradecía los dos comentarios. Juana se rió casi a carcajada abierta. Bonachona, se inclinó hacia ella y le dio leve y corto besito en la boca. Fue brevísimo, sutil como movimiento de anguila. Borró de golpe las emociones que se le salieron a la Almendra, quien contuvo la respiración. Se paró en seco.

—Acordate de tu novia.

Inclinando ultra simpática el cuello le indicó a la Almendra que la siguiera, alejándose ambas del salón sin rozarse las manos. Trastabillando, las perdí de vista a la vuelta del corredor aunque nunca más dejé de verla hasta que tuve que dejar de verla. No se inmutaron con mi mirada desnudante que Juana me criticó en otras ocasiones ni me dirigieron la palabra.

Acerca de la Juana se cree todo. En la misma lógica del himen que señaló, su cuerpo sería la ley de la escritura. Sería la oposición entre el desplazamiento y el control. Sería el objeto que indicaría los límites del irreductible dolor humano hasta donde yo mismo llegué. ¿Cómo pensar las diferencias sexuales, cómo explicar mi propio desplazamiento para encontrar mi lugar, un lugar donde pudiera ser yo? La naturaleza no podría ser mi ser. No podía seguir siempre preso en ese saco que eran los contornos de mi piel. Me pegué fuerte palmada en la frente. Regresaban.

Fueron en extremo breves dados los legendarios orgasmos larguísimos de Juana que se comía a las mujeres hasta dejar sólo los huesitos limpios, degustándolas en varios platos con su respectivo vino como todo banquete de primera. En lo que me pareció nada ya venían de vuelta por el corredor. Juana la acompañó hasta su carro. Yo me quedé viéndolas rastrera desde la ventana de la sala. Se estaban despidiendo agarraditas de las manos. Juana caracoleando. Almendra evidenciando una risotada seguida de estertores desganados, como si la intimidara la contención de la otra. Justo en ese momentito los jugueteos fueron interrumpidos por el largo grito desafinado. Su eco cubrió el ambiente como si las alas de un zopilote gigantesco hubieran de pronto tapado el sol.

–¡La vecina!

Sin titubear, Juana corrió hacia la casa de al lado como si sacara chispas. Almendra se quedó paralizada con la puerta de su carro abierta. Tardé en reaccionar pero por fin me fui tras la Juana, mi nueva costumbre y eterno vicio, seguida de la Almendra.

Cuando entré se hincaba en el piso de la cocina. La viejita estaba tendida allí como cadáver, la cara blanca, un limón chupado. Juana le sostenía la cabeza con un brazo mientras pedía ambulancia por el teléfono con la otra mano. Una sola línea de sangre le corría por la cabeza como manchón de tinta roja. Juana tenía todavía la blusa medio abierta y se evidenciaba con claridad una de sus golosas tetas. No pude evitar mirarla pese a la conmoción.

En unos cinco minutos llegó la ambulancia y subieron a la vecina a la camilla. Los enfermeros corrían por todas partes como inquietas abejas de panal. Tranquila, Juana les dio todos los datos de la viejita, explicándoles que su único hijo vivía en Hong Kong y no tenía a nadie más en este maldito país. Cuando la subieron a la ambulancia se encaramó también. Yo me quedé baboso y le dije con mal disimulada bronca:

—¡Juana, por dios! Dejalos hacer su trabajo.

—Lo están haciendo. Pero ella necesita que alguien le agarre la mano.

—¡No seás bruta, está inconsciente!

—Todos sienten el calor humano aunque estén inconscientes.

No hubo forma. Almendra, descolorida, se fue a su casa entre risitas y jerigonzas en busca de su olvidada novia. Refunfuñando tomé los datos del hospital, saqué el carro del garage y me fui para allá. Cuando llegué, Juana estaba sentada en el sofá de la sala de espera leyendo una revista. Al verme levantó la vista y sonrió.

—Le dio un conato de infarto y al desmayarse se golpeó la frente contra el piso.

—¿Dónde está?

—La están atendiendo.

—Vaya pues. ¿Nos largamos?

—¿Y vos qué ondas? Hasta que salga el médico y nos diga que ya pasó el peligro.

Se imagina usted que nos quedamos horas de horas en ese sinuoso hospital de tonos tristes color pastel, viendo pulular todo tipo de horrores, de esos que le abren a uno los ojotes: acuchillados, heridos de bala, niños con huesos partidos, cuerpos atropellados, policías sudorosos con cara de poca madre, madres histéricas rompiéndonos los tímpanos, energúmenos tambaleantes sufriendo los alucines nauseabundos de alguna droga mal habida. Durante todo ese larguísisimo tiempo que me anudó las tripas y me dio desesperación claustrofóbica horripilante de esas que lo ponen a uno a arañar paredes, la Juana tan tranquila como si recién saliera de la regadera, leyendo una revista tras otra, sin decir nada, vacilando. Tenía todavía la blusa medio abierta y se le seguía mirando la embriagante teta. Por fin los médicos la llamaron para informarle que la viejita estaba bien y que podría volver a verla al día siguiente.

Cuando regresamos, ya casi al amanecer, molidos de cansancio, los pajaritos estaban cantando en el árbol del jardín trasero de la casa. Como si fuera lo más natural del mundo, Juana abrió la ventana y gritó "¡¡¡Shhhh!!!" Acostumbrados a escucharla, le obedecieron resignados. Recuerdo que en ese mismo amanecer murmuró todavía antes de caer en un sueño profundo:

—La miseria es el gran mar que nos ahoga, ahora que los polos se derriten. Ya no hay marcha atrás, esto se acabó.

*

Dale que dale con lo de la niñez. ¿Por qué le importa tanto? A mí no. Los inesperados recuerdos aparecen sin saberlo uno. Se estrellan contra sorprendentes giros posteriores como extrañado pájaro que por casualidad se entra a la casa por la ventana abierta en una tarde de verano. Pero como insiste tanto, aquí le suelto otro, ya sin saber hasta qué punto es recuerdo y hasta qué punto es invención. Me preguntaba del deporte que hice. Bueno. Jugué futbol. Supe de la liga Mosquitos por el Steven Shure. Lo contó en la parada del bus escolar con altanería. Me hizo gracia enterarme por Shure. Me entusiasmó y lo comenté al llegar a casa antes del almuerzo.

Fue así como conocí a Anleu. Anleu era el entrenador del "Piratas", mi nuevo equipo de la liga Mosquitos. Aunque la liga se jugaba en la colonia Centroamérica, entrenábamos en el campo detrás de los Helados Sarita en la doce calle de la zona 9. Era un campo amplio de engramado verde al cual sólo le faltaban las porterías. Disfrutador tenaz de todos los pequeños detalles de la vida diaria, Anleu era nuestro entrenador. Era también guapetón, joven, con cuerpazo de dios griego que hasta parecía alado y con la agilidad elegante de venado atento al menor movimiento en torno suyo. Se parecía a Horst Buchholz sólo que más latinizado. Además, en su sonriente simpleza era buenísima gente. Pronto nos hicimos grandes amigos y hasta visitó mi casa más de alguna vez. Anleu era el portero de las reservas del Escuintla en la liga mayor. Antes lo había sido del colegio Don Bosco, famoso por producir a la gran mayoría de estrellas de nuestro futbol semi-profesional. Me dijo que escogió el uniforme de los "Piratas", camisola gris con pantaloneta negra y medias grises porque le gustaba el "Huracán" de la Argentina que hizo una famosa gira por Guatemaya a fines de los cincuenta.

Se suponía que yo iba a ser alero izquierdo, con Nery Flores en el centro recibiendo mis largos pases y el Chino, uno de los dos legítimos "niños pobres" del equipo, el otro era Tulio, sería el portero. Pero el Chino faltó a nuestro primer partido y yo terminé de emergencia con su puesto. Zurdo siempre fui, portero nunca, pero me inicié así en el nervioso oficio, dejando al Chino como un volante más al lado de Tulio, el de la cabeza pelada. Peñaloza ocupó mi sitio de alero izquierdo.

La colonia Centroamérica era colonia proletaria. Su campo de futbol era de tierra, desnivelado, sembrado de puntiagudas piedras torturantes pero como dicen en mi tierra, en peores panteones nos han dado las doce. Nada del engramado del cual disfrutábamos en nuestro entrenamiento. Todos los equipos eran de la colonia, integrados por patojos proles de rostros agresivos y canillas flacuchas con la excepción del nuestro. Nuestros uniformes nunca estaban manchados al inicio del partido. Fuera del Chino y de Tulio, todos los jugadores vivían en las zonas 9, 10 y 14 con los Flores y Peñaloza encabezando el escalafón económico. Por extensión, éramos el equipo a derrotar y derrotados fuimos siempre, ocupando el sótano de nuestra liga.

Aunque me sentía anímicamente el igual de los Flores o de Peñaloza yo era de los que no tenían carro. Mi padre me llevaba todos los domingos por la mañana al campo de la Centroamérica en dos buses. Primero tomábamos el 5 con su singular morado pálido que parecía copiado de quirófano de pobres, atravesado por una línea verde y negra, hasta La Aurora. Luego, la 4 hasta la Centroamérica. Los buses de la 4 eran de la empresa Adaza, anaranjados vejestorios que resoplaban como cafeteras asmáticas regurgitando humo mientras luchaban por respirar sumergidas en ataques de tos. Apenas si alcanzaban a depositarnos en la esquina del campo a donde llegábamos ya molidos de antemano. Mi padre saludaba a Anleu, al doctor Peñaloza que llevaba a su hijo en su camionetilla Opel, le enviaba señal de reconocimiento al chofer de los Flores y se dedicaba el resto del tiempo a caminar la banda de la cancha como animal brioso sin saber a dónde ir, león enjaulado observando con ojo crítico el desarrollo del partido con ojos hambrientos.

Como dije, nunca jugué de portero, prefiriendo siempre la delantera y la metedera de goles. Pero me atraía algo eso de ser Llanero Solitito que bajo los magros palos le marcaba un alto justiciero a todos los malhechores de mirada retorcida del bando contrario cuando no terminaba cogido. De allí que me tirara sin parpadear a probar el puesto a la hora del necesite pese a mi inexperiencia. Sin embargo, por no haberlo jugado no sabía tenderme.

Luego de ser elogiado por todos al aceptar, Anleu empezó a entrenarme. Al final de la tarde, cuando los demás ya se habían largado, se quedaba media hora más conmigo. Se paraba unos tres metros frente a mí. Tiraba con las manos la bola hacia uno de mis lados, como a tres metros de donde estaba parado, a la altura de mis brazos. Repetía esos gestos una y otra vez, paciente, contando chistes que convulsionaban su guapísimo perfil o bien graciosas anécdotas de su vida que mantenía su sonriente boca iluminada como si tuviera luces dentro, cuando no a mí mismo, allí, refugiado en su cueva bucal. La idea era que poco a poco yo me tirara, me tendiera, elevara los pies al aire y quedara en posición horizontal como a un metro de altura de la tierra. Sin embargo, por más que lo intentara no lo conseguía. Metía ágil los manotazos, mi ojo seguía la pelota, me inclinaba hacia donde venía, sentía el estertor tirante de mi corazón bombeante con ritmo lacerante, me dejaba caer impidiendo que entrara, pero por mucho que terminara en el enlodado suelo no conseguía levantar los pies al aire. Caía de la posición vertical a la horizontal como compás que marcara exacto 45 grados sin moverse del punto en el cual estaba sembrado.

Anleu, paciente, sólo se reía y me guiñaba el ojo sin evidenciar fatiga o impaciencia. Me contó que en el Don Bosco fue el gran titular. Iba en el mismo camino de Nacho González, el portero de la selección nacional que también era egresado del mismo. Se tendía cada vez que podía hasta para presumirles a las mujeres, aunque se encontrara en ropa de calle. Llegó al Escuintla y estaba seguro que en cuestión de semanas sería titular. Hasta que se lesionó. Se golpeó la rodilla en un entrenamiento y tuvieron que operarlo. A su vuelta ya no conseguía tenderse. Se quedó de portero de las reservas con escasas posibilidades de ascender. Yo lo vi jugar una sola vez en el estadio Mateo Flores y le metieron un golazo en el cual ni se movió. El delantero se descolgó y llegando ya casi a la altura del área grande soltó un disparo directo al ángulo inferior de la portería.

Anleu sólo miró la pelota entrar. Afligido, no sabía qué decirle al siguiente entrenamiento. Cuando por fin se lo comenté después me dijo, "No había nada que hacer. Si me hubiera tendido, hubiera sido pura pantalla para babosear al público. Sólo con la experiencia puede medir uno si le llega a la bola o no. Además, cuando uno es reserva lo que menos le importa es lo que piense el público." Enseguida me guiñó el ojo y me dio un toquecito cómplice en la mejilla que lo sentí como caricia sobrehumana.

Mi padre era de esos bravucones de la vieja escuela que cuando no estaban en la cantina con la garganta afónica de tanto güirigüiri se hundían en el más hermético silencio y abrían la bocota sólo para regañar mientras le volvían a uno repollo la oreja con ese exceso de pasión de todos los seres frustrados que se mueren blasfemando. Siempre se pasaba, acentuando huracanado con la ascensión en decibeles sus prolongados gritos que marcaban la imaginada jerarquía que lo ubicaba por encima de los gritados mientras se le escurría el hilo de baba por la comisura de la boca y los dientes inferiores saltaban hacia afuera mordiéndole el labio superior, gesto de bull dog que subrayaba su presunta hombría. Le gustaba decir que era hombre de pelo en pecho. Muchísimos años después conocí en los bares gay de San Francisco muchos hombres de pelo en pecho que estaban de lo mejor, buenotes y sabrosísimos ositos leather, pero no creo que fuera eso lo que mi padre tuviera en mente cuando enfatizaba su abundante pelambre.

Los "Piratas" llevábamos un par de empates y el resto de los partidos perdidos cuando nos tocó jugar contra los "Tigres". Los "Tigres" eran los campeones e iban de nuevo en primer lugar. El equipo de la camisola de rayas rojas y blancas era el más poderoso de toda la liga y el favorito del administrador de la misma.

Todos decían que los "Tigres" nos golearían. Tanto se habló del partido que hasta la señorita García, mi ex maestra del tercer grado quien vivía en la colonia, se acercó para desearme suerte suponiendo que como portero sería la víctima principal de la desigual matanza. El portero de los "Tigres" que ya se creía el heredero del puesto en la selección nacional se acercó para darme la mano y consolarme con anterioridad al partido.

Empezó el mismo. Para sorpresa de todos, hasta de nosotros mismos, el tiempo avanzaba y no caían los cantados goles. El partido se atolondraba espeso en el medio campo donde Tulio y el Chino se las arreglaban para empantanar a la delantera contraria, fuera jugando a la matacoche clavándose feo a los de raquítico culo o bien con desaforados recules pastosos e inacabable vaivén de tocaditas de bola. Ya cerca del final del primer tiempo se les escaparon una vez y se dejaron venir dos de ellos contra sólo uno de nuestros defensas. Era el Choco Flores, hermano menor del Nery, así llamado por los enormes anteojotes que le escondían el rostro enjuto. Además el Choco era chaparrito. Hasta con el pelo parado estilo flat top apenas me llegaba al hombro. Atacó al que traía la bola pegada a sus pies. Calculando las distancias me preparé, no sin antes sentir que cagaba líquido. El atacado le pasó la bola por alto a su compañero. Aproveché para salir como rayo y puñetearla hacia un lado. Esa inesperada salvación me valió todos los deslumbrantes elogios de mis compañeros, de Anleu, y de la señorita García al medio tiempo.

Recién comenzado el segundo tiempo ocurrió el milagro. Nery Flores parrandeó a dos defensas y aunque era ambicioso y arruinaba muchas situaciones de gol tratando de marcar él mismo, en esta ocasión esperó a que el portero se le barriera a los pies antes de darle pasecito por bajo a Peñaloza que apenas si tuvo que empujarla con el empeine hacia adentro. ¡Gol! ¡Les íbamos ganando a los "Tigres"! Nadie se la creía. De pronto los muchachitos mocosos que contemplaban el partido a la orilla del campo empezaron a gritar "¡Pi-ra-taas! ¡Pi-ra-taas!" Sentí que me envolvía una dulzura tibia. Tenía los ojos más abiertos que nunca.

Faltando menos de cinco minutos su alero derecho se vino en un contragolpe y dejó clavado en tierra al Choco Flores. Yo lo contemplaba con cuidado, temiendo el aflatante centro que vino de inmediato. Su centro delantero, un grandulón colocho con diente quebrado y la camisola suelta, pecoso el baboso, se dejó venir como obús desenfrenado para rematar con la cabeza. Sentí frío agonizante en la boca del estómago. Salí de mi línea para intentar puñetear la bola como antes en preciosa parábola postrante pero me di cuenta ya sobre la marcha que venía demasiado alta. No me quedó otra que retroceder rápido para aguantar caradura el estrellamiento del viscoso remate que me ensartaron a la altura de la cabeza como a tres metros al lado de donde me encontraba parado en ese instante. Me tiré. Creí, sentí, viví, que llevaba los pies en el aire, que me alargaba cuan largo era como el negro Gamboa, que alcanzaba a manotear la pelota con los dedos. Mi manita agonizante sin embargo se dobló apropiadamente por la misma fuerza de la pelota. Apenas si alcancé a desviar su trayectoria pero no lo suficiente. Caí a tierra, ensartándome las filosas piedras en mi pecho y muslos, ahogándome de respirar polvo cochino. El grandulón colocho y uno de nuestros defensas que por fin lo alcanzó me cayeron encima al tropezarse con mi encogido cuerpo. Me ensartaron los tacos con descaro, los codos, y hasta me dieron un manotazo en la cara en su impetuosa caída. A lo lejos, como si fuera en otro planeta, alcancé a pesar de los golpes y la oscuridad a escuchar el grito de ¡gol!

Nunca miré entrar la pelota. Me quedé sentado en la tierra. Mi defensor me dio una palmadita en la cabeza. El grandulón a pesar de su euforia todavía murmuró "buena parada" mientras se levantaba y sacudía el polvo. La pelota y el resto de jugadores volvieron al centro del campo. Me quedé solo, sentado en la tierra, sucio, pero orgulloso de que logré tenderme. Anleu sonreía desde la línea lateral y me aplaudía. El árbitro silbó la continuación.

Me paré con lentitud. Me sacudí la tierra de la ropa. Vi que tenía partida la rodilla y que sangraba. Tenía también un par de heriditas en la mano y sentía el dolorón de un fuerte golpe en el lado izquierdo de la frente. Al recostarme contra el poste escuché detrás de mí el vozarrón inconfundible. Mi padre había caminado desde la línea lateral. Estaba parado justo detrás de la portería que no tenía red, que era tan sólo los tres podridos palos sin pintar, pordioseando la más leve protección contra los elementos.

Todavía mareado de los golpes me volví para recibir con digna humildad los elogios por la tendida y el consuelo por el gol recibido. De allí que me quedara con la boca abierta y sintiera como si un hilo helado de agua recorría mis espaldas al escuchar el tono elevado de su voz y las palabras sin benevolencia ñi piedad que aún hoy me siguen dando vuelta en la cabeza. Con rostro demente, translúcido, dijo:

–...¡Si se parte un hueso, lo llevo al IGSS y ya! ¡Pero aprenda a tirarse como los hombres, que no quiero que ensucien mi nombre al acusarlo a usted de...!

El chisguetazo de saliva, los dientes sobre los labios, el agrandamiento de los poros en la cara, los amenazantes puños peludos, todos allí fibrosamente reunidos, la candente picadura de la impotencia, el aluvión abusivo de gestos hombríos, su panza cebona hinchándose conforme la cara se le ponía morada con rapidez alucinante. No sé de dónde saqué el valor para gritarle:

–¡Pues si eso es ser hombre, se lo dejo a usted!

Me quité los zapatos y se los tiré a los pies. A pesar de las piedras que me deshacían la planta de los míos me encaminé en medias desde la portería hasta donde un sorprendido Anleu con la boca abierta me veía abandonar el partido cuando aún quedaban minutos por jugar. Por suerte dominábamos en ese instante y se acabó antes de que nadie se diera cuenta de que me había retirado antes de tiempo. Los compañeros, felices por haberles empatado a los poderosos "Tigres" se abrazaban sonrientes entre sí y me abrazaban calurosos también. Varios niñitos del público se unieron al festivo abrazo colectivo. Anleu nos elogió por el esfuerzo, por derrochar ganas, y nos dio la mano a todos uno por uno. Después, soltando la risa, ofreció volverse a casa conmigo y con mi padre ya que vivía tan sólo a una cuadra de la nuestra. Me abrazó en el camino a la parada y se sentó a mi lado, conversando con mi padre todo el tiempo sobre temas nada futbolísticos.

Nunca más volví a jugar de portero. A partir del siguiente partido, el Chino debutó como titular, yo como alero izquierdo. Peñaloza se corrió de volante. Hice un pase perfecto desde el punto del corner que Nery Flores remató para meter el gol que nos dio nuestra primera victoria de la temporada. Al final de la misma me retiré de los "Piratas" y no volví a permitir que mi padre me observara en espectáculo alguno. Ni siquiera lo dejé ir a mi graduación de bachillerato. Dije con la serenidad cataléptica de un ensimismamiento incesante con hipertonía muscular que si llegaba a aparecerse por el teatro me negaría a recibir el diploma de manos del director del colegio.

*

Me contó que de niña no tenían mucha plata. Su papá se enamoró rabioso de su mamá en Nueva York, recién terminada esa segunda guerra mundial donde el susodicho se apretó los huevos como pudo en un bombardero que a duras penas sobrevivió el teatro europeo tan sólo para que no dijeran que por ser judío era cobarde. Según me contó, tenía los ojos café claro, el pelo negro, liso, peinado con brillantina, de sonrisa fácil. La madre hacía viaje de turismo pagado por sus papás, ricos comerciantes de Mazatenango, después de su graduación de bachillerato. Él era pobretón de calcetines descoloridos, ahogándose en el descuido que se despertaba soñando que era ornitorrinco y detestaba su nombre de pila, Eli, nombre desdichado que siempre consideró se lo habían clavado por pura maldad, una injusticia más en un mundo humillante, nombre ridículo que hacía reír a todo el mundo como niños al tan sólo oírlo en inglés, ilay, ilay, qué ondas, ilay. Hacía sus estudios en Hofstra University pagado por el G.I. Bill. Se conocieron en un mugroso club de jazz en un callejón de Greenwich Village donde él fue por pura casualidad después de largo recorrido en bus y subway, de los viejos pregraffiti, desde la suburbanísima Long Island, con su única camisa Arrow y una chalina azul oscuro. Al verla le aseguró, mentiroso, con cierta resignación azul que lo hacía parecer muy cool, ser amigo de los músicos de copetío, empresario de Broadway y mil cuentos más con tal de impresionarla. Ella le dijo sí a todo, sí, retrocediendo sin ceder con sonrisita que nunca se le borraba de la boca, sin que a él le quedara claro si le había creído, si sí quería decir sí, o si no. Le dijo sí a salir juntos la noche siguiente sin embargo y sí llegó, y sí se vieron todas las siguientes, llegando a saborear, sí, el lípstic de sus labios porque yes I will, yes, hasta el triste momento en que la acompañó a La Guardia a tomar un espantoso bicho de cuatro hélices con las palabras "Fly Eastern Air Lines" chorreando en su fuselaje de aluminio boliviano que se la llevó encajonada en larguísimo peregrinaje hacia Miami, tullido camino de vuelta hacia su misteriosa patria tropiloca. Se dio cuenta en ese momento de estar enamorado perdido de la exótica morena de pelo negrísimo y sonrisa alegre. Como el viejo, entonces jovenacho, tenía solo dos velocidades, o estaba parado o agarraba aviada a toda velocidad, terminó sus estudios y de inmediato agarró la vieja camionetilla Chevrolet con paneles de madera que un primo "arregló" y se fue a buscarla, sabiendo que las migajas sólo podrían ser felicidad para los gorriones. El carro tenía un clutch tan sensible que si uno estornudaba salía hecho huevo. Para andar una cuadra quemaba llanta como cinco veces.

Era tal el calor cruzando el desierto mexicano que se compró una caja de cervezas bien frías recién pasada la frontera por McAllen y se las tomó una tras otra, tirando los envases por la ventanilla al acabarlas sin extrañarse demasiado por ver su rostro reflejado cuatro o cinco veces en el parabrisas. Antes de llegar a Veracruz como trastumbando a toda carrera mascando un chicle que escupió por el lado izquierdo del entrelabio con cara de preocupado, lugar donde le robaron la cartera en plena plaza porque le verían planta de gringo abstemio, ya no le quedaba una sola. Vaya que tenía más pisto escondido en la carcacha. El radiador se agujereó cerca de Tapachula pero le tapó el hoyo con masa de banano. Llegó a las Guatepiores pagando tremebundas mordidas en la frontera para que lo dejaran entrar sin los papeles correspondientes. La

camionetilla murió cerca de Rethalhuleu. La abandonó en la cuneta basurienta y continuó en corroído
bus extraurbano que se agitaba como vieja perco-
ladora, rodeado de canastos de pollos cubiertos por
red de lazo hasta la capital. Sin hablar español consiguió que le indicaran la dirección de la casa de la
mujer soñada, a donde llegó jadeando, sudando,
hediondo y puteando en un inglés que sólo enten-
derían en Brooklyn, como si hubiera corrido el camino entero, pero sin haber perdido ese look a lo
Humphrey Bogart en el *African Queen*. Logró que
la sirvienta lo dejara entrar a pesar de su aspecto
vagabundo y le diera de comer mangos verdes (de
un árbol que crecía en el patio trasero) y tortillas
con sal, más pendiente de la mosca que sobrevolaba
la cocina que del plato de sopa humeante. A las
pocas semanas se casó con ella a pesar de la objec-
ión de su padre y el desdén altisonante de su nueva
suegra, a quien, según contó, le encantaba criticar
a la gente y después lo miraba a los ojos, las narices
casi pegadas, y decía como loca furiosa, "¿Verdá?
¿Verdá? ¿No lo creés?"

Con el dinero que juntaron más los limitados
préstamos condicionados de su suegro que lo miraba
muy de reojo cuando no le hacía mal de ojo, montó
una fábrica de telas en la capital para competir con
Cantel, que entonces recién inauguraba su nueva
maquinaria, fábrica localizada en las afueras de
Quetzaltenango. Pero eran los años cincuenta en
que lo viejo se moría y lo nuevo aún no podía nacer,
década de flatulencias, síntoma del ínterin, y las
cosas iban, como se dice en buen chapín, como la
gran puta. Montar fábrica era como regar un semáfo-

ro y verlo crecer. Juana recordaba que su madre se levantaba tarde, se pasaba el día entero en camisón o bata y nunca trabajó. Era bella, sin embargo, a pesar de no ofrecer relieve. Bella y distante, con cabellera negrísima que de tan negra parecía artificial, una sonrisa congelada en el rostro de porcelana y piel en la cual las finas venas se transparentaban. Sus únicas actividades conocidas eran jugar al bridge y limarse las uñas. Para todo lo demás mantenía una cósmica indiferencia casi celestial.

Su papá se mataba trabajando pero hacía bromas simpáticas en la cena. Juana era la tercera. Los dos hermanos mayores y el padre conversaban fiesteros como españoles, a gritos y gesticulando con las manos, mezclando inglés y español con alguito de yiddish. La madre siempre inmóvil, sin reaccionar, pero sonriendo. Después de la cena el papá jugaba ajedrez, Monopoly y hasta baraja. Fue con él que Juana se hizo fanática del poker y con su hermano mayor que aprendió el strip poker. Celebraron torneos de lucha libre en el centro de la sala para los cuales corrían todos los muebles con desbordante energía y rayaron el piso con las patas de los mismos. Juana luchaba igual que los demás. Malmataba a Luisito, el de en medio, aunque perdía con Armando que lograba desarmarla siempre que estaba a punto de ganarle haciéndole cosquillas. Creció creyendo que en su casa vivía una bella estatua tan misteriosa como la esfinge, su madre, y cuatro muchachotes guapos y simpáticos que eran su padre, sus dos hermanos y ella, sin tener que cuidarse nunca el culo porque tenía buen pegue.

La situación de la fábrica de telas era preocupante. Tan preocupante que a su padre le salió úlcera. Un lluvioso domingo de junio, días antes de que Juana comenzara a menstruar, se los llevó a Panajachel a pasear mientras su madre se iba a un torneo de bridge a El Salvador. Estando allí, luego del mediocre almuerzo en el Hotel Tzanjuyú donde al recibir la cuenta supo que no le alcanzaba para pagar pero hizo tan mala cara que el administrador, cliente suyo, le arregló un penoso descuento, se le reventó. Recién iniciaban el camino de vuelta. Desangrándose el padre, Armando, agüitado, manejó a los quince años por esa angosta carretera vieja llena de baches, curvas y ganchos con los oscuros barrancotes cayendo vertiginosos de verdes por miles de metros, escondidos como ladrones con puñales tras la neblina y densidades grises de la vegetación, mientras Juana lo reanimaba con un fárrago de chistes cochinos que caían en sus oídos como el sonido del barreno hasta que llegaron al IGSS de la entrada al Roosevelt. De milagro sobrevivió.

Lo salvó el Mercado Común Centroamericano. Se metió a fabricar telas de mejor calidad y a exportarlas por la región. Así pudo comprarse una casa con gran jardín al final de la 13 calle de la zona 10 y regalarle a su mujer un Fiat blanco convertible, en el cual Juana aprendió a correr hecha huevo por las calles como campeona de fórmula uno. Asimismo, los tres hermanos entraron al Colegio Americano. Fue poco antes cuando Armando le mostró la colección secreta de *Playboys* de su padre y Juana empezó a hojearlas, contrayéndose en gestos que sólo la densidad perpleja del mundo desconocido de la enjundiosa revista tornaba disculpables.

Juana, traviesa, cada vez que se metía en líos con su hierática madre, de cuyo señorío hipócrita se burlaba llamándola "La majestuosa Inez de la belleza frígida", salía huyendo de la casa. Incapaz de moverse, la señora Inez enviaba a la sirvienta tras ella. Juana corría hacia el árbol de nísperos y se encaramaba hasta las ramas más altas. Disfrutaba viendo a la sirvienta uniformada buscarla en la calle antes de regresar a informarle a la señora de que la niña había desaparecido. Cuando ocurría de tarde, lo más corriente ya que estos acontecimientos solían pasar luego de la vuelta del colegio, la sala estaba iluminada por las lámparas. Divisaba desde la copa del árbol a su madre llamar preocupada por teléfono a su padre y aun así permanecía en lo alto hasta que, hacia las seis, llegaba el carro de su progenitor. Bajaba a saludarlo como si nada y entraba triunfante a la casa abrazado de él, haciéndose la bestia, contemplando de reojo las muecas retorcidas en el rostro de su frustrada madre.

Una tarde en que mordisqueaban tortillitas con chorizo en Katok, el restaurante típico favorito de todos, ubicado en un punto mágico de la Sierra Madre, magia en sí, en la carretera Panamericana donde las montañas parecían ser desorbitados canteros incendiados de geranios, Armando la desafió a ver quién saltaba más largo. Enseguida tomó aviada, se elevó por los aires y como sanate desplegando sus alas se alargó durante una cantidad insuperable de metros antes de volver a tierra. Juana, emberrinchada, estaba determinada a vencerlo. Se fue hasta atrás. Corrió cerca de cien metros a toda velocidad con trote cortito pero certero antes de lanzarse al aire. Voló como quetzalito libre al viento con movimientos elegantes de prima ballerina que despedía la gravedad con desdén, sin darse cuenta que lo que aparentaba ser una larga y mimosa ladera verde en realidad estaba partida en dos por un afilado barranco. Despavoridos, los padres observaron con esas bocas abiertas donde aún se anidaban los últimos vestigios del chorizo, desde el gran ventanal del restaurante, cómo su hija volaba mercurial por sobre el barranco, estirando las desentumecidas piernas con ritmo germinativo antes de por fin tocar tierra del otro lado, lela, apenas centímetros más allá de la funesta orilla que la hubiera llevado sin discusión a sufrir serias fracturas o peor de no haberse alargado como lo hizo y volar con gracilidad mitológica, llegando hasta un recóndito punto donde nadie antes había podido saltar. Cuando me lo contó ya adulta se mataba de la risa y le bailaban los ojitos pícaros como dos gotas de tinta sin pizca alguna de arrogancia o incluso de plena conciencia de la proeza realizada.

Juana fue criada como hombre hasta que su padre descubrió en su adolescencia, casi con estupor, que la protuberancia de sus recién nacidas tetas indicaban todo lo contrario, pero creció también con fijación casi enfermiza en la bella imagen de una inmutable madre sumergida en su pesadez de esmalte blanco. Era medio rica y medio pobre, medio gringa y medio chapina, medio judía y medio católica, medio filósofa y medio artista, medio mujer y medio hombre. Era apabullante de bella pero toscamente peleonera, inteligente pero opinionada, femenina pero marimacha, dulce pero mal hablada. Hablaba con voz burlona que fulminaba por su ácida ironía de fuego pero cuando soltaba la ternura adquiría tono de pequeño río domesticado lleno de misteriosa paciencia que empalagaba hasta al más reacio cuando no al más batracio. Combinó talento, que le sobraba, sentimiento, que la inspiraba, y al magnetismo que atraía a todos como matamoscas. Era una ambidiestra que pateaba hacia cualquier lado, dando guerra a pesar de estar hecha para el amor. Si no había carne comía pescado.

Adoraba a su padre, sentimiento que expresaba en la rapidez de sus miradas de iguana transfigurada, y lo ayudó desde temprano en el negocio hasta el punto de planificar con él cuando estuvieron a punto de quebrar después de 1967. La comunidad judía lo revolcó pidiendo una contribución demasiado grande para la guerra porque en su bragadoccio impensable les hizo creer que producía más de la modestísima realidad. Estudiaron cómo incendiar la fábrica sin que la mano criminal pudiera detectarse, sobra decirle que para cobrar el seguro. Al final no lo hicieron. El negocio resurgió con pijuda fuerza como diría la guanacsia, cuando le salieron contratos con el ministerio de la defensa y su viejo obtuvo un préstamo gigantesco del banco de los García Granados que le sirvió después para pelárselas y retirarse a Boca Ratón en la flamígera Florida de los flamencos flotantes donde todos los que viven son cagaditas de ratón. Pese a ello los libros que leyó acerca de cómo preparar las bombas incendiarias le sirvieron para mucho después. Cuando se viene de países retorcidos, oscuros, los procesos sicológicos para apropiárselos son complejos, pero nadie que no haya sufrido violencias antinaturales puede reprochárnoslo.

*

Una de esas areniscas noches friítas y un tanto neblinosas del inicio de nuestra primera primavera en Laguna Beach, antes de que yo descubriera la melancolía del June gloom, Juana se puso furibunda mientras leía en la sala un libro recién comprado. Estaba vestida en relamido ropaje de estilacho romanticón que se ponía para provocar. Parecía de corrida de toros campera, especie de terno andaluz decimonónico formalizado por la cara costura, ya que acabábamos de volver de una cena de trabajo con colegas, de esos de trompita alargada y nada de humor. Ella lo llamaba "mi traje de Ana Rossetti". Gritaba como Orlando furioso con vozarrones que le hubieran dado coscorrones al autor de las prendas íntimas:

–La participación gaylésbica en la democracia es subjuntiva porque son ideales universalistas que nunca se realizan: es siempre el "debería", nunca el "fue". Almendra lo sabe.

Relamida la dejé hacer, sabiendo que como los ventosos huracanes, necesitaba tocar tierra antes de disiparse en mera tormenta tropical. Juana furiosa era piedra consumida por el magma de un volcán, derribándolo todo a su paso sin perder figura y ni siquiera despeinarse.

Terminó el incendiario arrebato con esa su frase que ya le comenté, casi su firma, "Pretendamos que volvieron los buenos tiempos, cuando nuestra tierra todavía era verde y aun creíamos que era posible salvar el mundo." Enseguida disolvió los restos de su colérico cinismo con un Glenlivet acompañado de solitario cubito de hielo para que las desatadas emociones volvieran a su cauce. Agarrando tracción me contó la historia de Julia, la primerísima, su mera primera en el orden cronocógico y en el ornitológico, años mayor que ella.

Fue todavía en nuestro yeyuno país plomoso. Juana era aún super jovencita. Julia era maciza, treintona, de pelo negro colocho y un gran lunar en el cachete izquierdo, con una sonrisa de niñita buena que desenmascaraba dientecitos perfectamente alineados. Estaba casada con Alfonso, presumido vejestorio de cincuenta forrado de pisto que aparentaba muchísimos más por lo igualmente forrado de la panza que lo obligaba a caminar balanceándose con paso marcial. No conozco mosco todos los detalles pero Julia se las echaba de serle fiel a su maridito hasta que cayó bajo el hechizo de la borrascosa Juana que la dejó sintiendo tirones en la zona cervical. Al fin y al cabo ama de casa prematuramente aburrida, le daba el subidón, le daba el bajón, y la primera vez que se encontraron a solas en un motel de la salida de la carretera Roosevelt se le entregó coqueta, ¡ay! Chi me dice mai en pleno mayo, cerrando los ojos, empapada de la cintura para abajo. Juana aprendió sobre la marcha a usar esa su mirada que mataba, a acercarse al cuerpo de la otra como caminando sobre maíz picado mientras le mordisqueaba la orejita y se le abrazaba más y más sin querer queriendo, a besar en un descuidito la boca metiendo la lengüita larga, larguísima, hasta hacer sonar las amígdalas como campanas de iglesia y chuparse su saliva como vino de consagrar, a morderla sabrosito como mordiditas de ratoncito blanco, casi cosquilludas, metiendo su rodilla en la entrepierna en respingos zigzagueantes, despacito para alargar sin largar el placer y dejar a la otra muda como si tuviera un condón atascado en la laringe. Sentimental para sorpresa mía, visitó después ese mismo cuarto para recordar su inicio. Aprovechando su racha, so chacha, pasaron días idílicos en los cayos de la Florida sin que les salieran cayos en los pies. El zopenco del marido de peinado abombado creyó que su mujer estaría a salvo por viajar con otra, timorata naiveté típica de chapín baboso, ignorante de que por todos los hoyitos salivean los fogosos diablos dispuestos a poner los cuernos. Fue en Cayo Hueso donde Julia, con el vuelo de sus faldas blancas y la angustia dándole golpes cortos en el pecho, se hundió en la dulzura paradisíaca del milagroso orgasmo juanífero, empiernamiento eterno como el ciclo lunar del calendario maya, carnalidad carnavalesca de la creación, lujuria de la concupiscencia, codicia vigorosa de las noches coches en las cuales a troche y moche Julia ardió esponjosa como colegiala hasta que le pitaron los oídos.

Alfonso ahuevado no objetó a que se siguieran viendo hasta una borrascosa tarde desteñida de noviembre en que haciéndole caso a las malas lenguas regresó temprano del trabajo a su amplia pero despersonalizada casa de la zona 14 y se las encontró de lo más rerrico, abrazaditas en su cama matrimonial. Sin poder usar su cerebro por no encontrarlo, se le tiró encima con intenciones de ahorcarla pero, agilísima, Juana rodó por la misma dando vuelta de gato. Medio agarró lo que pudo de ropa al rebote y saltó banderescamente por la ventana sin estar disfrazada del Zorro. Por suerte hombruzcos como Alfonso no andaban armados todavía en esos años. Juana saltó dentro del histórico Fiat blanco y salió disparada como espanto almidonado hasta su casa.

La señora Inez se descalabró al escuchar los balbuceos ahogados de su hija. Asumiendo que la historia era al revés o sea, que fue Juana la sorprendida con el infumable Alfonso, se escandalizó como correspondía pero la protegió por encajar la situación morbosa dentro de los estrictos parámetros que conocía. La disfrazó de hombre para que no la reconocieran, sho ironía, y la puso al día siguiente en avión hacia las Europas para que se diera precoz y espontáneo tour de los ricos museos del viejo continente y aprendiera la preparación de sopitas de pollo de diseño. De haber nacido en otra época no me hubiera extrañado que se fuera de aventuras en un barco que naufragaba estrepitoso, que la vendieran como esclava a la sultana de Turquía para sus placeres privados o que terminara de favorita de Catarina de Rusia.

Cerró su cuento atascada de la risa y miró distraída por encima de mí o a través de mí como vampira sedienta que acaba de visualizar a su próxima víctima. Enseguida se paró perezosa y soltó su otra frase favorita:

—Hay que conseguir amor de donde sea, porque es lo único que te ayuda a vivir.

Dicho y hecho. Se fue a masturbar. Cuando llevaba su Glenlivet en la mano exigía soledad, retirándose con lentitud elástica hacia su espacio exclusivo, la cabeza ladeada, los ojos empañados por esa mirada indetenible fija en su imaginario licuado de frutas maduras. A la media hora los gritos derritieron las paredes. No me hubiera extrañado que resonaran hasta la alcaldía o que todos los perros de los cerros circundantes del área se pusieran a aullar en coro al reconocerlos.

*

Tuve que llevar ropa a la lavandería porque se me acumuló durante el feriado. También la perra al veterinario. Es alérgica y se le irritan las orejas. Cuando se pone mal se rasca hasta sangrarse y le tienen que poner inyección de cortisona. Cuesta un ojo de la cara pero el doctor Leporello es el mejor veterinario del condado aunque también el más cariñoso.

Ahora que ya regresé, déjeme contarle lo que me pasó con la novillera. Más alta que yo y flaca en demasía, se llamaba Marimar Sevilla. Tenía la nariz manoleteada, apenas aplastada en la punta, largos cabellos color paja y casi siempre igual de despeinados. Era de esas mujeres que podrían ser catalogadas como guapas pero nada sensual, con cara anenada que de entrada mataba el deseo y mirada desperdigada, incapaz de chuparse los ojos del otro. Se le prendió a Juana como rémora en el "Bohemia", creyendo que le endulzaba el oído conque le brindaría el toro en la estrujante barrera de Las Ventas. A Juana las corridas de toros la ofendían así que le sonrió con cara de estropajo y me la pasó perpleja en bandeja. Pero la novillera atascada no me quería más que como agradable compañía que, modestamente hablando, era y sigo siendo. Al igual que yo, quería a Juana caprichosa, melcochudamente. De manera que me la pasaba contestando sus mil preguntas acerca de qué hacer para llegar a gustarle y yo va de darle cuerda. Le ofrecí todas las respuestas que me dio la sheca con escueta nobleza enloquecedora cuando estaba cohete y cierto temblor en las rodillas mientras inventaba para entretenerla.

Una noche bochornosa de media semana de julio de esas que tasajean la razón a puro bailongo, sentadas ya tarde frente a "Truco" donde distraía a una Marimar escuálida por ordenes de Juana tarangana que bailaba dentro con otra fulana, le conté de cuando ésta, todavía viviendo en la capirucha centroamericana se metió en líos con una tal Elvira a quien sedujo furibunda sin saber que tenía novio. El mentado era un zacapaneco malencarado de nombre Octavio, para nada sabio, de ojos sin sosiego y boca fina pero sesgada de matón, pese a ser pequeño y de cutis fino. Menos aun se le ocurrió a Juana el que, quejosa de que el tal Octavio apenas se la metía acababa y se quedaba dando ronquidos de avestruz herido, la Elvira de boca suave y bondadosa pero grandes pies, le dijera con resentimiento que prefería hacerlo con Juana porque ella no sólo la inundaba de trocitos de besitos por cada poro del cuerpo sino que la hacía seguir y seguir y seguir hasta acabar, parar, mandar, templar y volver a acabar, y una vez acabado, seguir acabando como lujoso contrabando, voluminoso acabado desplegado como las cataratas del Iguazú, que maravillaba sentir el volumen de aguas que cayendo seguían todo el día y toda la noche y el día siguiente sin parar, chubasco chaparrónico para nada chaparro. A Octavio se le subió a la cabeza el mosh como se dice en buen chapín y decidió cobrársela a lo mero machote del oriente guatemálico, con ñeque directo al cachete todo y machete.

No sé ni cómo Juana se enteró. Sólo me dijo que había quedado de verse con Elvira pero le había salido un compromiso urgente. Que si por vida suya iba en su lugar. Me sugirió que me pusiera su famoso traje de Ana Rossetti para que Elvira creyera que era ella.

Como me gusta decirlo sabroso a pesar de que resienta (pero re sienta) los adverbios, me en-can-ta-ba su traje de Ana Rossetti. Con tal de ponérmelo le dije simón como buen mamón. Yo tenía pantalones idénticos y me puse una camisa mía desde luego, dada la diferencia en el tamaño de espalda. Me fui así a la cita en pleno café francés de la zona viva. Llegué. Pedí la mesa preseleccionada frente a la ventana de la catorce calle y cuál no sería mi susto cuando, en vez de ver entrar a la sabrosa Elvira, la rechonchita peluda de calculados dones, quedo cara a cara con el melindroso Octavio con resabio de labio rabioso y mocoso que amenazándome locoso de pescocearme a muerte gritaba desgallado "¡Jueputa!" No me quedó otra que tirarme al piso de rodillas huesudas e implorar por mi vida.

Le hubiera dicho que no metiera la pata como antes la Juana su dildo en su traida, pero la frase se me quedó atravesada en la garganta a punto de ser cortada como huesito de pollo. Por pura chiripa Elvira entró corriendo operrática tras el energúmeno perruno, ho capito signore, sì, para proteger a su Juana no cubana y se dio de inmediato cuenta que yo era Pacha jugando tenta en la tienta sin llegar a tentar tanto. Se tiró sobre la espalda de Octavio como gruñona garrapata gigantesca mientras le decía que yo no era la mentada, gritando como soprano desafinada, "¡Si de darle en la madre se trata, dejámelo! ¡Yo lo sopapeo pero no lo matés vos!" Se armó la de San Quintín con los guardias del hotel entrando a la matacoche botando las mesas del café, los otros clientes dando de alaridos relamidos enmedio de los chayes, los meseros metiéndose como ruleteros del Trébol para evitar que corriera sangre motáguica y el administrador soltando hipidos espantosos que anticipaban un masivo ataque del corazón. En todo ese relajo aproveché para escabullirme gateando. Apenas llegué a la puerta volé despavorida hasta el carro, saliendo del parqueo con quemazón de llantas que produjo más cochambroso humo que la quema del diablo.

A Marimar le encantó mi historia. Se entretuvo tanto que cuando terminé descubrió con horror que Juana se le había escabullido escuálida con otra tiburona culona frente a nuestras propias narices. Pensando que la había cuenteado para distraerla mientras Juana cortaba por lo sano, sacó, peleona, un fino puñal. Me quedé atolondrada de la refulgente sorpresa, chís la mierda. Imploré simpatía de las pocas que aún habitaban mesas del café a esa tardía hora pero sus huidizos ojos evitaron todo contacto con buen tacto. Quise avergonzarla diciéndole que no se agitanara, pero sabiendo que iba en serio y ni siquiera podía correrme por la desnivelada calle ya que estaba en mejor forma que yo, no me quedó otra que jurarle que si no me mataba la llevaría derechito a la camita de Juana y ya el resto corría por su cuenta. Pensé en las palabras del aria en cuestión: Bajo mi cabeza y me retiro, mi ama, amita almita, ya que ese es su deseo.

–¿Me dejas entrar? ¿Me lo juras?

–Aquí tengo la llave del apartamento para que veás y no seás tamagaz.

Lo hice. A Juana no le gustó al principio (gustar es un decir) la manera como le pagué su broma del café francés, pero con el tiempo llegó a admirar el quite que me hice *in extremis*, de frente por detrás. Además, ya teniéndola desnudita en su cama al alcance de la palmadita, apreció las ocultas esclusas y caudal inmensurable de vida en la torera que la citó con lento movimiento de caderas para una manoletina. Juana la desarmó bajándole la camisa, le dio cantidad inusitada de cornadas en el alargado olé antes de pasar a la muleta de la yerba y rematarla con pase por alto del juguetoso clítoris estrujante seguido de la estocada final del dildo que le robó lo poco que de aliento le quedaba, dejándola estirada y con puntilla. Hicieron luego trío sabroso si no perfecto con el ligue original. La susodicha hizo trompas al ver la bravía competencia pero no le quedó otra que aguantarse como aguacate maduro camino del guacamol. Aunque hizo caulas de que a ella no le gustaban los grupos, mi querida le dio a escoger. O se acoplaba o a casita.

–Pero yo prefiero que te quedés, amorcito. Vení, dame un besito de esos.

Mi señora volvió a mirarla golosa, pestañeó, le

lamió el lóbulo de la oreja, le rozó apenas el pezón con esos labios babeados que quemaban más que las dos candelas multicolores que iluminaban el ambiente penumbramoso, y a la otra no le quedó más que rendirse, chupada sin posibilidad de olvido. Juana la tomó de los dedos de la mano y la jaló hacia sí. No volvió a recibir queja. Sé todo esto porque fui testigo presencial. No participé, se lo juro, pero las miré correoso, corrido y bien acabado la noche enterita, siempre más mirona que partícipe. Y no fue la primera vez tampoco. Luego la Juana me entretuvo también pero eso no se lo cuento. Aún me queda recato para nombrar la mayoría de episodios de nuestra más sagrada intimidad.

Pasada la escena anterior, Marimar se apasionó, enamoró, obsedió, inmisericorde, persiguiendo a la Juana hasta averiguar el número personalísimo de su moviente celular y dejarle, sin mentir, más de mil mensajes. Desconfiando de obsesiones enfermizas Juana se deshizo de la novillera con arrebatador viaje a Buenos Aires cuyos detalles, saboreados de manera embriagadora por quienes aprecian, sonrojándose, los borrosos rastros de las aves migratorias con sus deseos furtivos y soñados instantes luminosos, incluyeron su inesperada entrada a un cuarto oscuro con una porteña rubia en lo que es por tradición un espacio reservado para hombres.

*

Hablando de porteñas, aunque ésta venga alguito castiza, se me atravesó un e-mail de la Paula. Ni le he contado de ella y mis razones tendré, pero para mientras, aquí le suelto el mensajito en cuestión. En su momento le cuento quién es y qué fue lo que me hizo:

Hola Pacha!! q bueno saber de ti...en serio, me dio mucha alegría...así q estuviste en san francisco??? q suerte, yo me muero de ganas por ir allá...a ver si este verano convenzo a luisita y nos vamos para allá las dos....en fin. Bahía de bodegas??? así q allí rodaron los pájaros??? q chulo, en fin, me tendréis q enseñar esos sitios en cuanto vaya allá. Luisa sigue aquí muy feliz, hablando con sus chicas, a ver como acaba todo esto. Lo de Juana....se ha terminado...ella ha conocido a una chica por Internet, se ha enamorado locamente y mira....yo me enteré de casualidad...me reenvió un mail suyo por error y así me enteré, ya ves q forma más patética...pero mira, me alegro, lo estoy pasando muy mal, ella era mi vida, lo ha sido durante diecisiete meses...el otro día, en vez de pasarlo conmigo, me dijo q tenía trabajo...y se fue a chatear con la otra...en fin, sí, la vida es complicada...pero no sé, me siento como estafada, engañada....lo q peor llevo es q me ha estado mintiendo y q aún lo hace, porque ella no sabe q yo leí ese mail... y me lo sigue negando todo....eso es casi lo q más me duele, eso y las formas, ni siquiera ha venido a ver cómo estoy, a algo, no sé, en fin, pensaba q diecisiete meses daban más de sí. Pero en fin, la vida sigue y yo lo superaré con tiempo y paciencia. Te escribo ahora porque recién se marchó para Barajas, que dizque tenía que viajar a Guatemala. Bueno, siento contarte esto, pero necesitaba desahogarme,...y te ha tocado a ti porque eres el último mail recibido, y porque a ti te puedo contar la verdad, no como a mis compañeros de trabajo... En fin, Pacha, un beso enorme.
Paula.

No me regañe tanto por lo que le he contado. Le dije desde un principio que no podría hablarle de ciertas cosas porque me jodían demasiado. Por eso fui tan parcota en nuestras entrevistas cara a cara. Pero las recuerdo claritas y ahora sí se las voy soltando poco a poco como si fuera su atrasado orfebre de lo feo. No quiero que sienta tampoco la necesidad de criticarme cada e-mail, tranquilaza, mujer. Se los mando más para desahogarme, para hablar por fin las cosas. Aprecie que ya no tengo que decirle en francés mis sentimientos más íntimos como antes, porque era incapaz de nombrarlos en mi propio idioma. Al irme abriendo a mí mismo, voy recordando más. Por ejemplo, hoy es el recuerdo de una noche muy particular. Tendría alrededor de seis años ya que me pregunta más de mi niñez, típica freudiana. Vivíamos en el viejo centro de la ciudad en una casona vetusta frente a la iglesia de Belén. Como todas las casas de por allí, un largo zaguán desembocaba en el primero de los patios. Un corredor en forma de "L" se desprendía del final del zaguán. Todos los cuartos se abrían a éste con el comedor en el medio separando los dos patios. Unos pilares sostenían el machimbre del techo del corredor a la orilla misma del primer patio. Era donde mi madre y mi tía Elisa se apoyaban para dizque hacer ejercicios de ballet. Una pila de agua casi tan grande como piscina anclaba el patio trasero. Allí "la de adentro" lavaba la ropa, tendiéndola luego en el patio en lazos sostenidos por varas.

Yo dormía en uno de los cuartos casi frente al

comedor. Recuerdo que esa noche mi viejo no llegó. Eso no era raro. Sucedía con frecuencia desde que vimos la foto del hombre desnudo en el periódico, pero siempre era elemento de joda. Mi padre no llegaba. Mi madre empezaba a quejarse y a maldecir. Mi abuela intentaba calmarla y corría a preparar el caldo levanta muertos. Yo visualizaba de entrada la futura discusión entre ellos, la pelea gritona cuyos altísimos decibeles me aterrorizaban, además de anticipar el horripilante vaho alcohólico, estocada tan mortal como la clavada a los toros en las corridas cuando intentara besarme para quedar bien conmigo como siempre que llegaba bolo, murmurando palabrotas de cariño mal aprendidas con su voz ronca del incesante conversar a grito pelado en las cantinas por horas de horas.

La foto del hombre desnudo en el periódico me excitó muchísimo. Era el primer hombre desnudo de mi vida. Guapo, bien formado, impecablemente rasurado, sosteniendo la muñeca derecha con su mano izquierda sobre el vientre. La cara hierática, la vista perdida en la distancia. Su elegancia y dignidad eran palpables pese a lo grisáceo de la foto. Me conmovió la convicción proyectada. Lo rodeaban uniformados, todos más chaparros, feos, panzudos, bigotudos, las camisas arrugadas, el cuello desabotonado, las gorras torcidas, desplegando sonrisotas maliciosas. Mi mamá me explicó. Era el presidente Arbenz. Lo habían desnudado en el aeropuerto antes de dejarlo salir al exilio para asegurarse de que no se llevaba ninguna pertenencia del estado a escondidas. Enseguida me quitó el periódico, lo tiró a la basura con violencia y lloró. Pero la foto se me quedó grabada para siempre.

Ya era la hora de acostarse. Mi madre conversaba con mi abuela mientras yo me empishamaba con aquellas viejas pishamotas desflecadas. Le cubrían a uno los pies, aturdiendo todo posible contacto táctil. Luego las detesté. Desde que tengo edad para controlar mi vida duermo desnuda. La casa tenía esa melancolía de casona vieja con machimbre podrido en el cual se paseaban los ratones por las noches como Pedro por su casa. Era oscura. La tenue luz eléctrica apenas si teñía de amarillento la pobre atmósfera. Al rebotar quejumbrosa contra los altos techos adquiría un aire cafesuzco. Parecía envolverlo todo en sepia a pesar de que durante el día todo reverberaba con sus colorotes fuertes de begonias derretidas por el sol machacante de tropical. El mobiliario era de mimbre. Para más, de un confuso color kaki. No existían los closets entonces. De allí la presencia de roperos enormes y pesadísimos, barnizados con tonos oscuros, con un largo espejo al centro para que las mujeres pudieran examinarse las enaguas de cuerpo entero. Hacían juego con los armarios o cómodas de idéntica catadura. Todos ellos se sumaban a la tristeza nada natural de esa oscuridad proverbial de quienes no saben vivir la noche. Las camas, con enormes cabeceras de grabados monstruosos como gargoyas barrocas bordadas en la misma madera auxiliaban el tétrico luto. Ponían aún más pesado el ambiente, como cuando se recarga de una humedad hinchada que obliga a implorar por lluvia para desatar la contención asfixiante. Eran noches frescas además, cuando no frías, por el sereno. Éste caía siempre por los grandes patios abiertos cuyas altísimas paredes estaban preñadas de humedad en sus adobes mohosos.

De pronto se oyeron voces en la calle, muchas. Mi madre y abuela corrieron al balcón del dormitorio matrimonial que daba a la décima avenida. Yo me quedé recostado contra la pesada cabecera de la cama en espera de la lectura de mis cuentos. Cuando abrieron alcancé a escuchar sin embargo el ruidajal de peregrinas voces. Entraba como puñado de conversaciones festivas sacudiendo las paredotas. Me gustó esa alegría y me senté. Sonaban a fiesta y pensé en una procesión, no de las de semana santa sino de las alegres como la de la virgen del sagrado corazón o de la asunción. Busqué mis pantuflas, pues nunca caminaba descalzo por los friísimos pisos de lozas cuadradas. La única vez que me atreví me dio una gripe de película seguida de una cinchaceada de mi padre. El ruido disminuyó en ese instante y deduje que habían cerrado la ventana. Antes de caminar hacia el cuarto de mis papás ya regresaban mi abuela y mi madre.

–¿Qué era el ruido?

–Nada. Una manifestación.

Desconocía la palabra "manifestación". Pensé. Sería algo alegre, acolchado, tibio. Me imaginé el festival del corpus, las melcochas de la virgen del rosario o los buñuelos de la quema del diablo. Pero si iban por la calle llevarían algo, una carroza decorada, un anda aunque no fuera con imagen religiosa, algo. Irían disfrazados también.

–¿Qué es una manifestación, mamá?

–Nada. No es nada.

–Pero se oía alegre, como fiesta. ¿Llevaban algo como en las procesiones?

–No. Nada. Sólo gritaban. Algunas mantas.

–¿Y para qué manifestar si van así nomás, sin disfraces o sin cargar ninguna anda?

–A saber, Javier. Sigamos con los cuentos. Vamos.

La noche volvió a empezar como siempre. Mi mamá leyendo, mi abuela cuchicheándome, el temor apretándome las tripas siempre que la oscuridad amenazaba con invadir el ambiente y soltar los monstruos que vivían bajo la cama empezando a atormentarme intermitentemente. Los ojos se me pusieron agónicos conforme la Caperucita Roja volvía a preguntarle al lobo para qué tenía esos dientes tan largos, abuelita, sin yo valorar toda la carga semántica de su respuesta, para comerte mejor, alcahueteante lobo relamido con lengua larga para bien chupar. La noche se pasmaba como la sopa de arvejas. El enhiesto y rugoso airecito se colaba del patio por esa puerta que se abría por la mitad para ambos lados como los labios púsicos de la entrañable Juana dejando la raya vaginal de luz en el mero centro. Me producía escalofríos cortados sólo por el grueso poncho de Momostenango que me recubriría, sábana de por medio, para evitar la alergia producida por la ruda lana. Fue en ese momento que sonaron los cohetes.

–Cohetes. ¿A esta hora? –dijo mi mamá.

–Esos no son cohetes, Violeta, dijo mi abuela. –Oí con cuidado. Son más secos.

Nunca había pensado en esos detalles tan sutiles de los ruidos aunque más tarde aprendería a deconstruirlos con ampulosa astucia, la tiranía de los ruidos de los cuerpos descompuestos. Pero era güiro todavía, no estaba todavía presa del consumerismo desenfrenado de los que no invertimos en los hijos por el simple hecho de no tenerlos y recién me enteraba de las tonalidades de los ruidos. Mi madre todavía preguntó, incrédula:

–¿Y qué serán, entonces?

–Ay, Violeta, ni que nunca hubieras vivido en finca. Son balazos. Oí.

En eso se oyó una ráfaga larga, luego otra.

–Esa es ametralladora, ¿oíste? Los otros eran tiros de pistola.

Mi abuelita sonreía bucólica mientras cerraba los ojos y alzaba el rostro como si fuera una ciega visualizando beatífica la escena. Escuchaba dispuesta a probar la noción de que no había alegría mayor que entender el mundo circundante. Yo nunca había oído tiroteo antes, ni siquiera cuando hubo bulla en la base y nos recogieron tempranito del kindergarten "El Pino" en junio de 1954. Con los ojos cerrados parecía ver la escena con claridad pasmosa, encarando a mi madre de vez en cuando y diciendo, "¿Oíste, Violeta? Otro." O bien, "Ya van más espaciados y ya no se oyen ráfagas. Se habrá ido el de la ametralladora."

En mi estado de aturdimiento dormilón no terminaba de entender los turbios destellos del trance sonriente de la abuela con sus indóciles colochitos de pelito blanco y su inevitable vestido negro, imagen aniquiladora del incauto pánico de mi madre con su vestidón floreado que le acentuaba la irresistible palidez. Apenas si llegó a murmurar sordamente prisionera de su estado de nervios: "...¿Y si a Eulogio le pasa algo?" A lo cual replicó rápido mi abuela saliéndole al paso con excelso cinismo, "¡Y... Qué le va a pasar! ¡Si ése está en la cantina, no en la manifestación!" rezumando sus palabras como gotitas de miel.

La sonrisa percutiente de mi abuela apenas si lograba infundirle toque humano a lo sombrío del cuartón, a lo desapacible de la aniquilante humedad depredadora, fría, de la noche quisquillosa. Grababa todo lo escuchado pero como siempre, como hasta ahora, no muy me atrevía a preguntar sobre todas esas cosas que luego aprendería más al observar, mirando mudo, tales como mi madre temblando o tembleque, la implicación de escuchar balazos enmedio de la ciudad o bien su relación con la manifestación, noción que no terminaba de agarrar del todo.

Claro, muchos años después supe del evento, hoy histórico, sobre el cual se puede todavía leer una placa conmemorativa en el asfalto del lado poniente de la esquina de la sexta avenida y décima calle del centro de la ciudad. Respondía a mi descubrimiento de la diferencia entre el sonido de los cohetes, más expansivo, y el de los balazos, más seco, con menor proyección sonora en el tiempo, los pequeños detallitos que a veces le permiten a uno sobrevivir en esta jodienda.

*

Juana no quería salir esa noche porque estaba cansada, desveladísima, rodillas tembloronas. Por miedo a los benditos controles de los aeropuertos no habíamos escondido ni siquiera la más ínfima bolsita de coca en la cola de nuestros cuerpos y su sentida falta nos ultra delataba. No podíamos parrandear como siempre, hacer la "marcha", como le dicen en España. Nos faltaba aliento, piernas flojísimas a la hora de bailar, la cabeza boqueante sin esa lucidez ardiente que hacía automático girar como veleta hasta fijar los ojos como imanes, zoom, en los cuerpos más lujuriosos de la multitud desidiosa, esos cachivaches de mirada estrábica poblando alegre y socarronamente la plaza de Chueca. Parecíamos escombros rescatados de una gloriosa ruina colonial y el jet-lag, para no hablar del gay pride-lag, no ayudaba ni madres. Como solía hacer en esas ocasiones de carnívora angustia me empecé a impacientar y a quejarme del desánimo de Juana. Según me contó al final de la noche me puse trompuda como bebecito y la acusé de ser la culpable de la falta de excitación. Según Juana yo la visualizaba como una pastilla de éxtasis a tomarse diariamente para alegrar mi propia vida. Encima, me dijo, si escribís esto quiero que me reconozcás el crédito, Pierrot, como en *La zapatera prodigiosa* de Lorca, cuyo primer personaje insiste en salir en el prólogo del autor porque las obras de arte son más vivas que quienes las escriben. Me decía Pierrot cuando se ponía sarcástica. Yo le exigía ser llamada Charlotte.

—¿No querés que te lama la pusita también, Pierrot, si averiguás dónde se encuentra localizada en primer lugar? Me dijo. —¿Algo más que pueda por vos? ¿Qué más querés?

—Verte con una niñita sabrosota, le dije. —¡Ay, qué rico! ¡Mmmm! ¡Como la otra vez!

–¿Otra vez, abusivota? ¿No acabo de hacerlo ayer, pues?

–Sí, pero ayer fue ayer, hoy es hoy, mañana será mañana con mañas y saña. Hay que repetir las emociones siempre para recordarse que uno sigue vivo. Reiterar es vivir.

–Sí, pero ésas son tus emociones. A veces se te olvida que también tengo las mías, pedacito de mierda. Yo tengo otras muy otras, muy diferentes y mucho más variadas. Se te olvida a veces que no soy tu personaje sino un actor independiente con otros deseos, otras ideas, otros gustos, otras otras. Lo peor es que para que se cumpla tu fantasía soy yo quien tiene que actuar, qué de a huevo. O peor aún, te mantenés allí paradota dirigiendo la escena desde las márgenes. Parecés volado del esfuerzo que el performance requiere de mi parte. No siempre es sabroso ser visto, chís la mierda. Hablando de ver, me debés ver más como persona y no como personaje.

–Quizás, quizás, quizás, como dice la canción. Pero es que sos personaje único en el mundo. Como las grandes obras, siempre da enorme gusto releerte, por no decir reverte y que me recojás para que me re-cojás, qué pisados. Sos la cumbre, el clímax podríamos decir, de las fantasías, del deseo, y de la estética tética, mezclados todos juntos y revueltos en un explosivo coctel que estalla en los poros de la piel con más calor que el fósforo blanco.

–Puede ser, pero para releer un texto no podés pedir que sea reescrito de nuevo, pues. El trabajo es del lector y no del texto. El texto debe sorprender siempre y no seguir sus expectativas como manso corderito guanaqueando por a'i. De no ser así sería formulaico como los malos libros pornográficos con sus acabamientos prematuros, siempre una iteración de las mismas escenas para complacer a ese coche lector masculinote carente de imaginación que quiere detalles detalles detalles del cuerpo de la mujer que tiene que ser siempre divina divina o se aburre el pisado.

—¿Masculino yo, querida?

—Como lector, a huevo, Pierrot. Será un problema de ojos. No siempre como escritor, menos como esa persona que dice ser Charlotte. Y sólo como lector de cierto tipo de texto. Masculino también en el deseo de controlar todos los parámetros del juego. Preferís ser feminoide sólo en lo que te gusta pero seguir siendo masculimachote en lo que te conviene, cabronsote.

Mientras Juana tarareaba muerta de la risa "tú me acostumbrasteee, a todas esas cosas", me distraje echándole el ojo a una pareja de risueñas caminando en nuestra dirección sin habernos visto por el gentío que como gansos atolondrados llenaban las mesas del café. Una de ellas era nada menos que Luisa, la otra reina de la noche, la rival (fuera de mi propio corazón por traicionero), la que le disputaba el trono a la Juana. Guapísima, con unos ojazos enormes de tigresa revelando no tanto su júbilo como su capacidad pasmosa para hipnotizar a las venaditas como focos en la carretera. Era flacota, ligeramente cachetoncita, de unos labios que ni le cuento, melena hasta las cimas de sus omóplatos. Llevaba pantalones negros de marca ceñidos y camisa del mismo color de rigurosa actualidad italiana con los botones abiertos descaradamente hasta casi evidenciar las tetas. Estas eran, como debería ser, casi tan perfectas como las de la Juana aunque más grandes, apenas veladas por un brassiere también negrísimo, pero, desde luego, semitransparente. La otra, Mayte, parecía ama de casa de cara redonda. Era mayor, ligeramente más alta, de pelo mal pintado de rubio, evidenciando la chata sentimentalidad de un melodramático mal gusto traducido en su manera de vestir y sobre todo de calzar, aunque no en sus modales finos de felinos. Las ubres, porque eso parecían, eran demasiado nanasconas, carnosotas. La piel gruesa, gordita y semidescremada como la leche que le daban.

A Juana no le gustaba mi representación de Luisa como "la otra reina" porque decía que creaba la impresión de una rivalidad entre ellas cuando no era así. Era un binomio de reinas cuando no un trinomio como ya le contaré. Pero quienes del poder entienden tanto como del elogio cruel, la difamación o la lambisconería, lo saben. Reina sólo puede haber una y en este caso particular lo era quien más portentosa podía seducir y cogeloquear, aunque la competencia estaba abierta en todos los frentes porque el ser humano es siempre el mismo animalote irredento. Luisa solía escoger el camino del dinero. Juana, el del prestigio profesional. Pero en cuanto a niñitas conquistadas se refería, ambas presumían de tener sus listas igual de largas, alargadas, oblongadas, hasta en forma de paralelepípedos, catálogos y catálogos, geometrías que paraban a cualquier impotente, alzándolos al cielo la distancia justa. Bien podrían cantarlas sus respectivas sirvientas en divertidas arias y casi la única que faltaría en la lista de cada una era la otra. Mujeres de todos los rangos, formas y edades, aunque ni campesinas ni baronesas pero sí princesas fresas y hasta algunas que hoy están presas o gruesas.

Mayte era entonces la mujer de Luisa. Pero un día Luisa volvió del trabajo y se encontró a Mayte en su propia cama con la Chantal, hazaña que requirió de ovarios, no podemos negarlo. Luisa ni corta ni perezosa las echó *ipso facto* de la casa. Pero según Mayte, Chantal, la pecosita belga, era ante todo la amante de Luisa y ella sólo la sedujo con el afán de darle una lección a su propia mujer mal portada. Para sorpresa de medio mundo en aquella calma chicha de fin de siglo antes de que nos repolitizaran a base de avionazos, y aquí debo decirle que el mundo no era sólo Madrid sino también Nueva York, San Francisco, Los Ángeles, México, Guatemala, Río de Janeiro, Londres, Amsterdam, Roma y Buenos Aires, porque todas ellas eran como nuestros barrios, los diferentes rincones gay de nuestro vasto espacio urbano por donde nos desplazábamos como Pedro por su casa, Luisa y Mayte tronaron. Los rumores invadieron los sitios web, se discutió en la fiesta del orgullo gay de San Francisco, amigas brasileñas telefonearon para preguntar cómo estaba la Luisa y cuando tomamos café con Sabina frente a la estatua del oso y del madroño, quien a su vez había dejado colgada a la Paloma, su amor churrigueresco, lo comentó. Sólo dejó de dolerse, nos dijo, por su propio drama cuando se enteró de lo de Luisa. Si a Luisa, la gran diosa sillyta, le podían pasar esas cosas como al más común de los mortales entonces su propia vida no era tan cucarachesca como antes se lo creyó. La alegoría de Luisa desperezó a Sabina, devolviéndole su alegría de vivir.

Total, volamos a Madrid después del relajo incesante nada relax del orgullo San Panchesco que avivaba los instintos en líneas irregularmente dulces como huellas de cangrejo en la arena cálida para darle las condolencias a Luisa, el más sentido pésame. En parte. Para sorpresa nuestra la primera noche nos encontramos a Mayte con Chantal en "Escape", la proverbial discoteca semilésbica, música porque sí, música vanidosa, de la plaza de Chueca. Semi, porque entraban bastantes heteros a este panal que retumbaba de zumbidos de avispas, lo suficiente como para ver una noche, años después, algún españolito pendejo de esos recién enterados hacerle grosero intento de manoseo a la Juana pensando no sólo en la punta de su pito sino en las notables apariencias físicas de su presunta víctima. Juana le sonrió como si caminara dentro de un sueño, alargando la fila de pequeños dientes hasta casi las orejas y se le acercó, pretendiendo estar tan embelesada como para darle un besito dulce en el lóbulo de la oreja. Antes de darse cuenta el españolito de mirada torva ya había recibido tremendo rodillazo en lo que en la madre patria llaman "el paquete", dejándole los huevos estrellados con todo y salsa ranchera de la picante, la verga como jamón cocido, todo un desayuno para campeones. El españolito se vengó. La encontró días después besando a la Paula, el nombre que pulula el pulso aunque ya me la pela como polea o pala, en ese mismo sitio. Se le acercó de puntillas por detrás arrastrando la noche como si fuera pesada columna de mármol, apostando con velada socarronería a su distracción por estar, desdeñosa, tragándose entera a la chiquita chupada y le apagó su apestoso cigarrillo en la mano derecha, ocupada en sostener el flácido cuello de la agraciada joven. Juana todavía tiene la cicatriz de ese castizo, castrato orgullo herido.

Años antes "Escape" era igual. Ese caluroso campo gravitacional impúdico, apestoso, hediondo a barato tabaco negro como todos los antros españoles. Siempre me hacían añorar los bares californicarianos donde la gente bonitita de tetita altita sólo hacía líneas de coquita con delicada discreción y salía en cola a la calle para fumar pero sin tampoco dejar al tabaco fanfarrón azotar sus disque rosados pulmones, sino sólo otra exaltante hierba buena más saludable y natural.

Pero volviendo a la visita que le hacíamos a Luisa, esa primera noche madrileña en que no pudimos verla, recién llegados, con apenas horas de haber hecho la trayectoria de Barajas al apartamento de la calle Pérez Galdós, Juana salió como siempre a respirar un poquito de aire puro para no espantarse. Serían apenas las cuatro de la mañana en la chueca locura locuaz de Chueca. Para su sorpresa, en la acera Chantal tomaba aire también, paradisíaca, con aquel desplante garboso a lo Alaska de a quién le importa lo que yo diga, a quién le importa lo que yo piense, que hasta la Garbo siempre siguió así, nunca cambió. Yo no lo vi. Juana me lo contó después con ese desparpajo que la divina Natalie sólo ostentó en *Love With the Proper Stranger*, siempre los despueses que escuecen. Se vieron y el hipertrofiado instinto al instante se puso en punzante marcha en las dos con cinismo saludable. Juana porque al fin y al cabo es Juana, la mujer inalcanzable, la reina de la noche según ella mismita, para quien Luisa sólo era reina de Madrid. Chantal, cabellera rubia hardcore, rostro de estatua desprejuiciada, la piel flamenca dorada por el sol español, no tenía tan mal gusto. Además no parecía estar enamorada de Mayte. O bien era sólo una vividora y oportunista entregada al disfrute de los cuerpos a juicio de Juana. La cosa es que algún tiempo después Mayte las encontró allí puestas en la banqueta, dándose una trincada de aquellas con ondulaciones enceguecidas. A Mayte, ojerosa, no le simpatizó nada lo visto y revisto. Luego de separarlas y de regañarla, es decir, de darle la gran gritada, se llevó a la arralada belga a su casa jalada de la manita. La Juana volvió a entrar y muerta de la risa se lo contó a los presentes. No volvimos a ver a Mayte hasta esta noche en que caminaba junto con su famosa ex.

Más para evadir el creciente mal humor de Juana que por otra cosa las llamé por su nombre con falso servilismo. Se sorprendieron al vernos. Luisa al instante desplegó esa sonrisa capaz de desarmar a cualquiera y estrenar nuevos amaneceres a cada instante de la noche. Presurosa se acercó a besarme.

—Sólo entramos a "Truco" porque a Mayte le urge ir al cuarto del baño, y nos venimos a sentar con ustedes, ¿vale?

En efecto, a los cinco minutos estaban ya jalando sillas y uniéndose a nuestra mesa poco marchosa esa noche. Pidieron tragos. La energía entre ellas era evidente y buena alcahueta, Juana les preguntó con socarronería:

–¿En plan de reconciliación, queridas?

Mayte fue evasiva, ladeando la cabeza y bajando la comisura de los labios pero Luisa se rió casi tanto como Juana solía hacerlo y con certeza irónica dijo:

–¿Y para qué necesito yo reconciliarme si soy más guapa, más joven, más sexy y más rica que ésta?

Mayte murmuró apenas entigrecida que Luisa la estaba distrayendo, que se encontraron en "El Corte Inglés" y fue ella, casi apuntándole con el dedo, la que insistió en salir a cenar. Mayte no quería desde luego porque Chantal se iba a Bruselas por unas semanitas a la mañana siguiente y ésa era su última noche de disfrute pero no pudo resistir el hipocritón llamado de la Luisa. Yo solté esa gran carcajada que según Juana, silenciaba hasta a las cataratas del Iguazú, deduciendo la artimaña. Sin duda con ese instinto de matadora y con toda una red de espías apoyándola, Luisa no sólo sabría del viaje en cuestión sino planificó el encuentro con Mayte en "El Corte Inglés". Mayte me miró con melancólica extrañeza pero Luisa entendió con claridad lo que pasaba por mi cabeza y me guiñó el ojo con complicidad bandida. Juana, siendo Juana, aprovechó el momento para relatarle a Luisa su propio encuentro con Chantal mientras Mayte se ponía de todos colores. "Mayte no está a la altura de esos juegos", me diría la Juana al día siguiente.

Porque, en efecto, Mayte no parecía darse cuenta de cómo Luisa se la estaba emboletando. Le dijo con claridad, eso sí. Toleraría que se acostara con Chantal siempre y cuando los papeles quedaran claros:

Luisa era la esposa, Chantal sólo la amante, y se tendría que plegar gustosa a la voluntad de las dos. Mayte, haciéndose la remilgada, argumentó despectiva que de verdad se estaba enamorando de la pecosita flamenca, saboreando su paladar y dejando que una gotita de baba le saltara de los labios.

–No sabes lo que cuesta mantener a una chica joven, le dijo Luisa con su hablar rápido y su sonriente acento extremeño. –Las comidas, la ropa, la peluquería, debe de salirte muy cara miss Bélgica. Y además, al dejarme, dejas la mitad del negocio, no se te olvide, querida. Ahora sabrás lo que es vivir apretadita, mi cielo.

Mayte masticaba apenas lo soltado por Luisa como si fuera un chipuste abodocado, una frase cortante tras otra, directa, porque Luisa nunca fue indirecta, poniéndole las reglas del juego sobre la mesa. Cuando Mayte, como boxeador mareado tambaleándose contra las cuerdas murmuró que ya era hora de ir a casa porque Chantal seguro la esperaba y re-esperaba, Luisa dijo cortante:

–Nos vamos al "Why Not?" a bailar. ¿Nos acompañáis?

Fuera de la nueva carcajada en un crescendo tonal y humoresco que el gesto de la Luisa hizo brotar en mí, entendiendo una vez más la maniobra, no había necesidad de decírmelo dos veces. Juana, bueno. Nadie baila como la Juana, ni siquiera la hipotética cubana. Es también la reina del baile, aunque no precisamente de la salsa. El house, el techno, y todas esas cosas auxiliadas por el éxtasis le permiten caracolear hasta enroscarse como sacacorchos en los cuerpitos femme, acoquinándolas y sofocándolas como pitón goloso antes de comérselas enteras (una vez se le acercó un tímido chico rubio en un bar de Río de Janeiro y le dijo, "¿Tú eres la que baila en el Boom-Boom Room de Laguna Beach, no? Es un honor conocerte"). Pero no le gusta bailar en esas apretazones del "Why Not?". Además mucho hombre hetero allí, cosa nauseabunda, reconocibles piltrafas. Pero decidió acompañarlas un ratito, más por la malicia de ver a Luisa desbaratarle su nueva vida a Mayte que por otra cosa. En efecto, Luisa ya no desprendió sus ojos de los de la crujiente ex, ojos enmielados, y en la breve caminata a través de la plaza, subiendo por Augusto Figueroa y doblando cuesta abajo por San Bartolomé, la agarró por la cintura y la besó tanto que se fueron tropezando por todas las baldosas como borrachos perdidos.

Como era de esperarse el "Why Not?" estaba lleno de exegetas de esas vanguardias noctámbulas de pacotilla. Luisa de inmediato sacó a relucir su carné VIP dándole una mirada a la Juana como de "tú no tienes esto, hija mía" mientras Juana se la devolvía con otra de, "y a ver qué harías vos en el Girl Bar de Los Ángeles o en el Club Q de San Fran, donde la VIP soy yo, mijita linda". El suyo era un entente cordial como en los mejores tiempos de las relaciones entre los USA y la URSS por mucho que Juana jurara otra cosa. Total, entramos. Luisa, muy caballero, se dirigió sin titubear al bar cortando a la apelmazada multitud como con cuchillo y nos compró tragos, pagando con un billete de cien euros sin consultarnos ni siquiera si lo queríamos. Claro, sabía. Yo que siempre me inclinaba por las lluvias de oro jalaba por el escocés y la Juana que prefería los mojadones plateados por el vodka. Se pidió dos rones para ella y Mayte. Además tuvo la gran suerte. Juana encontró mesa y se la guardó con igual gesto caballeresco. Luisa tomó a la Juana de la cintura, se le apretó contra sí en gesto insólito y le dijo como si la estuviera hundiendo en agua tibia:

–Eres la más guapa, y bailas de lo lindo.

Sin embargo, sus ojos no estaban en los de Juana. Pero el gesto tuvo el efecto indicado. Mayte jaló con brusquedad a la Luisa y se instalaron en un banquito cada una. A partir de allí ya no dejaron de besarse con relamido regusto el resto de la abrumadora noche sin enterarse de nada más. Juana y yo nos terminamos nuestros respectivos tragos y nos volvimos al apartamento muertas de la risa, lamentando tan sólo no poder ver la cara de la Chantal cuando dieran las cinco de la mañana y se percatara de la realidad realeja. Mayte no había llegado a dormir. Sin duda Luisa tendría todavía la presencia de apagar tanto su propio móvil, como le dicen en las Españas a los teléfonos celulares, y el de Mayte, porque su maquiavélica mente habría contemplado todo. Chantal llamaría a las dos con cierta regularidad a todo lo largo de la larga noche, incrédula. Cuando Mayte volviera a estar en condiciones de responder, Chantal iría ya con toda seguridad en el tren que la conducía hacia Bruselas pensando no volver.

*

Pasamos el fin de semana en Vigo porque Juana quedó de verse con Marosa. De Marosa no le he hablado todavía pero era la tercera reina. Juana, Luisa y Marosa. Las tres ungidas reinas de la mañosa baraja bragosa. A diferencia de la escopetada amiga ejecutiva sin embargo, ésta era intelectual. Juana y Marosa tenían muchas cosas académicas en común a desmembrar.

Juana lamentaba todavía no habérsele tirado cuando la conoció años antes en cierto congreso queer de una universidad americana. Respetó demasiado a Teodora, su ex, y dejó pasar a la de los pantalones de cuero negro. Ahora Marosa estaba feliz, emparejada con la joven Gracia, fumadora empedernida con curiosa agilidad de pies, y ni Marosa, embobada de amor, querría hacerlo ni a Juana le interesaba ser tan pura lata con la Gracia. Yo quería aprovechar para verme con el chisposo rubio de nombre Iñigo que sonreía escondiendo sus dientes pequeños, hombre de pequeños ojos hacia las sienes y distraído cinismo que vivía sumido en un risueño desconcierto estentóreo. Quería también disfrutar de las bromas que solíamos hacernos con machacona insistencia con Javier, su morena pareja ganosa, gallosa, graciosa, carrasposa, con pequeñísimas cicatrices en la hermosa cara de hombre masculino que parecía cincelado por Rodin con un pelo que siendo natural parecía engominado, con quien enganchaba por su personalidad altamente adictiva, mientras el Iñigo se perdía graciosamente con esa Gracia del pelo endurecido y la boca oscura en firmes y cabales cuchicheos acerca de acendrados y minerales odios chismosos de su entorno viguense como si fueran una empalagosa pareja hetero, manera de llamar en las Españas a las parejas straight. Ya se lo conté antes pero insisto por ser un tema que me obsesionó, usted me dirá por qué. Juana y yo las bautizamos como estrechas. Veamos. Estrecho es, por definición, algo carente de amplitud, reducido en posibilidades, limitado, chato, ceñido, acortado, confinado, menguante sin usar guante, más allá del onomatopéyico vínculo de la recta palabra gringa con el confinante término castizo. ¡Qué horror sería serlo, estrecho!

Conociendo los míticos apetitos de la legendaria Juana, apetitos que la propia Marosa me acusó de exagerar, imagínese, la ya mentada viguense, a su vez legendaria de por sí y una esbelta Ariadna Gil cuarentona, organizó una fiesta en su honor en el VIP, uno de los clubes floreciendo frente al mar, al igual que el 7-4 y otros, en la amplia avenida Arenal que acompañaba a esa bella ría donde se alargaba la afeada ciudad. Carecía tanto de la belleza renacentista como del esplendor moderno, resabio decimonónico de un positivismo arquitectónico bastante proletarizado. Fue planificado como gran fiesteo donde Juana pudiera tenerlas a todas al alcance de su mano, escoger a voluntad como cuando se sale de tapeo, comerse con gusto a quien quisiera, mientras Marosa disfrutaba abrazadita a su graciosa queridita, Gracia de la voz grave y sedosa que por sí sola provocaba escalofríos, ubicada fuera de todo posible riesgo. O por lo menos, así lo imaginé yo, dado que Marosa negó rotunda que ésa fuera su visión. Porque estar en el ámbito de Juana era como correr los sanfermines. A quien se le metiera enfrente, por cuidadosa que fuera y por bien dispuesta a saltarse las trancas y escaparse a la menor señal de peligro que estuviera, le podía llegar al más pequeñísimo descuido la cogida. Gracia nunca había visto a Juana en acción y se moría de ganas de gozar el espectáculo. Marosa estaba dispuesta a concedérselo con entusiasmado amor siempre y cuando estuviera del otro lado de la barrera.

Antes de la celebración oficial Marosa organizó una pequeña cenita nada formal en casa de Gracia donde también estuvieron Iñigo y Javier, el primero incapaz de soltar su pipa, el segundo de desprenderse de su planta de musculoso carpintero. Tapear un poco, beberse unos buenos Albarinhos de la madre de Marosa, luego trotar para la fiesta frotándose las manos. Noche caliente en Vigo.

Gracia y Marosa tenían dos apartamentos separados, muy cercano el uno del otro. El de Gracia era viejo. Quedaba en la calle Carral cerca de la Puerta del Sol, cuyos techos altos y machimbres me recordaban la casona del centro de Guatemala donde crecí. El de Marosa en la calle López Mora era ultramoderno. Vivían separadas porque cuando la Gracia, jovensísima, se enamoró de Marosa, andaba tan tontita, según sus propias palabras, que su madre se enteró. Luego de las gruesas confesiones de rigor se marchó de casa. Juntó toda la ropa en una mochila azul y llegó a tocarle el timbre a Marosa. Ésta –que para involucrarse con Gracia se había separado de la gorda Teodora y se le armó un escándalo de padre y señor mío en la universidad por romper la mítica y emblemática pareja lésbico-académica reconocida oficialmente por todo el recinto– se quedó shoqueada cuando se le apareció la niña Gracia mochila en mano, pelito corto, manitas finas. La dejó entrar desde luego pero le planteó enseguida no estar lista para convivir. La separación de Teodora era aún reciente y dolorosa, las relaciones con sus colegas en la universidad andaban mal y necesitaba tiempo para ultrapensar la situación. Gracia leyó entre líneas y se fue año y medio para Londres. Cuando volvió, ahora sí rogada por Marosa, no sólo lo hizo con el pelo teñido de un rojo chillante y encendido sino que traía puestas unas brillantes botas S/M con suela de tres centímetros de grueso. Sólo de verlas daban miedo. Lo primero que hizo fue rehusar a mudarse con Marosa. "No vuelvo a quedarme en la calle", le dijo, y montó su propio apartamento. Por lo tanto vivían juntas pero separadas, turnándose las noches, guardando su propio espacio.

Esto lo contó la propia Gracia luego del segundo Albarinho, cosa que a Juana le cayó muy en gracia si me lo permite. Poniéndose en plan maternal, quizás sumergida en esa ambigüedad palpitante de chisporroteada vacilación que a veces la sacudía como fueguito fatuo, se sentó a su lado. Con desenvuelta naturalidad puso su brazo sobre sus hombros, dado que Gracia llevaba apenas un top rojo sin mangas, y como si fuera venerada y antigua reliquia, algo así como el brazo incorrupto de Santa Teresa, comenzó a hablar con orgullo amoroso, silenciando hasta a Iñigo, ese megapolítico del bigotito colocho que no paraba de reírse nunca. Sólo le faltó decir como las viejas cuenteras, "había una vez..."

Según Juana, ella era aún más jovencita que la graciosa Gracia cuando se enamoró por primera vez. "¿Te enamoras de veras?" le preguntó la Gracia con sorpresa. "Yo creí que sólo seducías." Juana se le quedó viendo a los ojos. "¿Te dijo eso Marosa?" "No", saltó la otra. "Pero la leyenda es que cuando se te exige un compromiso serio sales huyendo despavorida". "Compromiso es otra cosa", dijo Juana mirándome a los ojos y moviendo las manos agitadamente mientras hablaba como si tocara castañuelas. "Pero yo no soy de las que sólo les interesa exhibir trofeos, los rabos cortados en la faena. Me gusta sobre todo coger rico. Chimar. Follar, como dicen ustedes. No nos confundamos. Soy chapina. Me tocaron tiempos rejodidos y pagué el precio pese a venir de familia con plata. Por eso le entro a las cosas a mi manera, libre de trabas, y sólo el sexo me libera del caos de la vida, le da sentido al ululante sinsentido. Perdimos la guerra. ¿Qué más podemos hacer ahora? ¿Esperar de brazos cruzados que los fundamentalistas de toda estirpe acaben con el mundo, con nosotras por perversas? Mejor coger. Pero el sexo no dura. Al cabo de jodidas búsquedas a veces llega el amor, a veces, siempre tijereteado, apenitas un tris y ya. Después, todo vuelve a empezar: el pasado en ruinas, los escombros de los años y las palabras seductoras saltando de un lado a otro, chillando hechas añicos como putas viejas. Fragmentos de deseos hechos añicos".

Se hizo un silencio extraño que la misma Juana rompió al ponerse a narrar lo sucedido con excesivo acopio de ademanes y brinquitos en la silla para aligerar la atmósfera. Chulísima como un bombón la niñaza en cuestión nos dijo. Le agregó a la Gracia, cuyas gesticulaciones honraban su nombre, que desde los cuatro años de edad ya sabía que le gustaban las mujeres e intentó ligarse a una desde los once. A los catorce experimentó con un hombre sólo por saber lo que se sentía. Comprobó así el aburrimiento que los sementales le producían, sobre todo al quedarse roncando desafinados luego del pequeño esfuerzo frenético, adentro, acabón, afuera. Sin embargo nunca se había enamorado hasta esa vez. De allí que su familia no supiera nada a pesar de la gira por Europa, cuando la mandaron creyendo que su primera amante era hombre casado. Al fin, Guate es Guate.

Pero esa vez se descuidó. Ante la presencia gigantesca de su amada, se perdió en un maremágnum de abrazos, de besos, y ni se fijó que caían pequeñas muestras de cariño como perfumadas gotas de sudor hasta cuando estaba dentro de casa en la peligrosa compañía de sus padres. Era de bien nacida ser agradecida y se lo pasaba en grande con ropas de colores chillones y acabando, gozando, orgasmeando, corriéndose, liberando chorros de espasmódico líquido con sólo cerrar los ojos y recordar las minifaldas de su muchachita linda que estaba siempre como si brillara, sin decir mucho. Vivía un subidón tremendo. Se tiró a la piscina sin pensarlo. Inés, su madre, la veía, la estudiaba, la observaba, recibía los llamados telefónicos de su amada, veía el color que se le subía cuando contestaba, las horas en el aparato, el despiste melifluo mientras se pasaba el día cantando, las miles de veces repitiendo el nombre de ella, de ella, de ella. Llegó el inevitable melodrama. Tomando el café de manera anodina a la media tarde de un día en el cual el viento aplanaba el sofoco del calor, hablando de cosas que nada tenían que ver, le soltó de pronto:

–¿Te estás acostando con fulana de tal?

La agarró en curva. Fue tal su sorpresa, tan inesperado, tan impensado, e iba todo tan armonioso, tan natural y fluido que sin mucho pensarlo dijo, "Sí. Estoy enamorada." No tardó ni micro décimos de segundo en darse cuenta del error, de esos que no se me ocurre adjetivar sino como de "gigantesco" a pesar del sobreuso del poco descriptivo término. Los ojos de su madre comenzaron a saltársele, las bolsas de los párpados se le dilataron como si de súbito le hubiera salido el desvelo de la noche anterior, echó aire por la nariz achatada que parecía dragón a punto de soplar fuego. La boca se arqueó para abajo mientras los labios abiertos evidenciaban esos dientes capaces de morder a cualquier desprevenido. Le dio miedo a la Juana, quien nunca había tenido miedo de nada, a la Juana que ni siquiera se enteró de que las mujeres deberían vivir con miedo. Sin embargo le dio miedo y quiso sacar la pata ya bien metida con un "pero sin cogérmela", que en vez de subrayar la inocencia de quien no ha cogido, gozado pura y simplemente en cualquier parte del mundo donde quien no lengüetee lame en español, más bien subrayó el fogoso conocimiento obsesivo de esa materia del cual disponía ya la jovencita. En un primer momento la madre se le tiró encima como gata. Siempre afortunada con sus buenos reflejos, Juana saltó del sofá justo a tiempo como años antes lo hizo huyendo del marido de su primera amante, botando floreros y un atesorado adornito que la madre se trajo muchos años antes de Florencia. Sólo sirvió para acentuar la histeria del momento. "Mamá, por favor..." Pero mamá no estaba para favores. Agarró un cenicero de cristal de bohemia y se lo tiró a la cabeza. Juana lo esquivó y el mentado cenicero se hizo añicos contra la pared. Fue cuando se recordó de las palabras de Flagstaff, si no las de la obra shakespearana, por lo menos las de Orson Welles en la película, coincidiendo con que la mejor parte del valor era en efecto la gorda prudencia. Eso de hablar y convencerla se quedaría para otra ocasión. Mientras tanto corrió como campeona olímpica hasta el garage, agarrando de volada las llaves del carro que colgaban ostentosas de un clavito en la cocina. Saltó como Clint Eastwood a su caballo y cayó como debería ser dentro del convertible. Arrancó a las volandas mientras el sorprendido jardinero abría la puerta del garage y salió disparada con tal velocidad que los guardias privados de la entrada casi la confunden con un ladrón y sacan la escopeta recortada.

Anduvo como loquita manejando por toda la ciudad, mordiéndose los labios. Nos dijo haber recorrido todas las calles de las zonas catorce, trece, nueve y diez sin rumbo fijo, toda chiveada. Agarró luego la carretera para El Salvador hasta pasado San José Pinula con una idea aún más loca. Si tan sólo esperaba a que dieran las seis y llegara su papá todo se arreglaría. Ella, una tipa sin ningún problema, quien no pensaba dos veces en entrar a la casa de putas de la once calle y primera avenida de la zona diez para comprarse algunos gramos de nieve, de loquita descontrolada. Su libido era igual a la de los hombres pero esa vez andaba lívida, marcando el tiempo.

Cuando regresó su madre estaba en huelga de hambre. La cocinera hizo la cena pero su madre se negó a bajar. Felizmente se negó a hablar también, lo cual le permitió cenar con su adorado papacito y sus hermanos sin ser malmatada, neutralizando la condena. Conversaron hasta mejor que cuando la sombra pálida de la madre hacía acto de presencia. Por el calorcito de la situación estaba aún más guapa. Vestida de rojo y negro, no por Stendhal sino porque le favorecía. Algo de eso captó el padre. Comieron en paz sin que le cobraran la propina, sin mirarse mucho las caras.

Esa noche pensó durante un breve instante, mientras oía los golpes del zapateado de su madre sobre la madera del piso superior, en suicidarse, única vez en permitirle el ingreso a ese verraco pensamiento madre. Fantaseó un frasco lleno de pastillas. Pero enseguida pensó que las acabaría vomitando, lo cual le daba asco. Además el dolor de tripas sería terrible. Se acordó de cómo lo describía de feo Flaubert en *Madame Bovary* y encima tendría que confesarle a su papá entre una marea de vómito y la otra "creo que me gustan las mujeres" mientras en el fondo Toña la Negra le cantaba un bolerote de aquellos que decían "tú me enseñaste, todas esas cosas, y tú me enseñaste, que son maravillosas..." y ya no valía la pena después de imaginar lo risible de ese patetismo operesco.

Esa fuerte sensación de desolación maritrágica acompañada de grotesca sudoración la desconsolaron y terminó aullando antes de quedarse como marmota. Al día siguiente, luego de pasarse toda esa noche en vela, la madre no bajó. El desayuno lo sirvió la muchacha porque el hambre nunca se le fue, pero al intentar llamar al amor de sus amores descubrió lo peor. Había controles que se lo impedían. Eso fue antes de la plaga de los celulares. Se fue ese día a clases. Estaba en la Universidad del Valle y cuando regresó ya tenía el plan armado. Plantearle a su padre que seguir en las Guatepiores era un riesgo tan inequívoco como esquivable. Ella que estaba bien aventada para lo de las mujeres, necesitaba irse a estudiar a los USA. Claro, no le soltaría prenda de ese tema tabú mientras se sentaba en el taburete. Luego lo emboletaría para sacarle el pisto, llevándose al amor de sus amores a padecer nuevos ardores.

Pero el colmo, y no era colmillo, fue que cuando intentó verla esa misma tarde no la dejaron entrar. No le dieron razón. Simplemente no la dejaron. Encima, la insultaron. La propia muchacha con su uniforme negro y su delantal blanco de vuelitos, y la hermana, para más. Le dijeron sucia, puerca, mamarracha, marimacha, hija de puta. Con peligrosidad añadieron que si volvía a asomarse por allí la recibirían a balazos. En resumidas cuentas, le dieron hasta bajo la lengua. Decidió ante tamaños acontecimientos replegarse sobre sí misma y construirse esa murallota indestructible entre risueña y delirante que produce embriagante desconcierto y que desde luego le conocimos todos andando los años.

No fue a almorzar a su casa pero sí llegó a cenar. La aguacatona madre seguía sin bajar y el papacito le reclamó en un tonito así como cuando un pato le dijo a otro pato que estaban empatados. Su madre llevaba ya 24 horas sin comer. Juana se hizo la loca por mucho que no hubiera ningún hermoso Felipe presente. Apechugando la jodida situación dijo nada más que de saber cómo se iban a poner los morongazos no suelta ni pío. Pero la verdad, se sentía como si la hubiera atropellado un camión manejado por camionera.

Pasó ese día y el siguiente en la universidad sin conseguir comunicarse con su cangrejeada querida. La madre sin aparecer. Justo cuando el amor se le había hecho un valor en alza, se le imposibilitaba hablarle a la cashpiana en cuestión, ya no digamos verla o cogérsela. Volvió a casa y esa noche ni su madre ni su padre bajaron a cenar. La soledad empezaba a ponérsele espesa. Se sentía como endemoniada de cuidado, le habían dado con el caite y se fue de ojo porque ahora parecía del Chinique. Agarró el carro, le dio mil vueltas a la manzana de la casa de la chulita de las nachas nítidas pero no se atrevió a pararse ni a tocar el timbre. Le extrañó no verla, ni siquiera su carro. No sabía nada, como si la hubieran desaparecido, cosa por lo demás cotidianísima en el paisito de mierda que nos emboletaron a la hora del reparto de infiernos. Había arriesgado mucho chuleando y la magia había salido sola pero ahora le pasaban la factura.

Al cuarto día no quiso ir a la universidad. El estómago anudado, ya no podía pensar en eso a pesar de lo mucho que le gustaban las letras y de tener trabados los poemas de Gil de Biedma en la cabeza, de que gracias a un cuerpo apetecer el mundo y gracias al dolor recobrar el dominio de la palabra. Se quedó encerrada en su cuarto contando los minutos, enfrentándose a sensaciones desconocidas. Le fue a tocar la puerta del cuarto a su madre pero sólo oyó un ronco "Largate" y nada más, a pesar de seguir la somatadera de maderas y el griterío. Al rato subió la muchacha con el jardinero y con el respeto debido la alejaron de la puerta, lambiscones lameculos, diciéndole tan sólo, "la señora está muy malita, no prueba bocado desde hace cuatro días".

En efecto no lo probó en siete. Al séptimo día descansó como nuestro señor, pero en el hospital. Llegó la ambulancia por ella y se la llevaron al Bella Aurora porque a su padre le entró el flato de perderla. Detrás toda la comitiva familiar, aún no enterada del asunto, pero se enterarían todos al unísono tan solo minutos después porque conforme se la llevaban, la madre mugre gritaba a todo pulmón con la escasísima energía pegosteada a las tripas, "¡No dejo que me pongan suero a menos que mi hija jure que no se vuelve a enamorar de una mujer!"

Como Juana era la única hija mujer no había pierde posible. El padre la mirujeó, los dos hermanos la mirujearon, los tíos la mirujearon, su prima la mirujeó, los enfermeros la mirujearon, las enfermeras, parientes de otros enfermos, la barrendera, toda la gente del hospital entero levantó los ojos y los fijó en ella, mañosa, como balazos de un fusilamiento del Pelotón Modelo, buruca de malinches dispuestos a darle de mameyazos. Sólo reaccionó la jetona de su prima, evidenciando el shock sufrido con un amarillento chorrito que le bajó a todo lo largo de la pierna hasta encharcarse en la sandalia. Allí acabó su representación del papel de niña buena aunque supiera que era puro rollo, porque si en el día llevaba la vida normal de estudiante estrella en la noche era la estrella también, la divina, pero de otro tipo, divina garza en un mundillo morro muy cerrado que entiende, como lo era y sigue siendo el de Guatemuypior.

Después la historia, para caer en el cliché de loca, se vuelve como serpentina de imágenes borrosas por no decir lodosas, como culebra que daría seiscientas mil vueltas de no haberse ya empleado con anterioridad esa imagen novelesca, en la cual se mezcla todo como eslabonados slides, diapositivas a veces negativas, proyectados a la carrera uno tras otro como en las novelitas rosas más cursis. No me da para decirlo de otra manera porque fuera de las neuronas que están de turno como las farmacias el resto ya feneció con tanto éxtasis, tanta raya de friísima nieve andina.

En esa carrera de resbalosos slides Juana vio cómo los enfermeros de clarísima estirpe popular se metían en una acanallada lucha libre con su madre a tres caídas y sin límite de tiempo, cómo ella los agarraba de los pelos avanzándoles de años la eventual calvicie en el mejor estilo piel roja, morderle a uno de ellos el dedo meñique que se quedó para siempre más corto y a otro dejarlo casi tuerto de por vida antes de por fin conseguir levantarle las enaguas después de tanto macanazo.

Mientras la madre se bajaba la falda con rapidez para esconder las supuestas joyas de la corona y se preocupaba de que le hicieran barrido del prendedor que se mandó a hacer en Venecia, consiguieron meterle la aguja por donde bajara el suero y terminara su famosa huelga de hambre a pesar de la negativa de su única hija a jurar ese "nunca más", porque cómo iba a serlo si era lo único en su mente desde los siete años cuando sentada calmosamente en la acogedora artesa del baño de su casa el chorrito de agua le caía como sabrosísima catarata entre las piernas dándole generosas convulsiones de almíbar que la alucinaban hasta la desintegradora locura, la imagen de la niñita sholca titilándole el corazón se le entremezclaba a la pregunta de su madre esa misma mañana, "¿Amorcito mío, qué querés hacer cuando seás grande?" y se decía a sí misma entre esas agitaciones rítmicas que la dejaban como algodón de azúcar, "Mamacita linda y distante, esto es lo que yo quiero hacer toda la vida, mamacita chula, esto, pero que en vez del agua sienta justo allí el dedito de la Giovanna".

Agregó irónica mientras rebotaba excitada en la silla que la madre malagradecida nunca le dio ni tan siquiera las gracias. Si no es por esa huelga de siete días nunca hubiera vuelto a entrar en sus vestidos de encajes y vuelitos que las grasientas libras de los años muertos le habían impedido lucir, salvándole su fufurufa posición social y de paso evitándole la sorna del "qué dirán", pues su recién ganada figura opacaba las risotadas generadas por el clavo de tener hija lesbiana.

Luego del fin de la huelga de hambre, la vuelta a la casa, la confrontación con el tata, con el machete guardadito en su vaina porque el viejo estaba demasiado agotado por lo de su mujer y por las inconcebibles inclinaciones de su única hija, la niña de sus ojos. Ya era una sombra de sí mismo diría la autora de la novela rosa de serlo ésta. El rostro grisáceo absorbía como piedra pómez la liquidez de sus parcas palabras diciendo con plebeya sencillez:

–Te vas a los Estados Unidos. Vos escogé dónde.

Yo me encargo de todo. Eso sí. Esta misma semana. Antes de que salga tu madre del hospital.

—Bueno. Pero antes quiero verme con...

—Ya se fue. La mandaron a Suiza, a una escuela de señoritas.

Juana se quedó como si una cucharada de sopa hirviendo le hubiera quemado el esófago y perforado las tripas como ácido. Le ardió la panza, azorada, achinándole su belleza turbadora y sin duda inaugurando una mirada doliente que en el futuro le daría un pegue tremendo. Se aparecía de vez en cuando, cada vez que no estaba en plan ligue y no se percataba que yo la miraba con ojos leporélicos como decía ella, para entenderme a mí mismo, o bien para inventarme. Me fijaba siempre en la perdición de sus profundísimos ojos que en efecto encochaban al que se les pusiera enfrente. Esa mirada sólo la tenían quienes han estado bastante más allá del bien y del mal, sobreviviendo de puritita gorra para poder contarla pero escaldados, latigueados hasta coleccionar cicatrices gruesas. Juana siempre las disfrazaba de voluptuosa alegría, chorro de vitalidad salpicando a todo el que se le ponía por delante cada vez que sus agudizadas antenitas detectaban alguna guapa arisca de cuello soberbio asomándose por allí. El famoso Eli, su padre, trató de apoyar en el piso la rotundidad de un peso imaginario para sosegarse, abrió sus brazos y la apretó con tal fuerza que casi la desnuca, dejando las lágrimas correr por sus cachetes mal rasurados mientras le decía que pasara lo que pasara siempre la querría y podría contar con él, que sería siempre su niñita linda.

Luego fue la película de empacar a la carrera,

irse dos días después, no volver a ver a su primera amada de quien le dijeron después que se había suicidado en Suiza pero no era cierto. Se casó con un millonario y con la plata que le sonsacó puso el primer servicio de masajes para lesbianas en ese tan aislado país montanevoso, la Costa Rica de Europa.

Soltó una carcajadota mientras terminaba su locuaz avalancha de recuerdos cuerdos, aprovechando para, como quien no quiere la cosa, tantearle atolondrada el seno izquierdo a la Gracia para comprobar con cientificidad su volumen y densidad en mero plan positivista. A Gracia le causó sorpresa, como cuando levantando la vista distraídamente, uno observa que se corre una estrella. Con una suavidad que evidenciaba ternura perdurable, Marosa le tomó la muñeca y le alejó la mano de tan peregrina tentación entre los consabidos comentarios apuntalados del apuñalante Iñigo, cuyas piernas colgaban de la silla.

*

Mi madre se educó como interna en Belén, instituto de señoritas del estado durante los tenebrosos años treinta del general Ubico, dirigido por dos señoritas de cuyas inclinaciones mi madre nunca pudo hablar, la señorita Anita y la señorita Toya, la luna un gran frenesí, ponme la mano aquí. Bien pudieron dirigir algún campo de concentración nazi la década siguiente. Lo mantenían nítido y nítidas a mi madre y a su hermana. Sólo tenían salida los domingos si no se quedaban castigadas. Además tenían que estar de vuelta a las seis en punto de la tarde o se quedaban sin entrar. Un horror. Sin embargo aprovechaban lo que podían. Eran muy amigas de las Valladares, cuatro hermanas cuyo padre tenía una farmacia en la octava avenida entre novena y décima calle de la zona uno. Llegaban a recogerlas temprano en la mañanita todas las Valladares como chispas traviesas correteando por el patio de Belén hasta que la señorita Anita pegaba un grito. Luego de pasear por la sexta avenida sexteando sin sexo traviesas, almorzaban en la casa de las susodichas en el segundo piso de la farmacia. Pasado el gran almuerzo de domingo quitaban los muebles de la sala y se ponían a bailar hasta desahogarse, con amigos invitados para la rumbeante ocasión. Domingo a domingo bailaban toda la tarde, ritmos de picor variable como el fox trot o marimbas. Hoy sonarían de lo más anodino pero bailaban con la misma potencia y decisión como nosotros bailamos el hard house o un clásico deep para no hablar de uno de mis remixes favoritos, el de Tom Stephan para Get Me Off de Basement Jaxx, hasta que llegaba la hora de salir comatosas, corriendo desaforadas hacia el instituto y presentarse como soldaditos rasos al cuartel, prisioneros invitando nuevas torturas.

A pesar de todo lo contaba nostálgica, como si esos tiempos hubieran sido los buenos y no los de mujer empresaria y rica, una mosquita muerta que se convirtió en tremebunda araña vengadora. No sé si por hacerse la valiente, porque a diferencia mía no tiene todo ese rencor biliar almacenado en las cápsulas suprarrenales o tal vez porque eran los tiempos antes de meter la pata casándose con un bueno para nada como mi etílico señor padre, quien le daría cuatro indigestiones al estómago más fuerte, o bien porque aún no había perdido su inocencia.

Ese Arias de orígenes desconocidos con el cual se casó le convenía por su carácter débil. Le permitía tomar las riendas de la casa sin discusión, cosa que no pasaría con ningún otro de los súper machotes de los cuarenta con las manotas más grandes y gordotas pa' pegarte mejor, pero ahora, con el paso de los años, más que gallos parecen gallinas viejas y desplumadas. Dicen que "arias" quiere decir "iluminado" en el conocimiento budista pero qué tan iluminado sería este famoso inocente sin elogio aún está por verse. Eulogio Arias era bastante opaco. Era foco de escasas bujías. La cuestión es que a mi madre le gustaba relatar su pasado como embobadita perdida porque para ella fue glorioso a pesar de la estrechez, en todo el amplio sentido de la palabra, económica, sexual, social y cultural, pero sin duda cuando lo vivía como presente no era consciente de que fuera así por su carácter alegre, su baloteo de pies. Le gustaban sus piernas gruesas.

A veces me queda la duda de todo lo aprendido de ella en cuanto a no tenerle miedo a nada a la hora de los grandes problemas que siempre están y estarán. Era de por sí miedosa y yo aprendí a melodramatizar mucho más, muy mucho como dicen los mexicas. Sin embargo detrás de sus gestos histriónicos de mujer-mujer, usado aquí en el sentido actual de girlie-girl, había un enorme valor que tenían pocos guerrilleros metralleta en mano. Me enseñó muy mucho a ir con mi cuerpo por delante, tetas firmes en la vanguardia, apechugando insultos y luchando porque se me reconociera mi manera de ser pese a los pesares. A pesar del pesar de sentirme cobarde por dentro la admiraba más aun porque me reconocía el valor que aparentaba y porque era tan tranquila, tan ecuánime, a veces tan pusilánime (aunque asociar las palabras "pusa" y "madre" no deja de costarme sudor), pero sustancial, siempre a la altura. A pesar de los momentos de enorme penuria económica en que no dudé en robar el vestuario de mi gimnasio, romperle la alcancía a mi hermana pequeña, sablearle más pisto a mi abuelita o vestirme de loca y venderme al mejor postor para robarles la cartera mientras los chupaba, ella nunca cortó por lo sano y a otra cosa mariposa. Siempre me apoyó en todo. Muchas veces le tocó ser fuerte ante los imprevistos. Dada mi dadaísta rutina diaria la tortilla podía darse vuelta en cualquier momento por jumento y tuvimos que aprender a vivir de modo distinto al habitual.

De ese famoso Eulogio Arias que fue mi padre, aunque por suerte no mi padrote, apellido de conquistador matón, del infame Pedrarias Dávila cuyo único mérito más allá de llenar el istmo de bastardos fue el de volver su apellido tan común en la ombliguera región como los Pérez o los López, supe muy poco. De lo que más me enteré fue de su propio padre, mi abuelo don Inocencio, de quien nada se sabía. Dejó a mi abuela cuando mi padre apenas tenía dos años de edad, cosa bastante inusual en los círculos de la emperifollada crema y nata chapina de principios de siglo veinte enfundada de lujos art decó reflejados en incontables espejos, pues hablamos de 1913. Hasta ya sumido en el bendito Alzheimer que por fin le cortó la afición por los tragos, mi padre nos lo recordó siempre. El susodicho abuelo llegaba todos los domingos en la mañana a la casota del callejón Concordia en pleno centro de la ciudad a traerlo a él y a su hermanito Alfonso, así llamado en homenaje al rey de España, la misma lógica por la cual veinte años después éste nombraría Adolfo a su primogénito, y los paseaba en landó por todo lo largo y ancho de la sexta avenida mientras les cantaba arias de *Don Giovanni* antes de devolverlos a la casa vecina, la de don Francisco, en la quince calle. Don Francisco era el hermano de mi abuela. Mi padre lo llamó siempre "papa Paco" pero con las dificultades de su tosca lengua pastosa incapaz de pronunciar con corrección las palabras aun cuando no estaba de goma, a mí me sonaban a "cada Paco", en cuya casa transcurría siempre el suculento almuerzo del domingo. Es sin duda el único recuerdo que le avivó la opaca pupila y le extrajo una sonrisa a lo largo de su prolongada, aburrida e inútil vida, sin retorcer su boca hacia abajo como cuando un dentista saca muelas sin anestesia.

Almorzaban donde "cada Paco", apodo que a mí siempre me hizo pensar que habían muchos pacos y visitaban uno por semana, porque su madre, doña Purificación, se pasmó con lo que le pasó con su ex marido, lo que llevó a don Inocencio a salir expulsado de su hogar. Yo la conocí casi cincuenta años después, una vieja amargada vestida siempre de riguroso negro de la cual sabía muy poco y no me daban ganas de averiguarle nada más allá de cumplir con el horrible rito del forzado beso en el arrugadísimo cachete antes de salir aullando de su tenebrosa casa.

Doña Purificación fue dueña de una de las fincas más grandes del país, "Santa María del Mar". Se llamaba así porque bajaba desde la bocacosta de Quetzaltenango hasta el mar, finca misteriosamente perdida más adelante o bien que le mal manejó o robó su hermano menor, "papa Hugo" para mi papá, un oportunistón vividor retorcido. En sus mejores momentos no dejó pasar un culo frente a sus ojos que no se lo cogiera. Inesperado resultado de lo anterior fue terminar de padre de Tono, un hijo "natural" como se les decía a los bastardos en esa fufurufa sociedad que vivía en una aterciopelada calma chicha porque no sabía lo que se le venía encima. Tono era un atrasado mental, choco para más. Vivía con doña Purificación, alias doña Puri, cuando yo era niño y me obligaban a visitar su sórdida casa obscura, palabra que describe bastante más que la falta de luz. Se las pasaba cambiando las estaciones de un gigantesco radio de los antiguos de madera. Era pelón, moreno, bigotudo, encorvado. Cuando hablaba tartamudeaba hasta tal punto que no se le entendía nada más allá de "¿Co-co-cómo te va, pri-primo?"

Según lo poquísimo que supe, se vinieron a la capital (como si yo estuviera en ella ahora, y no en la casita de Laguna Beach a la hora de escribir esto, qué paja la mía pero pretendamos seguir siendo chapines y viviendo en la capirucha porque los nacionalismos se van evaporando pero evanescentes no han terminado aun del todo de jodernos) en 1902 después del terremoto de Xela donde otra finca la cubrió de ceniza la erupción del volcán Santiaguito y quedó inutilizada para siempre. Ambos padres de doña Purificación se murieron cuando todos los niños eran muy jóvenes por razones desconocidas por mí. Como era la mayor, a doña "Puri" le tocó criar a todos sus hermanos, "cada Paco", "papa Hugo" y Ernestina, la menor, a quien yo ya conocí como vieja histérica casada con un españolito calvo de pocas palabras, Emilio, apodado Milito, quien nunca le pudo dar un hijo. Doña Puri se sacrificó por sus hermanos menores quienes le birlaron la herencia. A ellos y a sus hijos nunca les conocí pobreza alguna. Se casó con don Inocencio. A saber qué le hizo pero sería algo tan grande como para echarlo de la casa en época en que todos los trapitos sucios de las grandes familias se lavaban en casa y el polvo levantado por los polvos se barría bajo las alfombras persas. Luego se quedó como enterrada en vida en su casona del callejón Concordia.

Tan zopenca anduvo durante el resto de su larga vida hasta que, como diría mi otra abuelita con el semblante feliz y la risa maliciosa, el señor quiso que le diera cáncer para poder por fin descansar, pero se lo dio con dolores y retorcijones para que aprendiera antes de irse por pendeja. Según mi padre, de poco contar aun cuando exhibía su sonrisa vidriosa delatando el tenue placer ambarino del Johnnie Walker, su whisky favorito, a él y a Alfonso en realidad los crió Ernestina. Además le llamaba "papa Paco" a "cada Paco" para sustituir poco a poco por pacos al padre que nunca tuvo, de manera análoga a como usé su imagen como modelito de lo que no había que ser nunca, identidad en barullenta fuga sobre un sucio y borroso trasfondo.

El famoso don Inocencio, fuera de los landós y las arias de *Don Giovanni* de las mañanas de los domingos sólo era conocido por una foto residiendo en la sala de doña Puri. La misma terminó al final en el cuartito de la televisión de mi mamá. Aparecía con bigotitos estilizados. Más que los enormes bigotes selváticos de manubrio de mi abuelo materno me evocaban los de Proust en su juventud chopinesca, sin ser chapinesca ni chaplinesca. Tenía ojos como los míos o sea, con su toquecito de dulzura apendejada. El pelo oscuro, medio rizado. En la foto aparece con uno de esos trajes espantosos de principios del veinte con las puntitas de la camisa bien paraditas como dos afiladas erecciones atravesada por una ancha corbata de rayas, la cual acentuaba las redondeces de la panza, símbolo cumbre de la sabiduría acumulada. Desapareció de la escena hasta el terremoto del 17. Allí reaparece con brevedad. Se cayó la casa donde vivía, se fue a vivir a uno de los campamentos armados detrás de la iglesia del Calvario cuando todo eso era descampado, por donde estaría ahora el Centro Cívico. Agarró la famosa gripe llamada "española", la cual en realidad saliendo de la China le dio la vuelta al mundo. Murió víctima de uno de los primeros fenómenos globalizadores del planeta. *Exit* don Inocencio de estos e-mails que le escribo.

Mi padre se crió entonces sin padre aunque lo que no tenía era madre porque doña Puri era más fantasma incapaz de construirse ella misma en esa casona. Por lo menos debió crecer curado de espantos pero nunca lo evidenció. Se quiso arrimar a "cada Paco", cuyos hijos, protestantes, porque él se casó con una luterana alemana, doña Concepción Kruger, de buenas fichas como diría mi mamá, "mírame las manos" decía, los dedos índice y pulgar en forma de "C", lo veían o trataban (a él, no a mi madre, a quien respetaron siempre) como si fuera Tono: medio plaga, medio tolerado, medio visto de medio lado como si fuera adefesio o hijo natural. O a lo mejor lo era. Hasta ahora se me ocurre. A lo mejor y por eso chupaba tanto porque era de nogal el santo y por eso pesaba tanto, aunque según mi mami era porque doña Puri era muy estricta y no lo dejaba chupar en su casa. Por eso sólo en las cantinas o en secreto y como resultado no aprendió nunca a chupar. Ésas yo no muy me las creo. Una cosa es chupar para alegrarse con los amigotes con felices borracheras sabrosoides aún en el modelito machista chapín y otra agarrar fuerza y llegar cayéndose de bolo con los anteojos rotos, la cartera perdida, el traje rasgado y la mente quién putas sabe dónde, sumergida en una mirada extraviada de enajenamiento sobrenatural. Si estaba tan "malito" como decían las señoras de los supuestos caballeros agarradores de fuerza era porque algo de su pasado trataba lloroso de borrar. La fantasía de que fuera hueco se me pasó por la cabeza desde luego pero era tan vulgar, machote peludo, cuerpo gorilesco de patas cortas pero gruesas como de futbolista que requería de todo un ejercicio de profunda imaginación y regodeos virulentamente creativos para sacarle sentido a esa hipótesis. A lo mejor y era hijo natural. Pero no, porque don Inocencio se casó, hasta donde yo supe, con doña Puri. El clavo fue la separación a los escasos tres años de matrimonio. ¿Se iría don Inocencio con otra? ¿Lo echarían de la casa porque lo agarraron con alguna? Tendré que ir por las Guatepiores y revisar la hemeroteca para encontrar pruebas periodísticas. Tomaré nota sobre el detalle a ser investigado. Al fin, en esa época todas las familias de abolengo anunciaban bodas, bautizos y primeras comuniones en el periódico. Ahora ya sólo esquelas, cuando no aparecen en la nota roja por tráfico de coca, asesinato con alevosía o porque se balearon con otros niñosbien en alguna exclusiva discoteca de moda llena de gringos.

Para familias de ésas sobre las cuales se podrían escribir largos novelones donde la vieja casona ocupa el insondable centro de atención mientras las termitas reducen las vigas a polvo y crecen perdidos en sus múltiples cuartos laberínticos de altísimos techos niños sensibles de nombres franceses o bien aparecen viejas mujeres que en su juventud volvieron locos a los hombres con belleza diáfana además de sobrevivir revoluciones y violaciones, o incluso la casa misma va siendo tomada poquito a poco, reduciendo a sus fantasmagóricos habitantes a espacios cada vez más reducidos, es bien escueta la información disponible sobre don Inocencio y la famosísima familia Peñasco y Barriobero, a no confundir con barrio obrero.

De doña Puri tengo dos imágenes: la ya indicada, de riguroso luto, curcucha y silenciosa, con la mirada oblicua perdida en el vértigo del tiempo como si habitara un presente que no existe porque está invadida por lamentos indescifrables, sentada en ordinaria silla de pino barnizada de oscuro en un cuarto donde sólo hay una vieja máquina de coser Singer de pedal. Esa imagen me recuerda desde luego a la vieja del retrato en grises y negros de

Whistler. La otra es una foto circular colgada en la pared de su sala. En sepia desde luego pese a los clichés y la aburrida insistencia en esa tonalidad de las fotografías de principios del siglo veinte. Aquí es una mujer joven de ojos profundos mirando directo a la cámara con esa audacia insolente de la Olympia de Manet, un traje de encajes que parecería ahorcarle el pescuezo al acabar en cuellito redondo de vuelos muy finos y un sombrero de ala ancha con una especie de racimo de uvas en el frente. La mujer altiva es guapa. Refleja cierta personalidad, cierto poderío y ostentoso derroche de medios económicos, como si pudiéramos ver el fondo de una perla. ¿Qué pasó entre esas dos imágenes, esas dos mujeres? ¿Qué pasó entre ella y don Inocencio? La explicación de los herméticos acontecimientos cuyo secreto se llevaron a la tumba tiene mucho que ver con mi situación presente, marcándome tanto como los madrileños soles de julio que machacan violentos las baldosas de las plazas cada sediento mediodía con fuerza deshidratadora. Si le doy esa referencia es porque reflexioné sobre esto por primera vez en mi último verano madrileño y esas notas se transformaron en parte de la presente reflexión que le mando. Las dos imágenes de doña Puri, la joven y la vieja, se evaporaban de las baldosas y giraban a mi alrededor como molino de colores. Me envolvía como algodonoso cirro produciendo sensaciones celestiales. Mientras tanto, en uno de esos landós estacionados frente al ornamentado edificio de correos del otro lado de Cibeles en el cual se aventuran a pasear los turistas por el paseo del Prado un don Inocencio vestido impecablemente de blanco contemplaba la visión con irónicos ojos desorbitados y una sonrisa pícara de vividor malandro debajo del bigote.

*

Aquí se me volvió a atravesar un e-mail de la Paula, qué le vamos a hacer, es como si me estuviera coqueando todavía. Mejor le cuento todo para desahogarme como hizo ella conmigo. Para mientras, léaselo nomás. Me cuesta, porque soy menos cueruda de lo que parece.

Hola pacha. Gracias por tus ánimos, la verdad es q estoy hundida... después de los diecisiete meses que le dediqué a Juana en cuerpo y alma y ahora no sé q hacer sin ella. Además, suponer q es feliz... supongo q en el futuro me alegraré por ella pero ahora no puedo, tal vez sea muy egoísta pero es lo q siento. En cuanto a Luisa...ufff, el problema es q esta trabajando mucho y no puede quedar a las horas q puedo yo, sólo puede quedar super tarde pero yo al día siguiente madrugo muchísimo, así q no puedo quedar...y el resto de mis amigos es que no saben nada de... bueno, ya sabes, prefiero mantener mi vida privada y profesional separadas...entonces me ven que estoy mal pero tampoco saben por qué....con lo cual yo tampoco me puedo descargar a gusto y mi otra buena amiga que sí que lo sabe todo está en La Coruña...un poco lejos...

Lo que de verdad me duele es que parece que Juana es otra... ni siquiera se ha molestado en llamarme o escribirme o verme para ver como estoy, y sabe que estoy mal. Supongo que la otra chica la tiene ocupada....diossss, no entiendo nada, como se puede enamorar de alguien por Internet a quien ni siquiera conoce????

Dices q saldré más fuerte de este golpe...pero ahora no puedo ni respirar, no paro de vomitar, no consigo comer y me paso el día llorando.... Pacha, de verdad que no creo que me mereciera que me hiciera esto ni con estas formas, desaparecer así nomás, por que?? tanto la ha cambiado esta chica?? Antes no era así...

Perdona que te cuente esto Pacha, pero me ayuda a llevarlo y como tú la conociste, me alivia.

Bueno, un beso,

Paula.

*

Sabina llamó a Juana. La invitaba a cenar para hacerle una consulta. Quedamos en vernos el miércoles por la noche en "La Mordida", el restaurante mexicano cerca de la calle de Belén a escasa distancia de nuestro piso de la Pérez Galdós porque nos apetecían las fulminantes margaritas que allí preparaban. Sabina llegó tarde porque se quedó atascada en el tráfico de Hortaleza. Cuando apareció ya llevábamos dos margaritas cada una y las sonrisas nos bailoteaban tanto como los ojos. Un grupo de jovencitas españolas me pidió de pronto tomarles una foto juntas. Juana las veía a las cuatro, apretujaditas una contra la otra, con esas blusitas cuasi transparentes exhibiendo cinturitas de niñas recién salidas del comal de la adolescencia como un zorro contemplando el gallinero. ¡La inocencia de no tener la más puta idea de a quién le habían pedido esa foto! Quién sabe si celebraban despedida de soltera o bien una de esas espantosas operaciones de agrandamiento de tetas tan de moda entre las gringas en estos años. Eso sólo se le ocurre a la gente que no le gusta el sexo. No hay cosa más horrible que tocar esas grotescas tetas falsas. En vez de aguadarse ante la ligera caricia de los deditos ingrávidos, de deshacerse de calentura hasta flotar en el aire enrarecido correteando en gráciles acrobacias ante la más leve indicación táctil, se mantienen frías, duras como madera de ciprés, paradas como estatuas eternas puntualizadas por un pezón de hule ordinario.

Antes de que Juana se quedara sin frenos llegó Sabina, frunciendo la boca como vieja amargada. Nos sentaron en la mesa frente a la ventana como si intuyeran la posibilidad de que, del pasmo contemplativo, Juana pudiera pasar a una exhibición pública de alguna índole muy suya. Sabina inició al instante su consulta. Acababa de volver de los sanfermines. Sin embargo no se dedicó sólo a correr los toros como si se llamara Ernestina y no Sabina, con agilidad funambular, sino a perseguir a una guapa navarra que de tan claramente interesente que era se llamaba Clara. Cuando la conocimos después sus ojos nos parecieron agua mansa en un cuerpo flacucho y duro, el perfil indiferente, aparentemente despreocupada, pero resguardando con quietud y recogimiento dentro de ese miedo típico de quien ya ha sido herido antes, toda la ternura del mundo.

Sabina y Clara fueron juntas a la universidad hacía más de una docena de años. Sabina lesbiana, Clara hetero. A Sabina siempre le gustó la Clara pero la respetaba y la quería mucho como amiga. No quería violentarla, mucho menos perder su amistad. Además, muy pronto Sabina se emparejó con Paloma por misteriosas razones de adherencias. Hoy, ella misma las desconoce. Paloma era camionera de a de veras. Es decir, chofereaba el camión de la fábrica en la cual estaba empleada. Musculosa y con un pelo corto, rubio, de espantapájaros, era graciosilla pero ni muy atractiva ni con dimensión cultural digna de mención, cuando no se tratara de piropear a todas las guapas como ordinario albañil. Era capaz de agacharse al subir un graderío para mirarle los calzones bajo la falda a alguna que la llevaba muy corta. Sabina era todo lo contrario aun cuando no jugara en la misma liga de Juana y de Luisa.

Total, Sabina y Paloma pasaron a ser de esas parejas nombradas en un solo hálito, sin pausa para respirar entre los dos nombres, lo cual reflejaba no sólo lo simbiótico sino también el ahogamiento de conceptualizarlas juntas. Compraron un piso, compraron un carro, coche como le dicen en España sin pensar que entonces terminarían hechos tocino, juntas. Iban a medias en todo con rigurosidad nunca vista ni en las novelas de Corín Tellado. Hasta nuestro último viaje a Madrid nos enteramos de la ruptura. En la primavera de 2000 Paloma tuvo un accidente de camión y le quedó mal un dedo. El seguro le pagó masajista para que los huesos volvieran a su lugar luego de ser operados. Paloma le contó toda excitada y sin aliento a Sabina. Estaba convencida que la masajista entendía. Para probárselo arregló una cita entre ellas. Sabina y la masajista se conocieron y el resto es historia como dice otra frasecita cliché de las muchas saboreadas como los palos cortados que inauguran el inicio de la alegre noche.

Paloma acusó vulgar a Sabina de ponerle los cuernos con la masajista, detalle que ésta contó con los ojos bajos, tranquila y seria, como si meditara antes de seguir. Sabina juraba que no. Fue en su decir tan sólo una atracción cuya consecuencia la despertó del falso embeleso. Se pelearon. Paloma se fue de la casa y Sabina se fue con la masajista, por lo menos para mientras. Después vinieron los tediosos arreglos del divorcio. Sabina le quería vender su mitad del piso a Paloma pero ésta no quería pagar la suma pedida. Lo mismo con el carro, mientras insistía en acostarse en su cama con su nueva novia de dientes torcidos a lo cual Sabina se oponía cortante. Luego de un abigarrado y ciclónico ir y venir telenovelesco que ya no vale la pena ni detallarle, Paloma terminó quedándose con el carro y con el piso por mucho menos dinero de lo pedido por Sabina pero con una deuda del carajo. La obligó a trabajar los fines de semana y perder sus espacios de ligue. Sabina se quedó soltera, libre, desplegando esos párpados que le caían hacia los pómulos, la gran boca raída en su rostro cuadrado. Aprendió a cuidar su aspecto externo, adquiriendo una finura más maliciosa y aterciopelada, una constante sonrisa furiosa, a la vez desvalida y posesiva. Se compró otro piso y decidió recuperar el tiempo perdido durante los seis años de tediosa monogamia. Adelgazó cerca de 20 libras, se desdijo de las pajas de muchas de hacerlo sólo por amor y no por sexo como si fueran del Opus Dei pero en código lésbico, admitiendo ir por el placer vertiginoso de la carne más sabrosa que pudiera comerse entre salsas de finas especias hasta que le pusieran punto o se rindieran entre cosquilleantes gemidos y gelatinosos espasmos.

Para el orgullo gay de Madrid se llevó la sorpresa de encontrarse en la calle con Clara. Ésta le contó que vivía ahora en Pamplona y preparaba los exámenes de doctorado. Había venido a Madrid sólo para disfrutar de la fiesta con amigos gay, pues seguía siendo hetero. Sin embargo Sabina no se lo creyó del todo. Detectó en su mirada un cierto baile de pupilas delatando otros gustos irrumpiendo en el albero con toda la potencia de su casta navarra. Con sorprendente fineza de olfato empezó a probar su embestida y sus condiciones, a tantearla. La trató tan solo de fijar esa primera vez, pero de ello salió la invitación para los sanfermines. Al fin, Clara vivía en Pamplona. Sabina le contó a Juana todo esto cuando se tomó un café con ella antes de irnos para Vigo y Sabina para los sanfermines. A la vuelta Sabina nos llamó para cenar en "La Mordida" y consultar su situación con la famosa experta.

Déjeme ir por una galleta de mosh antes de seguirle contando los sórdidos detalles. Me muero de hambre y de sed, será por la goma o bien por forzarme a hacer menos líneas.

Según dijo, luego del segundo margarita y con los totopos ya consumidos, mientras esperábamos el queso fundido con chorizo, Clara la recibió con afecto. Se fueron a su casa. Abrieron una botella de Rioja crianza y empezaron a conversar, conversar, y conversar con retos conjeturales, evocando recuerdos de su niñez, posiciones políticas, comentando temas culturales, con voces libres e ignoradas, persuasivas, que nunca recurrían a las pausas. En algún momento se dieron cuenta. Se les iba la noche. Sin más salieron a la calle. Eran los sanfermines. Se caminaba con dificultad. Todo apestaba al apergaminado olor de vino barato. No pudieron hacer un recorrido largo pues las calles, plagadas de peñas de blanco con pañoletas rojas al cuello con las fajas y boinas manchadas o descolgadas, tocando tambores y txistus cuyo sonido evocaba las chirimías, eran como pequeños pasadizos minados por grupos de danzantes y flanqueados por una espesa maleza de cuerpos caídos. Parecía llegar hasta la altura de las rodillas. Caminar por allí era como meterse por un túnel del cual los trajes blancos salían empapados de goterones de vino tinto como toreros heridos de muerte.

A paso forzado llegaron a la hora del encierro. El gentío no les permitía acercarse. Empezaron casi a gatear entre sus piernas hasta alcanzar el vallado cruzando el parque entre la calle de la Estafeta y la plaza de toros. Guardias con varas impedían al público y a los camarógrafos encaramarse, a manera de que el vallado permaneciera disponible para los corredores urgidos de escape. El estallido del chupinazo anunciando la salida de los toros de los corrales las agarró allí. Rodaron bajo la última tabla, se metieron corriendo al parque cercado para evitar el varazo soberbio de alguno de los guardias y corriendo bajaron Estafeta en dirección contraria a donde venían los toros. Muy pronto hubieron de dar vuelta en U. La multitud enardecida venía como maremoto. Midieron rápidas sus opciones y dedujeron que la mejor era dirigirse hacia la plaza. Los primeros corredores comenzaron a pasarlas como si fueran en moto. Se hicieron hacia la derecha en busca del vallado salvador pero la enorme cantidad de corredores agitándose como trompos les dificultaba alcanzarlo. De pronto se abrió la multitud. Un rugido ensordecedor pareció producirles un derrame en los oídos. Los individuos avanzaron con inusitada rapidez. Sabina se volteó apenas y distinguió la testuz del toro embebida en los movimientos de sus zapatos tenis, los cuernos raspando las lozas puntiagudas como enormes troncos antiquísimos de soberbio porte. Le salió un grito ronco que pareció cortarle de tajo las cuerdas vocales mientras abrazaba a Clara por la cintura y con el abdomen erguido entre sus manos la jalaba al piso, sintiendo el golpe de las piedras en el hombro, el polvo lodoso por la fina lluvia que cayó al final de la madrugada secándoles la garganta y picándoles los ojos, el rodar mientras todo se obscurecía como eclipse total de sol. Siguió un espeso estallido. Reverberó expansivo por las lozas y dentro de su cabeza. Pensó en una bomba de ETA poquísimo antes de percatarse de que habían rodado juntas bajo la valla al instante mismo en que el de Dolores Aguirre tiraba la cornada, ensartando su punta en el madero de la valla salvadora.

Se descubrieron empolvadas, enlodadas, envinadas y abrazadas sobre un charquito empozado bajo la valla. Dudó un instante. Las rodeaba media Pamplona aunque los ojos de todos se iban con los toros y las volteretas de los corredores. No podían irse, absorbiendo la humedad como si fuera helecho. Se dieron un beso en la boca. Apenas un contacto de labios, una ligera fusión de la adelgazada línea que hubiera sido roja de haber llevado lípstic, templado de ternura y sueño. Le paró a Sabina toda la gravedad de su existencia en el vuelo alado de los labios de su Clara.

A partir de allí, moreteadas y magulladas todavía se animaron a volver a meterse bajo la valla marcadora de límites, pararse, y de la mano entrar a la plaza tras los toros antes de que les cerraran la puerta. Como capricho, mientras los monaguillos desaparecían por la entrada opuesta con el último de los cabestros, Sabina tomó el rostro de Clara entre sus manos y la besó con desgarro, lengüetazo y pellizco frente a la multitud llenando los tendidos. Al distinguirlas en el embeleso que duraba una eternidad, aunque su plástica fuera efímera y desapareciera en el mismo momento de ejecutarse, la multitud gritara al unísono "¡olé!"

Todavía mareadas y con las piernas hechas flecos de piñata rota pasaron a tomarse un chocolate con churros antes de volver a casa. Sabina le pidió que durmieran juntas y para su sorpresa Clara dijo, "Vale." Se desnudaron con cuidado, más porque los golpes musculares comenzaban a enfriarse que por otra cosa. Se metieron bajo las sábanas y el edredón cuya necesaria presencia en la fría mañana al pie de los Pirineos no dejaba de sorprender a Sabina. Pusieron un brazo sobre la espalda de la otra y se quedaron dormidas al instante. Cuando se despertaron, cuatro horas después, los músculos magullados les dolían tanto que apenas si pudieron arrastrarse hasta la bañera y meterse dentro del agua tibia.

Total, el viaje concluyó con la aguda tristeza de todas las sentidas despedidas, los abrazos interminables, la emoción no procesada de lo vivido, el largo viaje de regreso en tren. Se enviaron mensajes por el teléfono, "te quiero", "te extraño", "te deseo", antes de volver Sabina a dormir el sueño de los justos a Madrid.

Al día siguiente la llamó por teléfono. Hablaron horas. Clara le dijo claramente. Cada vez que estaba a punto de enamorarse, huía por miedo a abrir sus emociones. Hasta entonces sólo le había pasado con hombres desde luego. Huía de todos. No se dejaba ni tocar ni afectar pese a sus treinta y tres años, razones por las cuales adquirió la reputación de "fría". Sabina le preguntó si huiría de ella también. Clara le dijo "Sí". Pero horas después todavía prendida del hilo telefónico logró por lo menos una renuncia a esa decisión y le reconoció y reiteró su cariño.

La consulta de Sabina para Juana era la de saber calibrar hasta dónde empujar, hasta dónde apretar, y qué tanto espacio cederle a la huidiza Clara. Asimismo, qué pensaba Juana sobre visitarla por sorpresa el fin de semana siguiente o bien anunciársela con anticipación. Juana le respondió con honestidad, recordándole los principios de parar, mandar y templar, desplegando sus primeras arrugas alrededor de los ojos, pero no respondió hasta que la sonrisa le ocupó la totalidad de su cara. Un súbito e imprevisto descompasamiento del obscuro objeto del deseo podía conducir a la tragedia. Pensó también Juana en la posibilidad de algún trauma en la niñez de Clara o bien padecía de síndrome de abandono como le aconteció a ella misma con Leticia años antes en San Francisco, dificultando la entrega emocional. Por lo tanto, le dijo Juana, tenía que llevarla con lentitud, como bailando un empalagoso danzón y no samba picante de mucho movimiento de pies. Parte de la importancia de la faena era no perder su lugar, no perder la cabeza, no enamorarse hasta el punto de la obsesión y empezar a hacer locuras inefables tales como llamarla demasiado, acosarla con su constante presencia, aparecerse todo el tiempo por su pueblo, arrinconarla a fuerza de declaraciones afectivas, obligándola a huir.

Sabina tomó nota de todo, lo registró, lo agradeció e insistió en invitar a copas luego de la cena. Nos fuimos hacia la plaza de Chueca encontrando una mesa frente al "Truco". Allí nos instalamos alegres y para conmemorar la aventura sanferminesca pedimos los tres un Patxarán. Apenas nos entonábamos con el sabor dulzón de la bebida navarra cuando cerraron la terraza. Teníamos un cuarto de hora de haber llegado pero el tiempo consumido en "La Mordida" era mucho más de lo pensado. Se me ocurrió dirigirnos al "L.∴L." para reírnos un poco con el simpático show travesti de la Juanjo mientras nos tomábamos la última de la noche. Aceptaron gustosas. Nos paramos y distraídas empezamos a cruzar la plaza en esa dirección. Cuando pasábamos dicharacheras frente a la terraza del "Bohemia" nos llevamos la primera sorpresa de la noche. La despampanante Luisa siempre ardiente y excesiva estaba sentada en una de las pocas mesas que todavía quedaban fuera, cuidando celosa de sus damas de compañía. Fue vernos y parándose, besándole los dos cachetes a Juana, dijo categórica con esa voz interrogante que era siempre una orden incuestionable:

–¿Nos vamos al "Why Not?"?

Enseguida corrió a maquillarse al baño del "Bohemia" para estar a la altura. Juana se sentía en plan de disfrute de travestis. Sin embargo, en cuanto bajó al baño la otra reina el séquito se descompuso. Fina, la flaca niña loquita de pelo corto y caderas apretadas de torero casi se le tiró encima con un maullido de gato. La pedante Gabriella de padre italiano hasta consiguió arrugar su rostro con sonrisas forzadas pese a que siempre sospechaba que nosotros teníamos la culpa de que sus redondos cachetes la hicieran inapetecible y una pecosa dykita simpatiquísima de Albacete con los ojos pequeños y felices quiso venderle un collar como mecanismo de ligue. Se aprovecharon de la fugaz desaparición para intentar seducir o, más bien, ser seducidas por la codiciada Juana en singular arrebato de pasión. Juana sin embargo estaba desganada. Las tres aspirantes se pelearon por ofrecerle una silla, acercaron las suyas hasta formar un semicírculo a su alrededor como buenas discípulas y comenzaron a miquear como mejor pudieron. Juana bostezó y le lanzó una mirada cómplice a Sabina de reposado cinismo.

Cuando la Luisa volvió recién maquilladita para lucir con sus mejores galas se percató del error táctico de dejar solitas a sus damas en tal compañía. Tan solo Natalia la de Cádiz ignoró a Juana con su sonrisa bondadosamente cínica, pero porque esperaba encontrarse con su otra mitad, llamada también Natalia pero de puerto opuesto, de Gijón, en el "Why Not?", como en efecto sucedió.

A regañadientes Juana aceptó cambiar de planes, más por desidia que por otra cosa. En ese momento no tenía yo claro si actuaba así porque la iniciativa no era suya o bien porque de verdad le aburría la idea de repetir en tan apretado sitio permeado de humo y de molestos hombres estrechos. Con malicia le comentó a Sabina que Luisa nos hizo esperar maquillándose como tomando nota para futuras venganzas. Luego, ya caminando la corta distancia que nos separaba del objetivo del instante, todavía se las arregló para generar más fricción. Cruzando la calle se paró a platicar con alguien en un carro y no tuvo el menor empacho en hacerlo justo en la mera esquina de Augusto Figueroa, paralizando todo el tráfico. Los otros carros empezaron a bocinar con insistencia neurótica. Juana se volteó a ver, hizo una mueca de disgusto y continuó caminando tranquila al lado de Sabina sin esperarla. Yo detrás. Como siempre, el perrito faldero. Fueron las damas de compañía las que corrieron presurosas y jadeantes a alcanzarla. Visto esto la Luisa también se apresuró para no descolgarse del grupo. Todavía antes de entrar se puso a telefonearle a Mayte quien, tan sólo una semana después de la aventura que ya le conté con morbo de loca había desaparecido del mapa esa noche de miércoles veraniego.

Por una vez el paso por la fábrica de chorizos fue tan sólo una breve aventura. Entrando, la Luisa se fue directo al bar como en la ocasión previa. Juana, desdeñosa, se colocó en el extremo opuesto con Sabina y conmigo, estableciendo allí su querencia. Luisa esperaba que todas las chicas la siguieran pero Fina, la más guapita de las damas de compañía y a la que Luisa deseaba pegarle el remolón aquella noche, siguió a Juana despojada de voluntad y empezó a bailotearle alrededor con sonrisa tan ancha que rara vez vi tantos dientes juntos.

Pedidas las bebidas la Luisa se percató de la afrenta e insitió en llevar al grupo hacia su punta del bar. Pero Sabina, Juana y Fina la ignoraron olímpicamente y al poquito tiempo Gabriella también se le alejó y se fue acercando a la querencia de la Juana. Rendida ante la evidencia Luisa dejó de insistir y se encaminó entregada hacia donde estábamos todas. Empujó cariñosa a la Fina y se plantó frente a la Juana. Con sonrisa seductora empezó a tratar de desatar los moños que su camisa tenía sobre los hombros y mantenía unidas las dos mitades. Juana se sonrió y le hizo cosquillas acariciantes en la panza. La sorpresa de Luisa fue mayor. Al retraerse Sabina, Luisa le quitó la camisa súbitamente a la Juana, quien evidenció un bandeau top negro sobre los senos más bellos del mundo. Afrontada una vez más, Luisa se alejó unos pasos, cediéndole su espacio a Fina, quien parecía mirar a la Juana con los dientes. Todas las chicas colgaron sus bolsitas en los ganchos de la pared justo detrás de donde se recostaba la Juana de manera que sus manos pasaron con peligro cerca de los magnéticos senos casi al aire.

Ya instaladas con toda comodidad, Luisa reapareció para decir que las Natalias habían encontrado un rinconcito muy bueno al final del bar y que nos fuéramos para allá. Tontas, obedientes, Gabriella y Fina la siguieron y, he de confesarlo, yo también, quizás por esa cosa inenarrable que tenía a veces de llevarle la contraria. El sitio quedaba frente a los baños. Las Natalias tenían su lugarcito en el rincón curvo donde acababa el bar y Luisa se anidaba allí también pero las demás quedamos en tierra de nadie entre el bar y el baño donde todos los estrechos al pasar a orinar, y los había muchos, aprovechaban para darnos un empujón y meterle mano a las guapísimas. Dadas las desventajosas circunstancias y la pérdida de querencia el humor de Juana se diluyó con la rapidez de un helado caído en el asfalto madrileño a mitad de julio. Repugnada por los hombres tocones, cuchicheó con Sabina y me dijo con sequedad:

–Nos vamos para "Escape".

–¿Ya? ¿Tan pronto? alcanzó a decir todavía Luisa en un lentísimo parpadeo de sus largas pestañas mientras se arremangaba las mangas de la blusa de seda. La sorprendidísima Fina despeinada e inconforme ni siquiera acertó a decidir si quedarse con su reina natural o seguirnos. Dando media vuelta y justificando su orden de marcha al día siguiente cuando me dijo, "fue el gesto desesperado de una reina desesperada que siente que está perdiendo su poder", por el shock del susto que Mayte le pegó con la Chantal, salimos de ese salchichón caliente y alargado, del mentado bar. El tiempo le daría razón a Juana, desde luego. Un año después Luisa nos confesó lo verdaderamente deprimida que se encontraba en ese verano de la pérdida de Mayte, hasta el punto de pensar en el suicidio, de abandonarlo todo e irse a vivir a California, cualquier cosa menos seguir sufriendo, mientras se inventaba más presentimientos de futuras desgracias para hacer su presente más llevadero.

Pero esa noche de la cual le contaba nos encaminamos ya más tranquilas al "Escape" donde esperábamos sólo un breve intervalo aburrido. "Escape" se caracteriza por ser sauna asfixiante los viernes y sábados y triste caverna abandonada hasta por los murciélagos las demás noches.

Sin embargo la vida te da sorpresas, sorpresas te da la vida, porque "Escape" estaba más lleno de lo habitual para un miércoles. Sólo hasta la mitad pero lo suficiente como para crear un ambiente sabrosón. Además, apenas entramos, una chica casi idéntica a la actriz Paz Vega, la de *El otro lado de la cama*, sentada en un banco hasta el fondo vio a Juana y se quedó como estatua. Ya no pudo quitarle los ojos de encima. Como si no nos hubiéramos enterado de nada evitamos pedir trago en el bar de la entrada y caminamos a todo lo largo del lugar hasta el bar interior donde Sabina insistió en comprarnos una copa a los tres. Luego, trago en mano, volvimos hasta la entrada donde había menos gente, caminando muy lentas frente a la alhelada Paz Vega. Estaba acompañada de una dykita simpática, flaquita de pelo claro. No sabíamos si era sólo su amiga o bien la señora de su cuerpo. Juana se hizo la desinteresada. No se volteó a verla para nada y aceptó que Sabina la sacara a bailar.

El juego se volvió más sabroso. Sabina bailaba con Juana con vuelos retorcidos. Yo miraba a Paz Vega mirar a Juana bailando con Sabina. Ella la miraba también. Sabina, siempre al pie del cañón de la solidaridad, me sacó a bailar en cuanto tocaron una salsa a sabiendas de que no eran el fuerte de Juana y no vi nada mientras bailamos rimbombantes con los bracitos por detrás de la cabeza, saltito, vuelta y a retomarlos por la cintura, pero me imaginé con claridad que Juana pretendía vernos bailar pero en realidad estudiaba clínica o cínicamente a Paz

Vega, quien se haría la desentendida a menos que anduviera tan embobada ella misma que ni cuenta se daba de ser singular objeto de estudio. Al volver la música house Sabina volvió a bailar con Juana. Vi a Paz Vega arropándose de valor, empujada por su dykita que la animaba con gestitos, encaminarse casi hasta el punto donde Sabina y Juana bailaban como perros marcando su territorio. Paz Vega estudiaba el cuerpo de Juana antes de espantarse y volver disparatada, casi corriendo, a su mismo punto de arranque. Me costó suprimir la carcajada en ese instante. Juana pretendió no enterarse de nada pero volvió a ponerse lípstic en la boca.

Paz Vega bajó las escaleras para ir al baño con su dykita. Juana se alejó ligerita de Sabina. Nuestra amiga ya se había calentado con la bailadita pegajosa y a lo mejor hasta llegó a fantasear una su movida con la reina de las reinas pero Juana medía muy bien sus espacios. Calculó los minutos que Paz Vega pasaría en el baño con matemática precisión y dejando de pronto a Sabina a media canción caminó hacia el punto exacto en el cual se iniciaba la escalera, llegando en el momento preciso. Paz Vega reaparecía.

Se vieron la una a la otra. Paz Vega, airosa y delicada con su tesitura de colores anegados en un pantalón celeste bien ajustado, se quedó paralizada, fundiendo su nobleza con la afloración del miedo. Su amiga/novia dykita le dio un ligero empujoncito de ánimo. Sin mediar palabra, como si no tuviera prisa alguna pero evidenciando la energía de su verdad interior, Juana la tomó con suavidad de la mano izquierda apenas acariciando la piel con sus dedos pulgar e índice. Grácil y esbelta puso la otra mano en su cintura e inició el baile con seriedad serena. En la primera vuelta la arqueó hacia atrás y elevándose de la gravedad que parecía incapaz de retenerla, le plantó con brillo deslumbrante un beso suave en los labios entreabiertos.

Todo lo que siguió ya estaría escrito en los anales del amor o bien en los misteriosos escritos de la historia del mundo. Sabina y yo fuimos meros espectadores, testigos del hecho. Sin embargo, tan calientes nos dejaron que al marcharnos y verlas desaparecer en la oscura calle de Gravina tan metida la una en la otra como si fueran un solo individuo transformado en mito, Sabina todavía me tiró los perros, invitándome con gestos circulares, ojitos y caiditas de boca a irme con ella a terminar la noche. Pero entendí que era más la estela de la calentura en la cual nos ahogaron Paz Vega y la Juana. No se trataba de un profundo deseo de mi cuerpo. Era necesidad de orgasmos incitados por las otras, no verdadero afán de curiosearme desnuda. Haciendo acopio de las escasísimas fuerzas que me quedaban, recordándome que a pesar de todo el sutemi del mundo todavía tenía cuerpo pero uno que me provocaba resquemor íntimo en su desnudez al evidenciar imperfecciones antinaturales, se lo agradecí desde lo más profundo de mi corazón. Quedamos de hablarnos, nos besamos el cachetito con cariñito, la acompañé hasta el parking donde dejó el carro y curiosa, curiosa, me encaminé rapidito de vuelta al piso para atestiguar la primera noche de Juana con esa otra Paz Vega entregada a su destino.

*

Ya antes le he hecho aclaraciones posteriores sobre mi particular situación en los deseos de la Juana. Olvido con frecuencia cuando me trató a mí como a nadie más en el mundo, reina de reinas sin duelos ni pérdidas llorables, recuerdo con excesiva claridad cuando se fue con otras como si hubiera sido en lúgubres cuartos con paredes gris ceniza pese a que nunca lo hizo de mala manera ni sin previa advertencia. Olvido, sí, que acomplejada por mi cuerpo me le quise escabullir desde un principio y que fue ella quien me siguió, persiguió, insistió y me amó a su manera, pero sin protagonizar los placeres que yo más quería en el mundo. Me mimó, me cuidó, regocijó y fortaleció, facilitando mis futuras decisiones y transformación definitiva. No hay duda. Sin la fuerza que me dio no sería hoy la que soy. A lo mejor ni siquiera estaría aquí escribiéndole, por lo que usted ya sabe. Las veces y maneras en que lo pensé son tan estúpidas, tan melo y tan dramáticas, que por purita vergüenza no se las vuelvo a enumerar, aunque de todo eso sí le hablé en nuestros encuentros cara a cara previos a la operación. Pude quedar también allí cuán larga soy, violada, apuñalada y degollada en completo relajo pero Juana me rescató siempre del desastre mientras se cogía a otras. ¿A quién le importa? Basta con que sepa que pese a todo la Juana sí me quiso tupido, me apacentó, me enseñó indómita a carcajearme de las estupideces humanas y de las mías con la espalda arqueada, con voz áspera como la breña, a dominar el temblor de manos, usando mejor los dedos para toquetearme, espolvoreándole milagros a quien se dejara sin cólicos morales. Pero en lo que más me ayudó fue en dejarme ir, despidiendo la torpeza de mi nuevo cuerpo. En estos emails sin embargo tengo el derecho a ser parcial y pintarla peor de lo que fue para sacármela por fin de encima. Incluso, de inventarme situaciones, enconado por la tristeza y por los celos.

*

13 de septiembre, 2000

Queridísima Paula:

Me enterneció tremendamente tu bellísima y emotiva carta, que encontré en mi buzón al regresar hace dos semanas apenas. Empecé a escribirte una respuesta casi inmediatamente, pero enmedio de los malgastados giros de palabras que no conseguían expresar lo que verdaderamente sentía por vos, pedacito de sueño porteño sin la pesadez de tus coterráneos, me distraje también por el drama que ya conocés porque te lo platiqué una y mil veces: las complicaciones hormonales de Pacha y su posible operación. Además, como ya te había contado, antes de tomar esa última decisión tan irreversible, habíamos decidido que se mudaría conmigo, lo cual no dejaba de complicarme bastantito la vida, pues ya para las dos, mi casa es apenas un huevito, aunque creo que te conté también que me había decidido finalmente por construirme una nueva en Laguna Beach, con vista al mar, hot tub en el jardín y todo. Espero que no vayás a pensar que mi retraso en contestarte tenga relación con mis sentimientos hacia vos, pues no es el caso pero para nada, nadita, lo juraría por Dios si fuera creyente. La lentitud de la respuesta es porque mi propia voluntad ha sido víctima de las circunstancias presentes y de las miles de decisiones a tomar, con sus consabidos gastos que me salmodian con sus numeritos asustantes hasta la madrugada.

Me alegra pensar que te ayudé de alguna forma a realizar tus deseos y a ver que podés encontrar la felicidad al lado de una mujer, como siempre habías fantaseado y como me contaste que quisiste hacerlo siempre, pero me entristece saber que has sufrido tanto con mi partida de Madrid. Debés saber, y espero que esto lo sintás íntimamente, que me produjiste una especie de soplo hechizante que me hizo llegar hasta la cima de la alegría durante las semanas que compartimos juntas. En otras palabras, me afectaste también profundamente a pesar de mis silencios de fuego posteriores, pero mi maltrecho cuerpo se acuerda muy bien de tus caricias, y sobra decir que te extraño muchísimo, a pesar de las actuales circunstancias personales que me impiden decirte como lo hubiera hecho cuando fui adolescente, de que lo tiraba todo por la ventana y me iba corriendo hasta los suburbios de Madrid en afanosa búsqueda de tus huesitos de pajarito que estos colmillos de lobo quisieran volver a saborear. No fuiste, no podrías ser nunca, "algo pasajero" como me lo decís. Me enamoré de veras. Te veo tras mis retinas cada vez que cierro los ojos, y tu imagen me saca más de una lágrima. Mis ojos no encuentran refugio alguno para ese desamparo y, a veces, hasta te confundo conmigo. Si de veras te hubiera visto en cualquier momento de nuestra relación como si fueras algo secundario, nunca te habría presentado a nuestras más íntimas amigas para que te cuidaran, te protegieran, te acompañaran, durante mi acojonante ausencia que aún continúa y seguirá hasta que pueda volver del otro lado del charco. Al contrario, hubiera hecho todo lo posible por alejarte de mi mundo, de las personas a quienes más quiero y que mejor me conocen, ¿no te parece? Sin embargo sabía que sería injusto pedirte que te quedaras a mi lado. Hubiera sido un supremo gesto egoísta de mi parte, ya que, empotrada como estoy por razones financieras en esta Calipatria tan extensa como impersonal, no puedo ser para vos lo que en tu corazón desearías verdaderamente que fuera, y lo que te merecés por ser la maravillosa persona que sos, a saber, una compañera plenamente entregada a vos, y sólo a vos, que convive con vos y que comparte cada instante íntimo de tu vida. Pero eso no quiere decir que no me podás llamar, escribir, y ver (si es posible); al contrario, me alegraría enormemente hablarte, y aun más verte de nuevo, verte muchísimas veces, lo más posible. Decime cuál es tu horario ahora que estás trabajando para que pueda saber cuándo llamarte.

Aquí hemos empezado a volver a la normalidad del inicio del año académico. Pacha me chupa mucho más tiempo y energía de lo que desearía, pues como sabés, soy su tabla de náufrago. Sólo esta semana he logrado establecer ya una disciplina de trabajo que me permite convivir conmigo misma y reencontrar de nuevo mis múltiples voces interiores. Ya estoy relativamente tranquila y reconcentrada, aunque todavía no me acostumbro a tener que compartir mis espacios íntimos, y a ser vista por otros ojos cuando ando como monstruosa espantapájaros, embetunada de cremas y de cosas.

Contame cosas de tu vida. ¿Seguís saliendo con Luisa y con las otras ilustres damas de Chueca? Cuidado con esa Luisa, eh. Sabés cómo la quiero, pero es capaz de robarte en cualquier momento. ¿Cómo va el trabajo? ¿Tenés tiempo para nadar? ¿Cómo está tu familia? ¿Tu perro? ¡Cuánto extraño tu voz y tu conversación inteligente! Cuando seás un poco mayor descubrirás que más allá del placer de perderse en el ritmo de los abrazos hirvientes de una mujer guapísima, está el placer de poder conversar con inteligencia, con similar entendimiento cultural, con alguien que comprende la hermosura de las palabras.

Te mando con esta carta algunas de las fotos que sacamos en Barcelona y en Sitges. Te ves guapísima en todas, y especialmente en las que no te mando, y que atesoro como recuerdo lujurioso de lo que pudo ser. Escribime pronto, pero prometeme que no te frustrarás conmigo si soy un poquito lenta en contestar.

Miles de besos, toneladas de abrazos y mucho más cariño del que me darás crédito.

Juana

*

Esa carta la conocí mucho después de iniciado el romance que arrastro todavía como si fuera una prisionera dentro de un violín. Con Paula pasamos unas semanas idílicas en Sitges. Juana la conoció en

"Escape", la disco detestada de Madriz, como decía bromeando al imitar la pronunciación local. Nosotros lo decimos con una "d" suave, sedosísima como si fuera ofrenda de queso y miel, al final. Fuimos una de las tantas noches de los muchos veranos, aunque los mares fueran siempre diferentes, con Luisa y sus damas de compañía. Esa noche en particular la Juana estaba furiosa. No quería entrar por tanto humo, decía. La verdad era que me agarró besuqueándome con otra en el "Leather" y se puso celosa pero no quería admitirlo. Ella lo hacía siempre pero consideraba un atrevimiento que le pagara con la misma moneda. Es cierto además. Los españoles fuman tabaco sin hachís que dan miedo y la discoteca en cuestión no tenía ni pizca de ventilación. La humareda marcante producía marasmo. Mareaba más que la marea del mar cuando se deja venir en marejada con la marabunta de gente marañosa, marchosa, marciana, marchita, apelmazada hasta perder el conocimiento como en sauna ardiente cuando no horno de pizzería, llena hasta los topes en las noches de sábado. Ya le conté antes de "Escape" por esos otros banquetazos memorables con la Chantal y la imitación de la Paz Vega.

Desenfundando el sable Juana me dijo no querer entrar. Me puse a discutir porque yo sí. Casi nos peleamos allí mismo y la camionera de la puerta lo vio. Cuando quisimos entrar casi no nos deja porque creyó que andábamos bolas o drogadas y le íbamos a armar alboroto adentro. Luisa la conocía sin embargo y con su terca sonrisa boing-boing en media luna la convenció con ese su modito de niña pija, metiéndole casi en la nariz la blusa justa que llevaba sobre el pecho. Total, entramos. Yo me fui con la Luisa al bar de la entradita en busca de las ansiadas bebidas, pues sólo de ver la molotera me deshidrataba y soñaba con inhalarme una coca con todo y cola. Juana desapareció en el fondo. Con el gentío y el humo era imposible enterarse. Reapareció engolosinada como a los 10 minutos jalando de la mano a una jovencita con un hoyito devastadoramente seductor en cada cachete, a quien le era imposible cerrar la sonrisa, tímida hasta casi la insolencia, pero también dramática y alegre con esos ojazos de pantera que parecían faroles. Era Paula. Una esplendorosa cabellera castaño claro que invitaba a la caricia le cubría los hombros. Llevaba unos blue-jeans tallados y una blusa blanca sin mangas, muy escotada. Según supe después, la miró bailando con un par de amigos, la tomó de la mano, le dijo en buen chapín, "Vos sos pa' mí, venite pa' acá" y se la llevó hacia nosotras sin que pudiera ni protestar ni decir ni pío. Que conste. No opuso resistencia.

–¿Se te ofrecerá una bebida digna de tu belleza, argentinita de plata?

Engatusada quedó pero encendida e incendiada también. No volvió a ver a sus amigos esa noche, enterrada ecológicamente en los perjuicios del deseo. Paula era jovencita, suavecita que no siempre es lo mismo que blandita, y empurraba la boca cada vez que se quedaba pensativa. Argentina como la misma Juana nos lo hizo saber inmediatamente. De allí su comprensión del voseo chapín, pero vivió toda su vida en España como tanta hija de intelectuales exilados. Metida en diseño arquitectónico, era culta, politizada, divertida, gran bailadora, un tanto romántica por la edad. Cinco años después escucharía desde su casa las explosiones de Atocha y me enviaría un brillante análisis de sus consecuencias. En aquel entonces parecía más femenina porque no levantaba pesas todavía, aunque si Juana supiera que le escribí esto me mata. Tenía la cara ligeramente redondita y una mirada de niña buena que desarmaba a cualquiera por sus larguísimas pestañas, pese a la boquita pícara que se atrompitaba en forma de corazón, todo gracias a esos ojotes candorosos, verdes, quemando hasta el calor. Bailaron mucho esa primera noche, suave, Juana sosteniendo el cuerpo de Paula que bajaba y subía como si estuviera haciendo sentadillas, los camotes hinchándose y deshinchándose, o bien se arqueaba hasta casi tocar el piso con su pelo, los fuertes brazos de Juana bajo su cintura, las venas saltándole por el esfuerzo. Se deshacían en miradas sedosas y en manoseos que parecían cebo derretido, como si Juana fuera Charles Mingus y Paula su precioso instrumento, los dedos toqueteando cada una de las cuerdas, exprimiéndolas hasta sacarle todas las notas posibles. Paula runruneaba sonidos ininteligibles como ronquiditos empurrados de gatita y en arranques convulsos e incontrolados le mordía dulce el cuello a Juana mientras la abrazaba por la cintura. Tan metida en su caracoleada pasión andaba que ni cuenta se dio que yo estaba parada a su lado, observándola detalladamente sin poder detallármela. A su vez era clarísimo que la Juana enternecida se moría por enseñorearle todos los secretos del placer habidos, por haber e inventables.

Terminamos todas juntitas pues Juana compartía

el hotel conmigo. A mí me tocó dormir en el sofá de la salita ya que era una suite, lo cual nos facilitaba el trabajo académico durante el día, pues aunque usted no me lo creyó la primera vez que se lo conté, trabajábamos todos los días durante nuestros veranos españoles. Si no, no tendríamos las dos esa lista de publicaciones en nuestro currículum ni el trabajo que medio me permite sobrevivir a reculones.

Medio las espié en la oscuridad de la noche pero no había ventanas donde estaba la cama y la negrura era apabullante. Mi imaginación se excitó con los leves aullidos de perrita asustada de Paula y con la grave risa maliciosa de Juana perforando todo bobalicón intento de solemnidad. Los ruidos de movimientos de cuerpos frotándose el uno contra el otro acompañados de bestiales gemidos de ardorosa pasión se hicieron en algún momento tan intensos que parecían la banda sonora de una baratísima película porno. Terminé masturbándome solitita en ese sofá, pues a la tortura de escuchar sin ver nada, ciega, la acompañó mi espesa imaginación ardiente. A pesar de soltar tremendo alarido cuando gocé, las fantaseadas ni siquiera se dieron por enteradas.

Al día siguiente era domingo de carne derretida. Nomás despertarme la Juana anunció solemne, un flashazo, que se iría con Paula a ver *Aimée y Jaguar*, la película lesbiana de moda en ese verano. "Pero si quedamos con la novillera para la corrida", le dije con voz alarmosa.

–Te vas vos. Le explicás el rollo. Ella agarrará la onda.

Refunfuñé, pero sabía cuando la batalla estaba perdida. Quedamos de juntarnos después de la corrida en el bar taurino del hotel Tryp Reina Victoria en la Plaza de Santa Ana y picotear tapas por allí para saciar el buche.

De la corrida ni le cuento. Sé bien que no le gusta. Basta con que sepa que fue mala, ineficacia de desesperación. Pero la novillera, quien aún vivía con su madre, la cual fue abandonada por su marido, marujota provinciana que no podía concebir siquiera que su hija besara a otra mujer pese a saber lo necesario para llegar a tales conclusiones, me enseñó el patio de cuadrillas, bajamos a la plaza y visitamos los toriles, caminamos por la arena todavía manchada de inmunda sangre, montón de cosas fascinantes para quien gusta empaparse de sudores ajenos derretido bajo el sol. Nos volvimos luego hacia la Plaza de Santa Ana no sin antes pasar por "La Venencia" en la calle Echegaray a tomarnos un "palo cortado". Allí me contó las dificultades de las mujeres en la escuela taurina de Madrid, la imposibilidad de salir en un cartel sin antes acostarse con alguno de sus funcionarios. Entramos al lobby del Reina Victoria justo cuando llegaban secreteando Juana y Paula bien agarraditas de la mano como cachorritas recién paseadas por la plaza que llegan jadeantes, las puntitas de la lengua delatando el pletórico placer, los rostros iluminados de alegría. La novillera le regaló a Juana un par de banderillas que le había puesto a un novillo en otra ocasión, nos tomamos fotos frente a la placa de Manolete y después las dicharacheras chicas chingonas se besaron larga, larga, larguísimamente antes de que Paula por fin se marchara como toro a los chiqueros, pues vivía en las afueras de Madrid y para colmo, todavía con sus papás, quienes no sabían que era lesbiana.

—La invité a venirse con nosotras a Barcelona.

Sentí unos celos punzantes, punzocortantes, de tasajearla con fino bisturí al descubrir que la faena era otra. Me hicieron empuñar las manos pero nada dije. Después de todo conocía a la Juana. Más aún, conocía la temible cólera de Juana. No la quise desatar. Insistí por lo tanto en sacarme la ansiedad atragantándome con tapas e hice capricho para subir por Núñez de Arce para pasar por donde las patatas bravas viendo los famosos espejos esperpénticos de Valle-Inclán antes de seguir hacia la calle de la Victoria en busca de "La oreja de oro" donde tanto me gustaban las orejas fritas con su vinito gallego, terminando con el dulzón vino del abuelo cuyo local quedaba enfrente, copas degustadas en buena compañía de unos camarones al ajillo mucho más ardientes que una biliosa hoguera de Torquemada.

Dejé a Juana ocuparse de los arreglos del viaje. Nosotras salimos por tierra al día siguiente en auto rentado. Íbamos a entrevistar escritoras. Paula sólo podía unirse a nosotras el siguiente viernes por su trabajo. Les tuvo que pedir permiso a sus papás, pero le dijeron que con las profesoras gringas podía ir donde quisiera porque les tenían toda la confianza del mundo. Tomaría el avión a Barcelona, pasaría una semana en nuestra dulcísima compañía o, mejor dicho, en los tentáculos retráctiles de Juana y luego volveríamos juntitas a Madrid.

Pasamos por Málaga, Alicante y Valencia, subimos por la serpenteante costa llenando el buche con los mejores mariscos del mundo, desplegando temeridad de colores en restaurantes memorables cuyas caparazones cortaban al poco entendido como navajas tibias. Llegamos a Barcelona un día antes de Paula. Previendo su refrotada venida, Juana reservó dos habitaciones en el Gran Hotel Catalonia en el Carrer de Balmes, cuyo listado encontró en el *"Damron Women's Traveller"* anunciado como "gay-friendly" aunque, la verdad sea dicha, nunca nos dimos por enteradas. Todos los huéspedes parecían estrechos. Una de las habitaciones era desde luego para mí, chiquitita, estilo hotel suizo o alemán, ultramoderna, hermética, apretadita como la casa de los enanitos de Blanca Nieves, donde no se podía abrir la ventana. Sentí claustrofobia de sólo verla. Sería la primera vez en dos años que no dormía en la misma habitación con la Juana.

Recorrimos alegres toda la zona del ensanche, paseándonos por la Rambla de Catalunya y el Passeig de Gràcia hasta casi llegar a la Avinguda Diagonal. Hacia el atardecer, en un día de no parar, Juana ya era un tren a toda velocidad. Nos dirigimos al aeropuerto. En un arranque de vomitiva caballerosidad el cual debe tener su consciente explicación masoquista que usted podría explicarme, la dejé bajarse y entrar solita a buscarla, toda ella un resorte explosivo como resultado de su aprehensión, excitación e impaciencia, mientras yo esperaba trastocada en el carro con el musicón a todo volumen, envaselinando pedos gimientes de la pura angustia.

Salieron abrazaditas como a la media hora, comiéndose con unos ojotes que tejían aparatosos tormentos para mí. Estaban poseídas. De tanto mirarse y frotarse una contra la otra no miraban nada más, y un taxi casi las atropella. Hice sonar la bocina pípí para que se percataran picoteadas dónde las esperaba y no me asombró el despiste de Paula pero sí el de la Juana, quien parecía mariscal de campo para moverse en las geografías urbanas. Aun así tardaron porque caminaban en zig-zag, moviendo las piernas hacia los lados en vez de hacia adelante. Debí haberme dado cuenta desde esa vez pero me cegaba la vanidosa seguridad de mi situación.

Nos fuimos al Café Miranda en el bien llamado Carrer de Casanova cerca de la Via de les Corts Catalans, el suntuoso restaurante escogido por Juana, siempre Juana, para conmemorar la histórica noche crujiente. Gayísimo hasta la parodia, con cocina internacional, donde los comensales son de súbito interrumpidos a medio bocado con toque delicioso por deslumbrantes shows de travestis delgadas y altísimas iluminados de manera que parecen divinidades en órbita. Ya ni sé en qué género describírselas. Había otra mesa llena de guapas mujeres y las meseras, también travestis, eran de un afeminamiento tan bello y sutil, tan estilizado que era difícil no matarse de la risa. Se bebió tres vasos de vino en un santiamén, y ya para la hora en que finalmente sirvieron la comida estaba re inquieta conmigo, como si sintiera la obligación de incluirme en la noche pero contra su voluntad. Durante el postre Juana le confesó a Paula que había días en que se angustiaba porque se sentía un cero a la izquierda y luego se reía de sí misma. Agregó mientras se tomaba un espresso que quería más sexo, más palabras, que, la verdad, le encantaba cuando hablaban después de un par de copas, que no todo era coger, que le encantaba quien era ella.

Después salimos a bailar al "Coño Tu Prima" en el Carrer del Consell de Cent, y bailamos, sudamos, bailamos como si estuviéramos haciendo los arabescos de la danza del vientre, girando las caderas y extendiendo los brazos como si estuviéramos a punto de despegar, de volar, con ese poder de convicción que empapó tupida y trepidante las vívidas partes aludidas por el nombre del antro en cuestión que lodosa decaía exhausta. Al final las chicas decidieron ventilarse un poco. Nos deslizamos hacia la calle pero no se ventilaron nadita porque estaban pegosteadas una a la otra como rémoras. Nos fuimos al "Arena" en el Carrer de Balmes para estar más cerca del hotel. Juana y Paula siguieron pegadas bailoteando, ronroneando y sudando chorros como si se hubieran dado un chapuzón, hasta decir basta. Conduje de vuelta mientras se besuqueaban en el asiento trasero y cuando se bajaron casi sin decirme buenas noches me quedé calientísima. Regresé al club con la esperanza de encontrar quién me enjoyara. No tuve suerte pero sí encontré una pareja de guapotes y los invité a acompañarnos al día siguiente. Enseguida, bebí y bailé hasta que se me pudrió el deseo, volviendo sólo para conciliar el huidizo sueño del fracaso.

A la mañana siguiente salimos para Sitges. Tamaña sorpresa nos llevamos cuando los chicos nos esperaban en el lobby del hotel agarraditos de la mano como mansos elefantitos de circo con su magro equipo de baño colgándoles del hombro. La ventaja era que tenían un carrote más grande y poderoso que nuestro autito rentado, donde cabíamos todas con comodidad. Así, en menos de una hora estábamos en Sitges, irrefrenables. Más tiempo nos tomó encontrar el complicado camino hacia la playa nudista. Ellos tampoco conocían. Apareció por fin al final del Passeig Maritim después de donde terminaban los pequeños chalets y los chatos edificios cuadrados de turistas con la cal todavía fresca. Nos lo indicó el amable propietario uruguayo de un chiringuito al lado de la discoteca frente al mar, quien de paso nos invitó a salir a dar alguna vuelta con él algotro día. Amable, simpático, de gestos auténticos. No nos lo tomamos a mal porque sabíamos que la invitación iba más para la pareja de chicos. A diferencia de los inaguantables avances de los estrechotes siempre acompañados de turbias intenciones a cuanto más desagradables, su manera tranquila de sugerirnos el potencial paseo casi obligaba a darle un azafranado "sí" acompañado de abrazos de complicidad. Fue allí donde nos tomamos la última botella de agua en muchísimas horas, apenas aligerándonos la goma.

Felices como lombrices caminamos en lo alto del acantilado contemplando el sublime tono aguamarina del mar monopolizando nuestro horizonte, mientras unas lomas herbosas descendían hasta él como rindiéndole pleitesía, el mar pareciéndonos un gran vacío que hechizaba con encantamientos irresistibles de viejo brujo. Bajamos. Era una playa calientísima por la desagradable abundancia de piedras horneadas por el sol veraniego, con un pequeño café en la punta, en lo alto de un semiacantilado rodeado de rocas y un pinar atrás del puente de la línea del tren, donde los hombres desaparecían durante horas, regresando con caras bobas y andar lento para hacer la siesta bajo el sol. El ruido del romper de la ola con su fondo empedrado se oía distintivo a todo el rededor, marcando un pausado ritmo similar al de los cantos gregorianos por su efecto calmante. Rompía los moldes del habitual tiempo y espacio hundiéndonos en un estado semi-comatoso de vigilia adormecida mientras nos frotábamos endulzado aceite de coco por los tostados cuerpos desnudos que parecían subrayar que en esos momentos no había reto inalcanzable en materia de gozo.

El calor, abrumador, y entrar al mar para refrescarse un martirio, tanto por el dolor de las puntiagudas piedras en las plantas de los pies y lo frío de esa agua nada tropical cuya temperatura cortaba casi tanto como las piedras, como por la fuerte corriente submarina capaz de chupárselo a uno mar adentro. Los chicos, la onda lustrosa del sudor iluminándoles la frente, después de los ritualísticos gestos de diplomacia y de recién ganada amistad se desaparecieron a su vez en los pinares. Pasaron las horas y no volvían. Como habíamos llegado en su carro no teníamos más alternativa que esperarlos. La Juana comenzó a impacientarse y me ordenó ir a buscar bebidas al café. Se moría de la sed y se derretía del calor. La aventura era grande a pesar de que la distancia no pasaría de unos 500 metros, pero lo bravo de lo empedrado combinado con los latigazos del calor lo convertían en una travesía digna de *Beau Geste*. Al llegar, había cola. Cuando por fin conseguí los refrescos me sentía tan mareada que me senté en una mesita a contemplar la belleza del paisaje desde ese fresco rincón privilegiado. Cuando por fin volví al sitio donde me esperaban Juana y Paula, quien sólo se descubrió los senos pero se quedó con la parte baja del bañador puesta, Juana estaba como chichicúa. Me gritó iracunda por tardarme sin creerse mi ajado recontar, me arrebató las bebidas de las manos, se bebió una botella entera de un sorbo gigantesco y encima me mandó a los pinares a buscar a los chicos para irnos lo más pronto posible.

Caminar por los pinares fue toda aventura. La sombrita de los árboles refrescaba sabrosonga y la brisa era más perceptible, lo cual convertía la dichosa búsqueda en tranquilizantoide caminata. Por todas partes se deslizaban hombres desnudos como lagartijas tímidas o bien surgían furtivos como cautelosos topos, meerkats, desde algún rincón cubierto o detrás de un matorral. Me hizo mucha gracia la escena y hasta me despertaron la inquietud de acostarme por allí con alguien, aunque no lo hice. Sí espié, debo admitirlo, a un hombre ya madurón, medio calvo pero con el cuerpo bien peludo, acostadito con un chico joven. Ladeado como estaba parecía salido de *La muerte en Venecia*, lamiéndose ambos metódicos desde la base hasta el glande en perfil melodioso bajo una luz intensa que desmembraba su deseo como si sus penes fueran un delicioso cono de helado de chocolate con nueces. Me quedé absorta viéndolos sobarse, besarse, abrasarse y rebasarse con la finura y delicadeza grácil con la cual siempre hubiera deseado ser tratado por mi enjuto papá. El resultado de la distracción fue que entre la diversión propia del paseo, la amplitud de la zona y mi desvío voyeurístico, tardé en encontrar a los dichosos chicos. Ya cuando volvimos los tres a la playa, la Juana estaba no sólo como langosta sino también con unas ganazas brutales de cortarnos las cabezas. De veras la creímos capaz de hacerlo y nos pusimos a correr, adelantándonos a ellas dos a trompicones por el angosto caminito, confiando en el soporífico poder calmante de la buena Paula para no vernos en líos demasiado serios impidiendo que hoy estuviera aquí.

A pesar de ello y de la larguísima caminata de vuelta a la civilización, en subida para más, debo admitir que fueron días deslumbrantes de pasión, de sexo abundante, donde afloraban bellísimos cuerpos desnudos retorciéndose tibios a mi lado bajo el crujiente solazo, del sabor inigualable de agua salada cimbrándose a mi piel, respingando los pezones, de bailar alucinante, contorsionada hasta el amanecer frente a un azuloso mar tonificante cuya agua fría me hacía resoplar, pese a la tos que nacía luego de cada chupada del porro, por la falta de costumbre de mezclar tabaco con hachís. Inevitable llegó el día de volver a Madrid, esta vez vía Zaragoza, para tomar el avión de vuelta a la Calipatria. Paula gimoteó todo el camino con larguísima cara melancólica en la que se le atragantaban los mocos mientras soltaba una retahíla de pugidos. Al llegar al hotel de Madrid, en espontáneo gesto de cariño se dio una sabrosa ducha conmigo, frotándonos mutuamente el jabón mientras la Juana se vestía para salir a cenar con la Luisa. Era nuestra despedida de Madrid y le pasaríamos a Luisa el control simbólico de la argentinita para que durante nuestra larga ausencia la entretuviera, le buscara novia y la convirtiera en la lesbiana fabulosa en lo cual se convirtió. Lo que nunca me esperé fue lo de la novia que se consiguió.

*

–Pretendamos que volvieron los buenos tiempos, cuando nuestra tierra todavía era verde y aun creíamos que era posible salvar el mundo.

Así me dijo arremolinada esa otra tarde con mágica incantación, e hizo los ademanes de levantarse melancólica mientras agitaba los dedos de la mano derecha como para indicarme que me retirara. Pero esa vez me le planté y le dije que no. Mi reacción la sorprendió y nos quedamos platicando un ratito más. Fue así como tocamos el tema de lo sucedido una noche en la cual descubrí a un tipo en la terraza de una casa chapina intentando besar a una chica. Se la mencioné a usted ya desde mucho antes. Por azares del destino yo estaba dentro del carro parqueado frente a esa misma casa, moteado, orinándome del miedo.

–No era hombre quien intentó besarla, me dijo la Juana.– Tampoco era secuestro.

–¿Entonces pues? ¿Y encima, cómo lo sabés? ¿Qué fue todo aquel relajo?

–No era hombre. Era *yo* quien estaba en esa terraza, me dijo la Juana, poniendo un gesto travieso que apenas si evidenciaba sus dientecitos de ratón, y pausando en su narración para picarme la curiosidad, hizo como si soplara burbujitas.

–¿Vos? Pero si yo vi al tipo saltar de la terraza...

–Viste a alguien vestido de hombre saltar de la terraza que es diferente.

Fue en esa ocasión cuando se desprendió toda la historia. Ahora se la cuento no sin dificultad, porque acabo de almorzarme una sopa china con tofu para que me baje la panza cuyo perfil se me ha desfigurado con las fiestas, pero me dejó un sabor amargo en la boca. Además, ha habido cuatro llamadas que me cortaron el tren de pensamiento. Una era del Chase Manhattan para proponerme abrir una cuenta de cheques, llamó la peluquera para reconfirmar la cita del viernes, el Jakob para verificar si los de limpieza podían venir los martes en vez de los miércoles, y los de Cox para confirmar el cambio de la caja del cable de la tele. Además me entró culillo por las cuentas a pagar este mes después de tronarme el pisto con gusto despampanante.

Según Juana la tal niñita plástica que alcancé a distinguir dando de gritos en la terraza con la blusita de tirantitos de fideo y la joya en el ombligo tampoco era tal. Se veía más joven de lo que era en realidad, insistió sin permitir interrupción para que el recuerdo no se le truncara como flores marchitas de colores percudidos. Era la hija de un general del ejército conocido como capo del narcotráfico. La mujer en cuestión se había comprado un penthouse en la zona 10 con el dinero mal habido, donde montó un apartamentazo para seducir a cuanta chava se le ponía enfrente. Armaba orgías tremebundas donde las líneas de nieve saltaban por todas partes en bandejas de plata, pareciéndose más a los conos que a las líneas, como si fueran diminutos montes Fuji perfectamente blanquecinos.

La mujer en cuestión era dominante, abusiva, creída y peperecha de acuerdo con lo contado por la misma Juana, aunque también sabrosísima, pelo largo con reflejos de caoba, con picoso nalgatorio aún mejor de lo que yo me hubiera imaginado. Luego de un montón de chistes, la Juana me aseguró que hasta algunas hijas de buena familia adictas a empolvarse la nariz con nieve colombiana de la buena se acostaron con ella confianzudas en el penthouse sin ser lesbianas, sólo para que les regalara un paquete del apetecido polvito blanco cuya abundancia en sus manos finas era legendaria.

–¿Y vos qué hacías allí en ese carro que distinguí claramente y que me preocupó durante años por ser el único testigo...?

Le conté las indetenibles imágenes del papel jugado por mí como vulgar comprador de mota que por accidente se paró justo allí para rolar un su purito. Nos matamos las dos de la risa, decidiendo en el acto rolar uno y fumárnoslo para celebrar la enorme coincidencia. Mucho más relajada que cualquier otra de esas tardes de "pretendamos que volvieron los buenos tiempos", Juana siguió contándome embelesada de Isabela, pues así se llamaba la armónica niñita en cuestión que agachaba la barbilla para dar miradas perturbadoras mientras lucía su boca generosa y labios sensuales, aunque todos la conocían por su apodo, "la duquesa".

Su padre era de esos degenerados generalotes que se ganaron los galones torturando sin defraudar. Luego acumuló capital vendiéndole al narco que traficaba por allí los derechos de aterrizaje de las tierras bajo su control. Así pasó a administrar y proteger centenas de afiladas pistas clandestinas de tierra disimulables dentro de la cifrada cerrazón de la maleza, donde en las abotagadas noches sin luna las frágiles avionetas llegaban sigilosas del sur como plagas de langostas y salían para el norte antes del atolondrado amanecer tropical oloroso a leche sin que nadie se diese por enterado.

Isabela "la duquesa", viviendo el derroche galopante del placer ganancioso se convirtió en leyenda en poquísimo tiempo, trincándose sin aviso las tetas de quien se le pusiera enfrente. A muchas jovenazas llegaron a decirle sus desesperados papis, "Cuidado con regresar tarde, «la duquesa» te puede robar". Claro, esos eran tiempos en los cuales todos reculaban de noche contra las paredes de cualquier manera, dados los designios insensatos de la época.

Juana cayó en la tentación. Según ella era mitad misión de reconocimiento y mitad curiosidad. Se ofreció de voluntaria para llegarle al general. Pero en el fondo de los fondos intuía que se inventaba futuros y se configuraba una nueva vida, con el temor que los insectos nunca tuvieron con las bombillas. Las tetas bailando rumbas bajo la blusa de "La duquesa" le atraían, la jalaban hacia ellas como fuerte imán con un clavito enclenque. Supo por contactos de una fiesta en el legendario penthouse de la zona 10. Hizo los barrocos arreglos necesarios para ser admitida. Se encontró una escena palaciega de las mil y una noches con meseras ostentando provocadoras blusas transparentes y sobra decirlo, sin sostén, recorriendo el piso con bandejas de tragos y de líneas de coca, un sistema de sonido que no existía ni en la mejor discoteca del país y un mujererío guapísimo vestido a la última moda, entre quienes reconoció a varias de la high life. Circulaban además los puritos de mota y las pastillas de todo tipo, tamaño y color.

El festín fue acompañado de manjares de exquisita comida, ostras, calamares, cangrejos, ceviche, caracoles, casi todos mariscos, rociada por vinos de los buenos. Pasada la cena y retirados los platos se iluminó el penthouse de miles de candelas. En todo un derroche de fuerzas, "la duquesa", mirando a todas como niña pensativa oliendo a cuero, desgarraba el ambiente como animal ígneo e iracundo con su diamante de fuego iluminándole el ombligo. Arremetía contra todas a varetazo limpio, cogiéndose allí mismo a las que llevaban el vientre mate al desnudo, largo y denso, apretándoles las malcabrestas tetas y mordiéndoles los pezones chupeteados entre risotadas, ordenándoles a las culonas de falda que se la subieran mientras les bajaba los irrisorios calzoncitos diminutos, o bien agarrando de la pusa a las de pantalón, diciéndoles, "mía, mía". Las llamas de las candelas dibujaban macabras cornamentas fantásticas en el aire oscuro mientras mujeres nacidas gruesas de arriba y de atrás se le apiñaban. Las prendas de ropa llovían por todas partes, los frotosos senos al aire pidiendo abuso normalizaban el ambiente tufoso, las nalgas respingonas comenzaban a hervir transfiguradas. Mientras bailaban, bebían y se embadurnaban, trocitos de ubre de vaca y de testículos de toro circulaban por la habitación para ser consumidos con vértigo y champán.

Con atrevimiento vistoso la Juana consiguió llegar hasta "la duquesa" esa primera noche. Osada como era tiró fuera sus ropas y se enredó en mano a mano fulgurante. Parecía ballet de brazos abiertos y piernas alargadas mientras el saborcito amargo de la coca les anudaba los sentidos y les hacía menear las cabezas sin parar, boquiabiertas las dos, batientes. Rodaron abrazadas a todo lo largo de la espumosa alfombra como globos de fuego, enrollándose con otros cuerpos que rodaban paralelos o bien rebotaron como si fueran bolos y ellas, anudadas, la bola de boliche. Se mordieron, se lamieron, se ensartaron los dedos por la pusa y por el encumbrado culo, frotándose con todos los jugos de pasiones licuadas tamizadas por innombrables labios huidizos a su alrededor. Terminaron bañadas de escombros de comida, champán, aceites de masaje y lubricantes, además de vivir el aumento de las variaciones pulsares hasta el vértigo de larguísimos, de interminables orgasmos apabullantes. Juana me garantizaba que de haber sido documentados aparecerían ya en el libro de récords mundiales de Guinness, todos obtenidos en irregularidad de posiciones. Allí le soltó su frasecita, "Hay que conseguir amor de donde sea, porque es lo único que te ayuda a vivir". Isabela la escuchó con entusiasta aprobación y la agarró de la mano, apretándola con tal fuerza que le sacó corpulentas lágrimas. Pero, más sorprendente aún para mí, tanteando sus aguas entre pellizcos de pezones le sacó también ternura inesperada.

Como era de esperarse, se interesó en Juana y poco a poco ésta consiguió trato preferencial y atenciones exclusivas hasta llevarla al puñetero punto extático sin retorno, puñetero de puño y no de puñeta, de meter el puño hasta lo más profundo, donde la misma Isabela con todo y todo ya no conseguía ordenar sus tumultuosas emociones quebradizas y no sabía de verdad quién de las dos estaba en las redes de quién, enredadas como andaban, rodando, rondando, rotando. La seguía siempre con la mirada perdida, observando hipnotizada cómo sus brazos giraban en el curvo horizonte donde la carnalidad se salta toda posible linealidad, dejando tan sólo el deseo crudo como exclusivo mecanismo para ahuyentar la oscuridad existencial. Picada por el enamoramiento imparable la invitó a la casa de su padre en la zona 13. Juana sabía que tenía allí otro apartamentito más pequeño, menos lujoso pero mucho más íntimo.

Isabela pasó a recogerla esa noche en su carro blindado abroquelada por su bruñido chofer. Pero con anterioridad la Juana, dada la fama nefasta del padre padrote, previno cualquier situación dejando el suyo a la vuelta de la casa. Durante todo el recorrido, Isabela, ostentando flores en la cabellera, la apretó bronca con cuchicheos, abrazos, cosquillas y fluidos besos. Ya cuando llegaron a la casa le había quitado la mitad de la ropa, mordido los pezones y metido sin lubricante un dedo en la pusa, jalándole duro los bien recortados pelos hasta hacerla gritar.

De la mano subieron jadeantes la escalera sintiendo sus mutuas tibiezas como si no tuvieran un solo segundo que perder. Isabela le arrancó de un tirón la escasa ropa aun en su cuerpo cimbreante y sumió golosa su cabeza entre sus mielosas piernas en abullonada perfección de movimientos vibrantes para saborear la suculenta brótula, mordiéndole el clítoris y metiéndole lengüetazos hasta lo más profundo de sus cálidas moradas. La cara se le puso roja como si estuviese fuegueando. Me imagino, aunque no entró en detalles al contarme, que Juana no fue ninguna diva pasiva tampoco. Sin duda le entró con salivoso hambre al banquete que se le servía. Sí me dijo entornarse entorchada, entrecortada por un empapado orgasmo sólo de sentir sus duras tetas de aureolas moradas despellejándose contra las suyas. En algún momento, ella misma no recordaba cuántas líneas de blanca nieve habrían pasado entre el primer gesto y el último, "la duquesa" se aventuró más en la exploración extrayendo ceremoniosa un dildo de glande bocón de la gaveta de su mesa de noche. Juana se lo arrebató para ponérselo. Desencajada, Isabela forcejeó con ella argumentando ser suyo, peleándose la vergara para clavársela a la otra. Juana le espetó que a ella nadie se la cogía, la cogelona era ella. La otra le dijo que si quisiera ser cogida saldría con ahuevados hombracos regadores de leche y Juana le respondió que entonces ella sería su hombre. Sorprendiéndola, corrió hacia la habitación contigua donde ya antes había divisado ropas masculinas. Con fatalidad de movimientos se las puso.

Cuando regresó Isabela estaba iracunda de la cólera. Sin más ni más le soltó una bofetada, tironeándola de la ropa, mordiéndola por todas partes y amenazándola con amarrarla y agrietarla a latigazos. La que mandaba era ella, le dijo dándole golpazos y empujones histéricos mientras el cuerpo de la Juana se agitaba espasmódica ante el tratamiento abusivo. Fue cuando ocurrió la escena por mí presenciada. Salieron a la terraza enredadas, "la duquesa" apenitas vestida, jalándose de los pelos, expuestas a la intemperie, Isabela comenzó a dar de gritos esforzándose por retenerle las manos tras la espalda. Juana, sin esperar desenlace tan corto como intempestivo, logró zafarse, esquivó la patada, se puso de pie y corrió a todo lo largo de la azotea, descolgándose con nítida habilidad de malabarista por el vértice de la casa vecina. Pero los gritos tuvieron consecuencias. Al caer a la calle salía armado en camiseta y pantuflas el padrote en busca de quien asumía era un ladrón. Traía Uzi en mano pero lo encandilaron los faroles. Juana cargaba revólver en la guantera de su carro. El elemento de sorpresa y la obscuridad jugaron en su favor. También el que el hombre anduviera sin sus guardaespaldas por venir esa noche de encontrarse en secreto con su amante. La Juana lo descargó con excelente puntería en el cuerpo fofo. El militar espumoso todavía soltó al aire una descarga antes de caer. Juana desapareció con la misma presteza mía pero en dirección contraria, concluidos los relámpagos de la balacera.

–¿Y qué pasó entonces?

–Lo que te imaginarías, dadas las circunstancias y la época. Me fui por un tiempo.

Fue la segunda salida del país para la Juana. ¿Ya vio? Algunos nacen con suerte, otros en la Guatemata. En esta ocasión ya no se llevó consigo la fría soledad de la aprehensión de su esmaltada madre, quien años antes aterrizó para siempre con el padre en Boca Ratón y no había vuelto a hablar con su hija. Encima Juana se llevó el elogio de todos los revolucionarios culoapretados que celebraron la muerte del militar sin saber que la perpetradora era una lesbianota ni que los acontecimientos se desarrollaron por la accidentalidad de los sentimientos respirantes y del deseo tumultoso y no por consigna militante. Circuló, eso sí, la leyenda de la bella ajusticiadora, de quien llegó a decirse que era una guapísima sueca comedora de hombres, quizás hasta la verdadera comandante en jefe de la ORPA, corriendo por las vedadas calles de la ciudad en la obscuridad de la noche hasta ser rescatada por murciélagos. Juana quedó de legendaria heroína pero "la duquesa" juró enchilada obtener la revancha costara lo que costara.

—Sos la heroína que salió en caballo blanco...

Interrumpió lacónica:

—De ese país de mierda nadie salió en caballo blanco. La maquinaria se chupó por igual a todos los que se metieron a babosadas, hombres y mujeres, ricos y pobres, indios o ladinos.

Hizo una pausa y miró al horizonte. Esos ojos sin renuncia pero acorralados por el tiempo lucieron una mirada despectiva que me desconcertó. El silencio podía cortarse con cuchillo.

—¿Qué más tenés qué contarme?

Juana me miró sin mirarme, como si su vista encarara el vacío. Era como si me transparentara y se fuera más más más allá de donde yo estaba sentada con desesperación obcecada, distinguiendo con cansancio y cierta rabia los lejanos puntos del mundo, los espacios infinitos del deseo. Volviendo a rebrillarle, a chispear, reajustó su contacto y con cierto aire de malicia dijo:

—La miseria es el gran mar que nos ahoga, ahora que los polos se derriten. Ya no hay marcha atrás, esto se acabó.

*

La niñita rubia tenía una mariposa tatuada en el empeine del pie derecho. El pie era lindísimo, pequeño y delgado, pero el tatuaje lo era aún más. Reconocí a su vez el tipo de mariposa representada o por lo menos eso me pareció. Una Eupithecia nabokovi. Aunque pudo ser también una Neonympha dorothea, quién sabe. Yo no soy experta en lepidóptera. Más allá de eso la niñita era sólo cabellera ondulante, cuerpo preciso en su contoneo provocador, el tatuaje y un filho dental brasileño de esos que apenas tapando los pezones esconden bien poquito de su entrepierna. Se agitaba toda como culebrita mirando de soslayo. La veía parando unas nalguitas que yo describía como deliciosas pero en las cuales la Juana ni se fijaba, dos bolitas de carne redonda, sólidas, blanquitas y sabrosas. Era en Salvador de Bahía, en la piscina del hotel Sol Victoria Marina en la avenida 7 de Setembro donde nos alojábamos. El hotel tenía una vista bellísima de la Bahía de Todos los Santos. Como toda esa avenida está sobre unos grandes riscos, el bar del hotel, el Mahi-Mahi, quedaba sus buenos 200 metros más abajo, a nivel del agua. Desde la ventana del cuarto parecía como una carpa de circo sobre un muelle. Se bajaba por un teleférico que salía de al lado de la piscina y teníamos una gloriosa vista de la isla de Itaparica, ubicada enfrente de Salvador, en el centro de la bahía, mientras bajaba.

Ese mismo día visitamos el Pelourinho por la mañana. Nos maravillamos ante el abundante oro de la iglesia de San Francisco, donde nos dejamos capturar por un supuesto estudiante de arte. Nos hizo de guía en la iglesia vecina, la tercera orden de San Francisco, cuyo interior era menos deslumbrante pero su fachada más fascinante, con ese toque plateresco español evocador de las ruinas de la iglesia de Santa Clara en Antigua. El dizque estudiantito suplió con humor los conocimientos faltantes que tanto la Juana como yo corroboramos más tarde, tal como explicar la concha de la fachada barroca como símbolo pagano o bien confundir elementos católicos con masónicos, pero igual fue entretenida y sabrosa su compañía. Bajamos luego por el elevador Lacerda al Mercado Modelo, compramos un berimbau para regalárselo a la Luisa a la vuelta, subimos al segundo piso del mercado para almorzar en el "Maria de São Pedro" con una gloriosa vista de la bahía contemplada alguna vez por la mismísima reina Isabel de Inglaterra cuando comió en esa mesa en la cual nos sentamos nosotras. No sé si la reina lo hizo pero nosotros pedimos primero la *Comida dos Orixás*, vatapá y caruru. Espesos y pesados como eran no nos los pudimos acabar, antes de pasar a la moqueca de camarón. Todo esto amenizado por un buen par de caipirinhas cada una, cuyo jugo de limón raspaba el fondo de la garganta.

Fue a la vuelta del restaurante cuando bajamos al Mahi-Mahi, nos acostamos en una silla reclinante a tomar el glorioso sol bahiano acompañadas de un chopp mientras nos preparábamos para disfrutar de la caída de sol convirtiendo en oro puro la Bahía de Todos los Santos cuando la rubita coqueta entró fervorosa en mi esfera de encanto. Que conste, ni a la Juana ni a mí nos gustaban las rubias pero ésta tenía la picardía de mulata brasileña en un cotuzo cuerpo blanquito perfecto con la apropiada delgadez de niñita de veinte calientísimos añazos.

Juana se me quedó viendo viéndola, con mis ojos traicionando una infantil contemplación fantasiosa como la de quien con el último soplo de aliento en el cuerpo estaba obsedido por ver el otro lado del sol.

–Tenés un ojo que desea, pero es de cierto tipo... Hay cosas que efectivamente no se pueden cambiar. Del dicho al hecho hay más de un trecho.

Juana se había soltado de pronto, con esa sinceridad inusitada que le rozaba la pasión oculta. Cuando hablaba así siempre la sentía separada de mí, pero ella insistía en que la que se separaba era yo, portadora de una mirada objetivizante que me alejaba brutalmente de su sentido de placer. Ese tono era tan lapidario que no dejaba espacio posible de contradicción, me lanzó una reflexión inesperada con tono ligeramente envenenado.

–Las mujeres, los perros y los esclavos, me dijo, eran considerados seres sin alma durante la colonia. Por lo tanto, eran tratados como objetos. De allí que sea problemático considerar que algunos seres tengan alma y otros no. Eso queda perfectamente ilustrado en la horrorosa escena de los perros en *Disgrace* de Coetzee. De allí que o todos la tienen, o ninguno. Porque si se considera que algunos la pueden tener pero otros no, mi querida, siempre se tratará como objetos a los seres considerados sin alma. Por eso las mujeres siempre fueron tratadas como objetos por los hombres. Han sido pateadas como perros y esclavizadas como negros. Y si bien es cierto, dear, que a algunos hombres les gusta que se les trate como objetos a veces, eso es sólo jugando, porque les produce un frisson sabroso, generalmente en contextos sexuales. Pero en el fondo saben que son sujetos, cosa que no pasa con las mujeres. De allí que sea problemático tratarlas como objetos y es por eso que ahorita me está molestando tu mirada sobre la rubita.

Me quedé atónita y quise saber más de cómo la más grande seductora de mujeres en la historia justificaba sus acciones. Se lo dije y soltó gran carcajada agitada de pájaro alzando el vuelo. Dejó su rostro como muestra perfecta de alegría carente de partes superfluas. Era belleza extática, tan simple y conmovedora como estatua clásica. No podría compararse con un día veraniego como dijo ya el bardo inglés sin agregarle la leche de coco, el olor de cacao y el intensísimo sol tropical.

–Yo no objetivizo a las mujeres cuando me meto con ellas, querida. El trato es diferente. Los hombres son efectivamente "burladores", pues. Tienen el afán exclusivo de cogérselas como ejercicio de poder. Eso te queda clarísimo en el *Don Juan Tenorio* de Zorrilla. Es una obra de pésimo gusto en cuanto a las relaciones de género. Falocrática, ¡uff! Las mujeres como ángeles o papel toilette, y de allí el castigo divino como única solución posible. ¡Qué poca imaginación!

–¿Y en la de Tirso?

–Allí todos son corruptos, tanto hombres como mujeres. La sociedad entera está corrupta. No se salvan las mujeres, cierto, pero al menos el contexto es bastantito más interesante que el de Zorrilla con su catolicismo chato y su romanticismo barato. Además, como creo que ya dijo alguien que no me acuerdo, don Juan es gay. Esa ansiosa necesidad de cogerse a una tras otra tras otra es puritito síndrome de gay enclosetado. Me recuerda la patética arrogancia insegura de mi colega de departamento, el bendito profesor Godofredo Cuchillos, siempre protegiéndose el culo diarreico y sobándoles sospechosamente las espaldas a sus colegas machos con la boca tensa para que voten en favor de su promoción irrestricta pese al plagio evidente en todos sus libros.

–¿Y el tuyo de querer cogerse a todas?

–¡Yo soy lesbiana!

–¿Y?

–Volvemos a lo ya dicho, dear. No las objetivizo. Nunca. Será similar el proceso en cantidad pero ni se compara en calidad, porque hay un respeto básico a la individualidad en cuestión. Mi mirada no es objetivizante. La prueba está en que con casi ninguna pierdo la amistad y nos seguimos escribiendo años después, contándonos películas o comentando nuestras vidas. Eso nunca lo harían las mujeres de don Juan, por mucha picaresca que haya de por medio, como una especie de slapstick para hombres. Yo amo. Don Juan se aprovecha de sus cuerpos y de la representación de sus mentes vacías para ejercer poder y para disfrazar su identidad sexual, su verdadera falta de hombría, mi estimado.

–Amás mucho.

–Al fin, fui socialista. Colectivizo mis deseos. No creo en la propiedad individual. De cada quien, según sus habilidades, para cada quien según sus necesidades. Felizmente tengo muchas.

–¿Y cuál era el problema con la canchita ésta de la mariposa?

–Una cierta manera de mirar. Tu mirada expresaba deseo, pero sin ternura. Sin evidenciar cuidado por ese individuo detrás del cuerpito vaporoso que ves como sabroso, y que sin duda vuela como mariposa pero pica como abeja, a pesar de que dudo que sus sesos vayan muy lejos, la verdad. Pero igual hay una ética de respeto al otro en el proceso de seducción. No se trata de coger. Se trata de multiplicar el amor y ofrecerle un resquicio de felicidad por momentánea que sea, de estabilidad y de cariñito por muy tenue o temporal que sea su duración, a ese sujeto que escoge acompañarte, entregándose desarmada, desnuda, por un instante de su vida.

–Que siempre son mujeres.

–¡Ni modo que van a ser hombres! ¡Ugh! Especialmente los heteros. Con lo imbécil y desagradables que son. Para no decir superficiales, tocones, groseros, cochinos, babosotes, feos, pretenciosos, y encima ni les gusta el sexo. Cogen por poder, no por placer. Cogen con el mismo interés con el cual se bajan una cerveza amarga, se entretienen mirando un aburridísimo partido de futbol, se chingan los unos a los otros para ver quién es el más cabrón, o para que no digan porque no vaya a ser. Si no estuviera sancionado socialmente se cogerían sólo entre ellos, que es lo que les gustaría de verdad. Mirá en las cantinas. Allí los ves felices sin una sola mujer, hablando paja, chupando, pavoneándose como pavorreales sin ese sabroso cadereo femenino que transforma el pavoneo en contoneo sabrosón, presumiendo de sus magros logros en la cabrona vida y sonsacándose la plata para pagar más tragos, hablando pestes de su mujer y de sus hijos, compitiendo a ver quién es el más macho que aguanta más tragos entre pecho y espalda como si eso fuera la gran babosada. Después salen trastabillando. Cuando llegan oliendo a buitre a su casa ni desean a su mujer, ni se les para. Por si acaso, de pura frustración le dan un par de sopapos a la pobre pendeja antes de caer en la cama roncando como trogloditas mocosos. ¿Quién va a querer coger con Trucutú? Sólo una imbécil que se lo aguanta todo. Felizmente, no lo soy.

Soltamos una cacareante carcajada crujiente la cual de inmediato atrajo la atracción de la canchita de la mariposa. Hinchada de sí misma estaba tratando de atraerse a un par de niñitos de su misma edad al resbaladero que luego de dar vuelta en serpentina caía derechito al mar. De paso se dejaba inundar por nuestras miradas ciclónicas, de alternancia rítmica, cuando no ciclotímicas. No se asustó. Las aceptó benévola como inevitable pleitesía y reconocimiento de su encanto y las ostentaba cimbreante ante sus hombrecitos para que los babosos dejaran de platicar entre ellos cerveza en mano y supieran apreciarla mejor. Con la Juana nos miramos la una a la otra y soltamos una segunda carcajada graciosa, cinicota, ambivalente, salaz, capaz de sofocar nuestra audacia anterior en el ausente presente. El agua de la bahía nos servía de espejo.

Interpretando nuestras risas a su manera la canchita de la mariposa se rió a su vez, buscando nuestra complicidad con su desnudez exhibicionista. Enseguida empezó a bailar una samba sonando por casualidad en ese instante en el sistema de sonido del bar. Desenfadada se puso a bailotear frente a los chicos y frente a nosotras dos, agitando esas caderinhas que por mucho que luchara no lograba deconstruir su código de cierto tipo, en concupiscibles movimientos laterales soltando toda la carga mágica de sus raíces africanas. Invitaban desinhibidas a darle mordisqueos en sus nalguitas descubiertas, separadas la una de la otra tan sólo por el mítico filho dental amarillito como si su cuerpo entero fuera un delgado altar para la celebración de oficios genitales sagrados, gloria presidida por el cuerpo en el trasfondo de la caída del sol sangrando al cielo de esmaltes morados que dejaba toda Itaparica como inmensa costra negra. Los gestos rituales de la canchita de la mariposa nos hipnotizaban, dejándonos en ese estado que los españoles llaman *estar colocado* y nosotros *estar en onda*, los pedregosos gringos *stoned*, pues parecían prolegómenos iniciáticos de la posesión de las iaô, las filhas de santo en el instante en el cual los orixás comienzan a descender por su frenético cuerpo agitado, un avanzar y retroceder calcinante mientras todos gritábamos axé, repetición incesante de los conjuros purificadores de Exú, el pícaro mensajero de los orixás interesado por el sexo quien adora provocar confusiones y desentendimientos pintado de rojo y negro igual que esa caída de sol africana calientota e irritadamente húmeda en la cual los atabaques resonaban incesantemente engendrando entrecruzamientos entre todos los participantes mientras la canchita de la mariposa bailaba agitando nalguitas con la frescura de dos cataratas cristalinas, cuerpo irradiando aceite de dendê, amendoim, camarón y leche de coco rayado, todo temperado por jengibre y pimienta mezclados por una negra bahiana que "saiba mexer", festinada purificación del fuego serpentino, piernas encerrando la vulva ardiente, sagrada, rodeándola de movimientos regeneradores con tal rapidez que ya parecía la visión de una Kali africana de pelo rubio, cuatro brazos, cuatro piernas y cientos de mariposas amarillas en una verdadera Babilonia, de lo rápido de sus movimientos ante la esfera solar que corría a esconderse tras Itaparica, cediéndole el espacio a la bendición divina conjurada por la sagrada imagen danzante, gimiendo en yoruba:

> Ogun ka ji re
> Oba ka jire
> Osun ka jire,
> Nji owo ni ka ji,
> Nji aya ni ka ji,
> Nji omo ni ka ji,
> Ki a ma dide iku,
> Ki a ma dide arun,
> Ki a ma dide ejo,
> Ki a ma dide ofo.

*

Cuando era chiquito me llevaban casi todos los domingos a La Aurora, donde montaba los caballitos. La Aurora es el zoológico guatemalfeo, se lo digo porque usted no tendría por qué saberlo aunque reconozco que en otros momentos de estos mismos mensajes que le escribo se me ha olvidado aclararle esa tanda de guatemaltequismos que todavía brota vergonzosa dentro de mí, decorando mi olvido como gesto de desprecio atragantado. No me vaya a volver a regañar como hizo con su respuesta anterior por el dizque problema de mi mirada escabrosa, pero a usted le gusta interpretar mis términos porque dizque es lacaniana y mis palabrinas chapichuecas como chiles güaques son para jugar, para ligar, para hermosear lo feo de este mundo del cual usted, la Juana y yo ya tuvimos suficiente. Con Rodri que después se nos jodió el pobrecito jugueculeábamos a malabarar las palabrotas. Ahora, volviendo a La Aurora, era zoológico pobretón por no decir miserable como el país mismo, con la muerte pegosteada a las costras de la piel de los animales. Ahora ni loco pisaría ese sitio algún miembro de mi familia a pesar de encontrarse en mejor estado desde que pasó a manos de la iniciativa privada. Pero en esos años, antes del innombrable conflicto vegetando como espanto, la pequeña burguesía pobretona todavía no se avergonzaba de pasear por allí los domingos por la mañana, enseñándoles los vegetativos animales a los niños, dada la inexistencia de la televisión. Lo más divertido era tirarles manías a los monos araña cuyas hembras cargaban prendidos de la piel a sus miquitos y a la Mocosita, la elefantita hembra, la estrella por su llegada reciente en esas fechas y por el concurso entre todos los niños del país para ponerle nombre. La jornada matinal concluía con la eternidad inocente de un paseote en caballito. No me gustaban tanto, pues aún antes de lo que estoy por contarle me daban miedo. Yo no era de esos niñazos adoradores de animales, corriendo a acariciar las crines de los caballos. Más bien me entretenía en mi cuarto solito, haciendo fantasiosos muñequitos de plasticina, toreros, circos en miniatura con todo y sus trapecios de hilos y palillos, carreras de carros, o bien dibujando avioncitos imaginarios y enloquecidos aeropuertos surrealistas que empujaban la geometrías hasta sus límites más inconmensurables como ya le conté y usted me mandó toda una pensadota freudiana de vuelta.

Era mi padre el interesado en montarme a los caballitos de la misma manera en la cual insistía en llevarme todos los años a la Semana del Ganadero a ver tétricas vacotas gordísimas, toros de testículos gigantescos cuya mirada de piratas y cuernos afiladísimos me daban pavor, y caballos nerviosos o brincones asustándome con cada salto o trote que emprendían. Los animales no eran mi cosa y el mundillo de los ganaderos y de las fincas menos. Mi padre lo añoraba como su dorado mundo perdido en el cual nació por derecho pero se le evaporó por la misteriosa desaparición del abuelo Inocencio, y al cual se moría de ganas de volver a pertenecer sin hacer mérito alguno. De allí que no pasara de lisonjear ganaderos ilustres, don Manuel Ralda, don Ovidio Pivaral, don Roberto Berger, todos con sombrerotes tejanos clavados hasta las cejas mirándolo de menos, apenas devolviéndole el saludo de pésima gana mientras él repetía una y otra vez como letanía de rezo los nombres de fincas con las mejores Holsteins, Cebúes, o Brown Swiss (pronunciado "brón suís" por él), Pachonté, El Caobanal, Los Tarros, La Concha.

Mi padre se me transparentaba siempre. Desde mi escasa estatura de los cinco años cumplidos veía un hombrote huraño, grueso, corpulento, fuertote, de manotas como las esculpidas por Quirio Cataño, nudosas, peligrosas. Sus rasgos distintivos eran sus bigotes negros y sus gafas gruesas de carey. Cumplía con sus funciones puntuales de sacarme a pasear los domingos por la mañana pero parecía como si lo hiciera por obligación, sumido en un hermetismo silencioso, refunfuñando, sin apenas hacer comentarios o provocarme interesantes giros del pensamiento con alguna frase provocadora. Sin gozarlo. Mi compañía no le generaba reacción alguna más allá de la fatua obligación rutinoide. Era alguien a quien no le arrancaba una sonrisa ni con tenazas de dentista. Siempre la cara al borde del ataque colérico, a punto de regañar, a punto de pegarse con quien no estuviera de acuerdo con él. Cuando muchos años después me quedaba corto a la hora de expresar una opinión rápida y ágil o un giro irónico para burlarme de algún interlocutor que se quedaba con la última palabra, siempre pensaba que mi actitud pasmada, mudenca, lo poco relajado de mi esfínter se lo debía a él.

Mi madre me pedía paciencia con su espesa voz dulce de durazno en almíbar y me repetía la misma cantaleta. Era por la infancia infeliz que tuvo. Me la contaba una y mil veces. A diferencia mía, él hizo su primera comunión en misa ordinaria del Calvario como ganso atolondrado, sin saberlo ni su propia madre, doña Puri, a quien yo llamaba "la otra Mima" como infantil articulación de "la otra abuelita" para distinguirla de "la Mima", la verdadera, la auténtica, la normal, la madre de mi mamá. Luego fue y se lo contó. El único comentario suyo, siempre en su mecedora vestida de negro, fue "qué bueno, mijito". Ni siquiera una caricia en la cabeza, mucho menos gran fiesta hiperbólica en la cual se echara la casa por la ventana como la que yo tuve o bien regalos de La Paquetería como los recibidos por mí. Sin embargo, pese a los esfuerzos superiores por mí realizados con la misma dificultad de inflar una vejiga hasta que reventara, rarita que soy no conseguí la cristiana generosidad de espíritu que me permitiera sentirme mínimamente cómodo en su compañía.

No me gustaban los caballos porque a él le gustaban, de la misma manera que me gustaban los perros porque a él no y le iba al Comunicaciones en futbol porque él le iba al Municipal, su eterno rival. Ya en esos años me iba forjando identidad propia llevándole la contraria en todo. Pero más zorrona que servidora tampoco podía decirle "no". Me tenía que aguantar su compañía. Las mañanas de domingo de invierno no eran duras porque nos íbamos al cine, a la matinal, y veíamos dos películas por el precio de una antes de volver al suculento almuerzo preparado con todo primor por mi madre y la "Mima". Sin embargo las de verano eran perennes idas a La Aurora a ver los animales y montar los benditos caballitos. Todavía era muy chiquito para asistir a los partidos de fut del domingo por la mañana como sucedió años después o bien a las corridas de toros por la tarde antes de que dejaran de existir en el país. Por suerte tampoco íbamos a misa porque mis padres estaban pasando por su etapa semiatea. Creían en dios, les gustaban las procesiones de semana santa, pero odiaban a los cachurecos, a las beatas y a los curas. Los veían como fuente de todo mal en el país, buenos liberales que eran. Aunque sí me llevaron un par de veces a Esquipulas. Una en avión, mi primera vez volando, y otra en tren, bajándonos en Zacapa donde descubrí su delicioso queso en molletes de a cinco y continuando el resto del viaje en taxi. También me llevaban a Santo Domingo en octubre, el mes del rosario, pero era más por la melcocha vendida por las señoras gordas en el atrio que por la virgen. A mi padre le encantaba. De igual manera comíamos buñuelos el 8 de diciembre luego de quemar el diablo la noche anterior con impresionantes fogatas de monte y de basura.

La rutina de La Aurora era tan clara como conseguir que tu culo sea más transitado que el transporte público en horas pico. Salíamos pasadas las nueve a tomar la camioneta número cinco en la octava avenida y doce calle, pues en esa época vivíamos en el centro y no teníamos carro. Era el único día en el cual lo veía sin corbata y con camisas de colores, aunque con los mismos pantalones y zapatos de todos los días. La camioneta nos dejaba en la entrada principal. Agarrábamos hacia la derecha a ver las tristes jaulas empolvadas de los leones, siempre aplatanados en el pequeño espacio rodeado de gruesos barrotes mientras yo trataba de colarme entre las piernas de los atolondrados espectadores abarrotándolas, por esa mística felina de animal grande tan difícil de explicar con simples palabras insignificantes.

Seguíamos bajando para la de los micos araña, espacio enorme reconstruido en esos años, con reproducciones de montañas pintadas de blanco y con una enorme zanja entre ellos y el público para impedir su escapatoria. Era la única jaula sin barrotes de todo el zoológico. Chillaban los micos como locas con el esperma hirviendo, saltando de una punta a la otra sin cesar, corriendo verticales hasta las puntas de los palos que no merecían la pena ni el pene entre el pánico, la algarabía y la provocación deliberada. Su contagiosa alegría puntuada por mordidas de plátanos y gruñidos zalameros era el momento más sabrosongo del día.

Luego girábamos a la izquierda para ver los animalitos pequeños en sus micro jaulitas con mallas de alambre separando apenas el objeto de escrutinio de los espectadores: el oso hormiguero, los zorros, armadillos, zorrillos pedorros. Desembocábamos en el corredor de los de mediano tamaño, el oso negro, las llamas, la danta o tapir. Nos tomábamos una agua, siempre una Nesbitt's de naranja acompañada de papalinas grasientas.

Cruzábamos en diagonal para ver a la recién llegada y aún poco crecida Mocosita mientras yo me preocupaba porque le salieran por fin los ansiados colmillos, los cuales en mi mente la convertirían en elefante de verdad. Hoy pensaría que era como airear esa parte del cuerpo que tanto me cuesta mojar. Avanzábamos después hacia la punta del parque donde estaban los juegos mecánicos, ya muy cerca de los arcos, por donde se sale ahora al volver del aeropuerto. Allí iba primero a los aviones. Subían ligeros al empezar y giraban en círculos mientras se inclinaban a ambos lados produciéndome asustante sensación de vértigo. Luego a la montaña rusa para niños. Como todas, subía lenta una empinada cuesta con su intermitente traqueteo de cadenas ensordecedoras antes de desplomarse con la aviada adquirida por la altura en una serie de ondulantes bajadas súbitas que curveaban en dirección contraria al reloj como atravesando un lecho de ascuas, bajándome y subiéndome la panza desde la garganta hasta las canillas antes de volver sudoroso y desorbitado al punto de inicio. Los caballitos eran el final del paseo.

Como ya le dije, no me guspateaban, pero mi padre me obligaba a montarlos. Eran "caballitos" por pequeños, para niñazos no mayores de 7 años. Eran caballos pencos también. Caminaban lento, jadeantes, cansados, más como camellos deshidratados dado que su ahogado trotar se sentía como jibas subiendo y bajando en vez de ese sabroso trotar horizontalizado y erotizante de los caballos de verdad. Los jalaba un patojito descalzo apenas mayor que yo de labios amoratados y ojos perdidos en la amansada mansedumbre, quienes nos daban una corta vuelta empezando en la banqueta cerca del punto final de las jaulas pequeñas. Continuaba alrededor de la zona arbolotada separando las jaulas de los juegos mecánicos, también en sentido inverso al del reloj. La vuelta no duraría más de cinco minutos. Diez a lo sumo. Yo me agarraba silenciosa a la manzana de la montura como desesperado, tratando de poner cara de palo para que el viejo no leyera mi pánico en el rostro y frunciera el ceño. Me trababan los pies en las cinchas sosteniendo el estribo dado que mis canillitas cortas de tan corta edad en un país de tan subdesarrollada leche cortada no tocaban siquiera el inicio de estos. El mozo jalaba el caballo por las riendas y vámonos. Había siempre unos ocho a diez caballitos. Uno hacía fila. Los caballitos se paraban al llegar al punto de partida y mientras un padre levantaba en vilo a su hijo o hija de la montura, el otro ya iba sentándolo a uno en la misma, y a comenzar la vuelta.

Ese día fue igual a todos los demás, anclados todos en la larga costumbre de los domingos como rosario de rezos. Mi padre me levantó por la cintura con sus manotas y me sentó en la montura del caballito pardo. Me prendí a la manzana mientras me trababan los pies a las correas de los estribos y salimos, ni siquiera trotando sino más bien semi arrastrándonos con parsimoniosa lentitud, pasito tras otro, con la inevitable certeza de burro de carga cruzando un peligroso cañón más que la de caballito emprendedor. El sol ardía. Estaba vestido de pantalón corto, camisita kaki haciéndole juego, zapatos cafés altos y sombrerito con pluma que armonizaba con todo el conjunto, tapándome lo enclenque de mi cuerpo. El patojito jalando el caballo iba descalzo, despeinado, con pelos parados como cepillo y tenía lamparones en la piel morena. Noté la brevedad exagerada de la nariz. Caminaba acurcuchado con la mente en otra cosa. Parecía sonreír por lo dientudo pues tenía enormes dientes más cremosos que blancos cubriéndole el labio inferior, pero en realidad detrás de la apariencia había una vaga amargura indefinible. Quién sabe cuántas vueltas habría ya dado ese mismo día por los poquísimos centavos ganados.

Todo fue normal. Se levantaba un poco de polvo pero no como el de los ventarrales de noviembre.

El sol picaba pero no había asomo de nubes negras. Mi madre había venido a juntarse con nosotros a medio paseo luego de ayudar a la Mima a preparar el almuerzo dominguero. Con ojotes amorosos y una mano sobre la otra esperaba el fin de la vuelta para marcharnos todos a casa mientras la brisa ligera le sacudía la morada falda larga como bandera que apenas ondeaba.

El caballito volvió al punto de partida. Mis padres se acercaron, conversando entre ellos, para bajarme. Distinguí con todísima claridad al chico jalando el caballito distraído casi meter la trompa del mío al culo del animalejo mamarracho parado justo enfrente, descargando. Pensé con picardía que debería ser horroroso ser caballo penco con la obligación profana de olerle el culo a su colega de trabajo.

Fue en ese instante. El mundo se me agitó todo como un kaleidoscopio al cual se le cambia rápido de forma. Me quedé sin metáforas. Imágenes giraron rapidísimo, se me entremezclaron tambaleantes formas y lo siguiente de lo cual me enteré es que estaba en el suelo, en plena banqueta de cemento. No muy le atiné porque durante un buen instante se me rompió el hilo de la narrativa. Vi a mi madre precipitándose hacia mí, mi atolondrado padre detrás, los tibios brazos de alguien recogiéndome del suelo como basura con recogedor clavado en el centro de una turbamulta arremolinada. Una señorona gordísima con la piel color mamey gritó "¡Llévenlo al IGSS!" y sólo en ese instante se me ocurrió que algo me pudo haber pasado. Los acontecimientos comenzaron a enlazarse. Efectivo, me dolía la cadera izquierda. Mucho. La voz de mi madre se despepitaba ininteligible. Lloraba. Según mi pensar, ante las circunstancias quizás lo adecuado debería ser llorar e intenté gimotear mocosa pero no me salió convincente. Con circunspección una mano desconocida me colocó de pronto, torcido, el sombrerito sobre la cabeza. Los brazos mudaron y estaba de pronto en los macizos mazos de mi padre echándome sobre su hombro izquierdo mientras mi madre me masajeaba la cadera, intensificando el dolor. Alguien gritó "¡Patojo bruto!" refiriéndose al muchachito que jalaba mi caballo y alcancé a oír el clarísimo sonido de un coscorrón. Sin duda le chinchonearía la cabeza ya de por sí poco redondeada, además de agrandarle las ojeras y la carona tristona al presunto responsable. Yo todavía estaba tratando de entender lo sucedido. Forzando los gimoteos empecé a preguntar pero me dijeron "¡Shhhh!" y me siguieron masajeando, intensificando el punzante dolor.

–¿Qué hacemos, Eulogio? ¿Lo llevamos al IGSS como dice la gente?

–Yo creo que ya le está pasando, que sólo fue el susto. ¿Verdá mijito?

Como no sabía lo que me había pasado no sabía tampoco si me estaba pasando o no pero no me atreví a contradecir a mi padre y dije lameculos "sí". Eso selló la decisión. Cargado me sacaron de entre el tumulto de gente. Como si estuviera en agitada cetrería la masa comentaba frases sin sentido para mí como "A lo mejor tiene una contusión", "Vuelvan a montarlo inmediatamente para que no le quede miedo a los caballos", o "¿Por qué no se habrá agarrado de la manzana?" y hasta "Si no tienen cuidado con él, un día de éstos se les va a morir".

Ya alejados del relajo que seguía murmurando como agitadísimo panal de abejas miré la carota otrora reconfortante de mi father comenzar a torcerse poco a poco conforme se tambaleaba conmigo, transformándose en raquítica caricatura de grandulón rancio corazón de coche. Cerré los ojos preparado para el regaño. Con avinagrada voz espetó porfiado:

–¿Y por qué no te agarraste de la manzana?

–Eulogio, no lo regañés, si no le ha pasado todavía. Además todavía está chiquito como para que reaccione tan rápido como querrías.

–Pero tiene que aprender a ser hombre...

–Ya aprenderá. Ahorita dejalo en paz.

–Vos siempre consintiéndolo. Por eso es como es.

–¿Y cómo es?

Mientras tanto yo seguía sin agarrar la onda de lo cariacontecido. Me froté la frente, la clavícula, el temple, pero enclenque no me encontré dolor alguno. Tenía un ligero raspón en la palma de la mano izquierda y el dolor de cadera nada más por mi primera violación de culo.

–¿Qué me pasó, mama?

Para qué le pregunté. Se soltó en una chillazón incontenible y mi viejo taimado me dio reverenda nalgada irrevocable por provocar a mi madre. Conforme la niebla del embotamiento comenzaba a disiparse me empezó a entrar uno de esos escalofríos de terror, contagiado por mi mamacita chula. Esti-

rando la espalda me solté también en mar de frenéticas lagrimazas.

—¡Cállese ya! ¡Sea hombre!

—¡Eulogio! ¡Dejá al muchachito en paz!

Giré el torso, dirigiendo mis anhelantes bracitos
raquíticos hacia mi mamacita quien ya se estiraba
hacia mí, rescatándome de los toscos movimientos
del hombrón. Sentí rapidito el suave calor fulgurante
de su ternura y me solté aún más a llorar. Mi madre
se sentó en un banquito para abrazarme, calmarme,
consolarme, cuchichearme, mientras mi padre, re-
funfuñón, siguió caminando a paso rápido ¡pam,
pam, pam! sin darse cuenta. Ya empezaba a enso-
ñarme arrimado al cálido confort maternal cuando a
ambos nos sobresaltó el grito resabiado:

—¡Violeta! ¿Dónde están pues?

Mi madre se paró brusca ante el vozarrón sin
poder esconder su miedo y casi me bota. Con voz
temblorosa respondió como soldado raso al sargento:

—Aquí estamos, Eulogio, por Dios, si no hemos
ido a ninguna parte. Sólo estaba consolando al niño.

Estaba ya parado frente a ella, frente a nosotros,
la cara lívida, el bigotazo torcido, la boca gruñona,
una "ese" cuya comisura torcía hacia abajo como si
quisiera hacerla besar la laringe, las encías al descubierto sobrepasadas por la saliva, los músculos solicitando brusca descarga. Me dio miedo paleolítico.
Me le prendí a mi mamitita con la misma intensidad
de un mono araña entre protegiéndola y queriendo
fundirme con ella hasta desaparecer para siempre o
reaparecer en Saturno. Del fondo de su tráquea apenas si dejó escapar un hilito de voz:

–¿Qué vas a hacer?

Nos quedamos inmóviles durante lo que me pareció un larguísimo momento. Mi madre con la cabeza gacha pero con serena dignidad y sonrojo ajeno. El tétrico instante lo rompió una voz distante de mujer diciendo no sin socarronería: "Allá está la familia del niño que se cayó del caballo." Rota la tensión, mi padre se giró sobre sus talones como si nada, mi madre me retomó en sus brazos y todos emprendimos silenciosos el camino hacia la parada de la camioneta.

Años más tarde, cuando me comentó las muchas veces en las cuales quiso divorciarse pero no se atrevió por sus hijos y por el acojonante "qué dirán" atándola siempre de pies y manos en la chata sociedad chapucínica parroquiana, me recordó ese episodio sórdido. Según ella, al sentir mi caballo topar con el culo del que lo antecedía se paró en dos patas. Yo ya había soltado la manzana porque me preparaba para ser recogido de la montura. No reaccioné a tiempo y me resbalé hacia atrás. Por suerte los pies no se me trabaron en las amarras, lo cual hubiera expuesto mi cabezota dura a las patas traseras del caballo. Caí limpia sobre la cadera izquierda. Más allá del tremendo susto y de añadir niveles de tensión a la relación entre ellos, el golpazo no tuvo consecuencia fuera de inculcarme terror permanente a los caballos a pesar de que el domingo siguiente, religiosamente, mi padre me obligó a montar de nuevo para que fuera hombre.

*

No me ha respondido el anterior pero igual le sigo contando. En la freeway, camino a la terminal del Catalina Express, la Juana me contó que Almendra, su colega académica, esa hermana ideológica de quien yo a veces me ponía celosa porque conversaban a nivel intelectual más alto del mío, le había escrito hacía pocos días como si se sacudiera los flecos de la frente, preocupada porque si bien le gustaba la soltura del estilacho juanesco, encontraba bien escrito lo enviado por la que me obsede todavía, fluía bien el lenguaje y daban ganas de leerlo, sentía como si la Juana anduviera en búsqueda de materiales. Hoy puedo visualizarla escribiéndolo, el sudor chorreando ligeramente de la frente que se la hacía ver más amplia, fosforescente, los dedos macizos tecleando segura el mensaje, débiles pecas sobre las mejillas y la nariz, ojos acuosos fijos en la pantalla, boca maliciosa con un sesgo de temor, hablando quedito lo que escribía como si cantara ópera con portamento, deslizando la misma sonoridad de una nota a la otra.

–¿Podés creerlo? La cerota me dijo que no sabía hasta dónde me iba a alcanzar la sexualidad, la política, y el arte. Sade y Vargas Vila hicieron carrera del sexo, dijo literalmente, poniéndome de paso en el mismo plano que esos dos pisados. Y agregó paternalistamente que la política era de los grandes temas y podía marchar hacia exámenes profundos, pero era difícil de tocar, lo cual no deja de ser una chinita que me tiraba la muy cabrona. También me soltó que el arte podía tomar los rumbos de la introspección psicoanalítica, anímica. Decirme eso a mí de toda la gente con lo que he vivido en aquel país, por la vida de la gran flauta.

Esa mañana la Juana estaba de pésimo humor. Hablaba con aire de atontado ensimismamiento. La superficie límpida de su piel se le veía sombría, porosa, los pliegues faciales marcándole el rostro. Los encandilados ojos eran dos siniestros coágulos rojos y se le notaban las ojeras. Se había levantado mordiente, trompuda, más temprano de lo ideal, despachándose medio litro de mimosa. Por si no lo sabe, es champán con jugo de naranja. Todo sólo para ir a Catalina con Dayra y Trinh. Era el remanente de la noche anterior cuando nos juntamos con ellas en el "Girl Bar" de West Hollywood y las tres bellezas deslumbrantes, chapina, filipina y vietnamita, fueron el absoluto, el ombligueante, incomparable centro de atención de todas, una de esas noches completas, arrebatadoras, en las cuales las tres golosearon continuamente mientras ráfagas de luces disparadas por proyectores computarizados atravesaban la oscuridad como ventarrones por lecho de ascuas, de mordisqueos frenéticos, del ulular pinchado de la música estremeciendo nervios e invitando a los gemidos de los solitarios cuando la estridente voz de Cher gritaba *I've seen a strong man cry, I know the reason why* aflautada, resonando como desgarradores alaridos de moribundos en un inane cuarto de torturas, los rostros de los bailarines cincelados en angustiosa mueca retorcida al ser penetrados por las eléctricas palabras, *This is a song, for the lonely! Can you hear me tonight! For the broken hearted, battle scarred, I'll be by your side!*

Las tres bellezas desplayaron allí gestos altivos

con malicia bien visible, aprovechando cuando los de seguridad no se fijaban para levantarse pícaras los altivos tops, brevísimos trocitos de tela más parecidos a rasgados chalecos de toreros y sobarse entre alaridos eléctricos las tetitas redondas y duras, ninguna de ellas con brassiere, robándole cancha hasta a las cinco pobres chicas, dos de ellas incluso guapas, concursando como "go-go girls". Sin embargo la Dayra, una enorme sonrisa Colgate sobre fondo café con leche con despampanante cabellera negra acompañándola reluciente como la estrellada cola de cometa y la Trinh quien al andar creaba olas angustiosas como la frágil perplejidad de una jirafa cuando baja el larguísimo cuello para beber, además de ser más jóvenes, eran pareja, parejaza. Quizás fui el único en notar la tensión generada por estas combinaciones durante la eterna noche de luz incandescente, mirándolas con esa mirada que hasta usted ha criticado. Cada vez que alguna chica flirteaba con la Trinh y ésta se dejaba hacer agradecida, Dayra daba media vuelta y aprovechaba para toquetearse con la Juana sin disimular apenas su voluntad de encamarse con ella. Cuando bailaban el aire se sacudía hasta cambiar de color, vibraba, las dos comparsas sumidas en un aura que parecía polvo rosado y amarillo mientras todas las miraban incrédulas, retorcidas por su asombro. Conociendo el voraz deseo de Juana, la Trinh, ultra femenina con fiero temperamento de hombre mandón, no le quitaba los ojos de venadita de encima y sin conciencia alguna de su cuerpo extendiéndose en el aire como lujosa estatua enigmática, dejaba plantada a su flirteadora para en dos o tres largas zancadas volver para rescatar a la gozosa Dayra de las temibles garras de la tercera en discordia.

Juana estaba obsedida con que esa noche si no era Dayra, no era nadie. Se sentía amigada con todas las variantes del sabroso recuerdo de cuando se la había cogido años antes de emparejarse con la Trinh. Por misteriosas razones las cuales sin duda se relacionaban con el síndrome premenstrual cuyo desenlace conoceríamos en las siguientes 48 horas, esa noche se cebó con el recuerdo y con la idea de revisitar templos donde había hecho pasadas ofrendas, ignorando como diosas olímpicas la ronda de briosas muchachitas cotuzas buscándola como hambrientas perritas en torno a un gran hueso, generando así una dinámica muy singular.

Singular porque la Trinh era también guapisísima, delgada como sílfide, con cara más achinada y pulida como emergiendo a lo Rodin del más perfecto marfil, pelo hasta el cuello, delectación espejeante de un ostentoso cuerpo cubierto de pantalones talladísimos y un top apenas capaz de cubrir los astifinos senitos. Juana no tenía interés en despanzurrar la pareja dada la animosa amistad atávica que las unía. Pero tres líneas de coca después eran todas contra todas sin límite de tiempo como en los mejores encuentros de lucha libre. Fue allí cuando se le ocurrió a Dayra, ganosa, invitarnos a irnos con ellas a Catalina al día siguiente. La Trinh tenía sus evidentes dudas y dos ases en su mano: los boletos de ida y vuelta. Nosotros, nada. Era cuestión de aparecer en la terminal de Long Beach al lado del Queen Mary y ver si teníamos suerte. Obsedida como estaba, Juana sacrificó su sabadesca mañana de reposo y recuperación para amelcocharse con la parejita pero la traicionaba el malhumor.

—Como si no hablara de política. ¿Acaso no le dije a la Almendra que los mayas resistían el poder y hegemonía de occidente emulando conscientemente las formas culturales occidentales de manera análoga a como lo hicieron los japoneses durante el reinado de Meiji? De no tener a los ladinos jodiéndoles las posibilidades de un estado veríamos sin duda un proceso de modernización similar al del Japón de fines del diecinueve, capaz que hasta una expansión colonial por el resto de Centroamérica. No lo veremos porque los ladinos nunca lo toleraron pero eso es harina de otro costal. El hecho es que hablamos de política. ¿Por qué cree que el sexo esta reñido con la política? ¿Acaso el feminismo y los queer studies están reñidos con la política? ¿O estamos volviendo a los viejos paradigmas?

Fruncí el ceño y torcí los labios atrompados. Temblorosa me limpié los sesos como con una vieja esponja húmeda para que no se me pegaran las malas vibras biliosísimas. A veces soltaba esos comentarios como latigazos mentales. Juana era introspectiva y volvía a su saudade como quien entra suspirando feliz a su saturnal casa, cargada de miles de maletas de todos tamaños luego de largo y azaroso viaje sin salvoconductos fantásticos. Sufría de ansiedad. No aguantaba estar sola, y aunque me exiliaba muchas veces al cuarto vecino me pedía llamarla por el celular para reconfortarla aunque tuviera a otra desbordándole la imaginación o desabrochándole el pantalón en ese mismo instante entre sus sábanas ardientes. Necesitaba ser arrulladita como bebé. Su deseo era soledad. Me sorprendía pensar que viviera todavía complejos de patito feo. En el fondo nunca supe quién era de verdad. Se me escurría como mantequilla derretida.

Tal vez por ello recuerdo el beso que me dio mucho tiempo después de ese día en Long Beach no como el momento más alto de mi vida sino como el anuncio de una despedida. Lo viví como el inicio de otro abandono, como el principio de sentimientos y espacios perdidos, como el premeditado anticipo de su aterradora pérdida. El desgarbado flato del estómago me indicó que se iniciaba la caída como cuando de niño subía a la rueda de Chicago y la lenta ascensión preanunciaba el vertiginoso desplome.

Sin embargo no quiero alargarme en esta paja llorosa. Dormí mal anoche y estoy medio embobada y muertita de hambre. Déjeme parar aquí antes de ponerme feamente cursi como si fuera mariquita, un horror. Voy a bajar a comer un panito con jamón y queso, a picar cualquier otra cosita que encuentre en la refri como chucha hambrienta y regreso para seguirle contando.

Ya. Estoy más tranquilita aunque algo aletargada por la digestión. Pasó una hora entre la última línea del párrafo anterior y ésta. Sigo entonces. El estacionamiento del Catalina Express estaba lleno. Dejé a la Juana enfrente de la terminal para averiguar sobre los boletos y me fui a ver dónde metía el dichoso carro. Di vueltas y vueltas con la almidonada lentitud del desvelo y los reflejos embotados por la mariguana, pensando distraída que con lo nublado del cielo no sería tan divertido ir a Catalina al final de cuentas. Estuve a punto de pegarle a otro carro en esa distracción. Al final estacioné como a media milla y regresé trotando mansa hasta la terminal como burro de carga con todas las canastas de objetos playeros colgándome por las extremidades. Al entrar distinguí a la Juana con la boca torcida. Casi morada de la cólera me dijo:

—No podemos ir.

—¿No hay boletos?

—Hay de ida, pero no de vuelta. Por la neblina cancelaron los viajes en helicóptero, así que los que pensaban volar de vuelta corrieron a reservar los barcos y nos jodieron.

Agarró el celular para llamar a la Dayra que todavía venía en camino con la Trinh. Y como de mujeres hermosas hablamos déjeme decirle que el Queen Mary se veía majestuoso al lado de donde nosotras, exasperadas, nos sulfurábamos, con sus chimeneas rojas luciendo esplendor funerario de épocas ultrapasadas, anclado con la bondadosa pasividad imperial de viejo aristócrata que ya no va a ninguna parte. Juana llamaba desesperada a Dayra y regañaba a la Trinh por no habernos comprado boletos mientras yo corría al baño porque entre la cena fría y grasosa de la noche anterior y el abuso de rayitas de coca era inevitable que terminara con esos lamentables conciertos de tripas. Ya empezaba a parecer la olla de poporopos cuando los maíces revientan y uno aprieta los dientes porque está en baño público, amasijado con niñitos canchitos que corretean y se arrastran descalzos a escasos centímetros de donde uno se desvive sin entender el cuándo ni el porqué.

Cuando volví Juana me dijo que estábamos en la terminal equivocada. Había tres salidas diferentes del Catalina Express y las chicas estaban en la de downtown. Volvimos al carro arrastrando todas las canastas. Al llegar casi no lo reconocí. Le faltaban los platos de ambas llantas izquierdas y los tambores estaban retorcidos. Me acordé con vaguedad, con una telaraña mental tan espesa y gris como la manta cubriendo la bahía de que volviendo del "Girl Bar" como a eso de las tres de la mañana por la 405, manejando maje en estado de laxitud, pasé sobre un par de tubos anaranjados de como un par de pulgadas de diámetro botados en el asfalto por algún camión irresponsable. Recordé los bruscos tapujazos del golpe seco y mis manos temblorosas ciñéndose al volante con atontado ensimismamiento. La Juana, en estado de sonambulez aguda, dejó de quejarse como resultado de los mismos, soltando un apático grito seco disfrazado de tos. Pero como las llantas no se apacharon ni se me ocurrió pensar en otras consecuencias sino hasta ese momento en el cual las vi, me olvidé por completo del incidente. Juana por su parte entrecerró los ojos y apretó los labios pensando que el carro había perdido la mitad de su valor.

Nos montamos igual. Dejamos South Harbor y aceleramos por el puente de Queens Way en desesperada busca de la terminal correcta. Era tal la neblina que ni siquiera se veía la isla Grissom ubicada enfrente del parque. Dimos vuelta en "U" en Ocean Boulevard y tomamos la salida de la derecha hacia Shoreline Drive. En efecto, allí estaba la otra terminal. Era más grandotota, como pastel de bodas de cemento. Distinguimos el barquito. La gente ya se encaramaba al mismo en fila india. Dayra quedó de llamar en caso de conseguir todavía boletos pero no lo hizo. Era obvio que nos habíamos perdido el viaje hacia la mítica Avalon, no la del reino de las mujeres como creadoras de vida y conservadoras del conocimiento, la de las ilimitadas neblinas encantadas de Morgaine LaFaye, la medio hermanaza del rey Arturo, la comandante de las hadas, el centro de su atosigada defensa del culto de las diosas de la tierra despreocupadas de pecados originales y que no se avergonzaban de su sexualidad, vencidas al final por el odioso cristianismo falocrático de sacerdotes enclosetados. No ese Avalon visto sólo por quienes creían en él, más real que cualquier otro lugar del frío mundo antiguo, sino la más mundana, calurosa y materialista Avalon de la isla Catalina donde se ahogó la Natalie Wood.

Nos volvimos por la 710 y ya entradas a la 405 sonó el celular. Era Dayra. Contestó refunfuñona Juana y no me atreví a interrumpir. Fue parca, irónica, regañona, palmoteando el aire mientras chirriaba con énfasis. Después me lo dijo. Dayra le rogó que se viniera, lloriqueó que podíamos volver standby o incluso quedarnos todas juntitas en un hotel pero Juana ya lo había verificado con anterioridad. Todos estaban llenos. Ya no tenía ganas de toda maneras. El gris se había apoderado de ese fin de semana deforme e inacabado. Seguimos conduciendo de vuelta a casa en un silencio sepulcral en el cual ambas fingíamos distracción como si fuéramos dos exiladas recordando besos prehistóricos ardiendo como yodo en una herida abierta. Pasada Costa Mesa giré de pronto el timón a la derecha.

—¡Allí están!

En efecto, al tomar una perezosa curva hacia la izquierda distinguí de pronto los platos del carro abandonados a la orilla de la carretera. Juana soltó una enorme carcajada de esas en las cuales parecía que se le descolgaba el maxilar inferior y pendía en suspenso como sin gravedad durante un largo instante. Me acerqué al bordillo de la derecha, me paré, y salté feliz a recogerlos, tirándolos al baúl al observar su mal estado y la casi imposibilidad de volver a usarlos.

—¡Encontró los platos!

Juana había recuperado la barbitúrica sonrisa capaz de desarmar al mundo. Sin embargo ese fin de semana estuvo nublado. La pasamos pésimo, invadidas por una súbita melancolía asociada a un sentimiento de desapego que nunca antes nos había golpeado. Le crujieron los huesos, nos pesó abrumadora la goma, se acatarró y nos gritamos estridentes hasta que le bajó el período.

*

Y mire, pues. Aquí se me ha colado todavía otro e-mail de la Paula. Igual, ahí le va. Ya no le estoy ocultando nada de nada como se ha hado cuenta, así que mejor de una vez. Tenga.

Hola Pacha!!

Bueno, pues contra todo pronóstico me siento mejor... en fin, ha sido un período muy duro, muy doloroso, la nostalgia y la pena me han dejado KO, pero bueno, parece q me he hecho a la idea de q Juana ya no es parte de mi vida... o mejor dicho, si lo es, pero no la más importante. Ella sin querer me ha ayudado... me he sentido muy sola estos días y ella no estuvo ahí para apoyarme... no le hecho en cara q se haya enamorado de otra... eso lo llevo con dignidad, le echo en cara q no haya estado a mi lado cuando más la he necesitado...se me han juntado muchas cosas estos últimos meses... temas familiares, laborales, etc...y no ha estado ahí... supongo q eso ha hecho q mi dolor se transformara en rabia o en afán de dejarlo todo atrás y seguir con mi vida... pero creo q podremos ser amigas en el futuro, después de todo hemos compartido la vida durante mas de diecisiete meses y eso no es fácil de olvidar. De hecho, el sábado estaba fatal, y de repente me vi a mí misma pensando: "q hago yo aquí sola, llorando sin comer y sin dormir y ella de juerga pasándolo pipa??" así q creo que ahí me cambió el chip... ahora ya duermo del tirón y consigo comer... la pena sigue ahí pero es más llevadera. En fin, q tu, como todo el mundo, tenías razón... todo acaba pasando... y esto pasará y encontraré a alguien que me mime y me cuide y que me quiera como yo la quise a ella, todo es cuestión de tiempo. Bueno, Pacha, una vez más no sé como darte las gracias por aguantarme por mail. En serio, la semana pasada no podía más y necesitaba desahogarme y te tocó a ti en parte. Ya verás q mona me he quedado con estos 7 kilos que he perdido!!!

Un beso enorme, Paula.

*

Le escribo ya de vuelta en Laguna. Antes de que me regañe le cuento que voy a tener que ir a Guate a pesar mío por una ligerísima complicación familiar de esas enfurecedoras que híjole. Tal vez por eso al sentarme frente al lap top se me vino este rejodido rollo. Me dominó, ni modo. Y aunque ni siquiera era el cuento que planeaba echarle hoy, dejé que las líneas fluyeran sin necesidad de inhalarme otras y aquí se las estoy mandando abusadora por ser de mi niñez.

No me acuerdo tan clarito de marzo y abril de 1962, meses de aire intruso y desamparado. En realidad todo comenzó dos años antes. Era apenas un patojo de cerca de 7 años. Con mis primos mayores Manolo y Lacho lo vimos con sacudimiento de excitación ignorante. Consiguió captar nuestra atención. Era el despegue de los avioncitos de la fuerza aérea, uno tras otro rapándonos en la terraza de nuestra casa de la 5a avenida "A" de la zona 9 entre 13 y 14 calles a sólo dos viles cuadritas de los arcos, donde comenzaba la ampliada pista del aeropuerto que le conté para acomodar los aviones de la Pan Am. Sentimos como si en una soleada mañana de domingo de vacaciones estuviéramos viviendo dentro de una imagen portentosa de "¡Tora! ¡Tora! ¡Tora!" en fecha ahora memorable y memorializada, 13 de noviembre de 1960, recibida por Lacho con gran chiste de festejación. Les escupió al pasar y el gargajo le regresó, lamiéndole el cachete. No sabíamos que en ese instante los aviones incendiarios iban a apagar un intento de golpe en Puerto Barrios iniciando una guerra civil de treintisiete años.

Yo era todavía bastante patojón. Tenía preocupaciones muchísimo más serias como la enfervorizada muerte de mi perro Duke, guapísimo pastor alemán incapaz siquiera de llegar al año de vida por atragantarse con una bolita de Jack's, la adquisición de su pobretona sustituta, Gypsy, la cual recontracalentada se acopló con todos los escuálidos chuchos de la cuadra produciendo cachorritos de todos colores con jetas contraídas y patitas más flacas que palos de escoba, o mi primer radio de transistores, regalo para oír los partidos del mundial de fut del 62, desmadre que en verdad me descojonaba como tren emborrachado de aceite hirviendo. No me traumatizó ese período inicial del rollo. Más bien produjo un aroma de plomizo placer. Durante casi todo marzo y abril del 62 no hubo colegio. Fueron como vacaciones extras durante los meses de más agraviante calor, de ese resbaladizo verano pegajoso que sin lluvias precede la Semana Santa olorosa a incienso, arropada por el misterioso sonido seco de las matracas, en el cual disfruté como el enano que era jugando futbolón en nuestro jardín aflorado para horror de mi abuelita que veía sus esfuerzos del amanecer, acurrucada primorosa sobre los arriates destruidos con mis patadotas gorilescas barriendo con todo, apenas dejando como restos de cadáveres mutilados los pétalos de sus gladiolas, begonias y rosas rociados por el llano como atribulado confetti de carnaval. Mejor todavía, podíamos jugar con los vecinos en la calle aún no asfaltada sin preocuparnos de los espesos lodazales del sinuoso invierno. Allí salíamos todas las tardes del inesperado letargo escolar con Máximo Sánchez, Pedro Búcaro, Fidelio Rey y León Zúñiga.

Máximo Sánchez era mi mejor cuate. Dientudito y flaco, mi mero vecinito de a lado, pared de por medio entre desbordantes jardines a la cual solíamos subirnos para hacer luchitas en las que el perdedor caía somatado al arriate de rosales bordeando el muro, pagando la derrota con la dolorosa espinada sobre el culo roto. No era hijo de chafas. Era diferente en muchos sentidos en los cuales hoy hasta me da culillo describir con palabras. Tan chiveado como yo. Sensible el hijueputa. Buen estudiante, acucioso, sonrisita a flor de piel, alegre y campante disfrutador de la vida campaneante. Sus viejos eran cuates de los míos o por lo menos lo fueron hasta cuando su tata se largó de la casa con otra dejando a su mamá, la Amalita, a su hermanito Raúl y a los otros dos mayores en el más rejodido desamparo.

En cambio con los de Pedro no se llevaban. Él era un chafarote de bigotito fino, coronel de la fuerza aérea, pelón, con apariencia de grosero hasta cuando saludaba cortés, bajando ligerito la cabeza y turneando los ojos trompudamente cuando llegaba del trabajo en su camionetilla Opel rojita y nos veía parados en la reja de la casa chachalaqueando con los Mayén. Esa zona de la ciudad había sido colonia de militares y todavía quedaban varios aunque nos estuviéramos mudando allí gente decente como nosotros, nuestros primos, los Sánchez. Hasta el Steven Shure vivía a solo cuadra y media en una casaza de esquina porque tenía más fichas, aunque los Lanuza y las Bassini no vivían tan demasiado lejos tampoco. La mamá de Pedro parecía piñata como todas las ordinariotas esposas de chafas. Chaparra, gordita y de patas cortas. Parecía flotar siempre dentro de vestidos acampanados. Se le pegosteaban a las enormes nalgotas de yegua avejentada que al instante rompían cualquier posible armonía.

Pedro evidenciaba su origen. Fuera de los inefables prejuicios chapines por ser moreno oscuro y murushito, casi con toques de negro aunque con protuberante nariz maya, era flacote, desgarbado y más alto que yo. También abusivo. Bravucón, ordinariote, malhablado, jugaba siempre a ganar, pero excelente jugador de fut. Por eso nos llevábamos bien aunque apuñalara por la espalda. Sabía más que él también. El malencarado creía que el Real Madrid era el campeón mundial. Yo sabía que era el Brasil. "Es ignorante", me dijo mi viejo con altanería, "por ser militar. En todo el mundo los militares son babosos. Son lo peor".

Fidelio Rey era más buena gente. Noblote, entusiasta y estridente a pesar de ser también hijo de chafas. Vivía detrás de donde Pedro y no tenía tata porque él y otro oficial habían petateado cuando una granada les estalló accidentalmente en la base de San José. No recuerdo haber visto nunca a su mamacita aunque el Pedro me contó verla chillando a gritos con el Fidelio en su jardín de atrás cuando se saltó la pared el famoso día del granadazo. Fidelio también se saltaba la pared para el patio trasero de Pedro y siempre aparecían juntos, Pedro taciturno, Fidelio sonriente, gesticulador, cariñosazo y hasta dispuesto a jugar cualquier cosa que yo sugiriera.

León vivía en la casa de esquina con la catorce calle, el tercer hijo de militar. Con un lunar enorme en el cachete derecho tenía cara alargada, moviéndose silencioso por telarañas de su propia invención pero no lo ponía a uno en guardia como el Pedro, de pocos amigos. Silencioso, connotaba nobleza mansa y lealtad aunque le faltara trapío. Steven Shure todavía no jugaba con nosotros. Lo haría hasta años más tarde cuando en su adolescencia decidió desclasarse y empezó a jugar fut con los "Piratas" de la liga mosquitos en la Colonia Centroamérica y a formar un conjunto de rock n'roll para competir con "Los Wild Ones" de Güicho Marín, compañero de colegio, fundador del primer conjunto del país, mi primer proveedor de speed y el primer drogadicto que conocí. En "Los Wild Ones" tocaba la batería Jimmy Midge, cuyo papá trabajaba en la embajada gringa, casi seguro que en asuntos de seguridad a pesar de ser un tipo bonachón y simpático que apenas balbuceaba el español. El bajista era Ted Wright, cuyo viejo era agente de la CIA según nos lo contó el propio Ted. Ése sí era genio y figura: un mormón desabrido más amargo que un limón verde. Nos miraba siempre de reojo cuando aparecíamos por su casa de la sexta avenida zona nueve.

Pero eso fue poco después. En el 62 todavía no éramos adolescentes. Ted no había aparecido todavía para enseñarnos a fumar mota ni se habían ido el Pedro, el Fidelio y León para el Adolfo Hall. Todavía éramos borroneados vecinos como esos apenas reconocibles en viejas fotos ajadas encontradas años después en alguna caja perdida, aglomerados amigos con cierto aire de pureza inocente. Trepidantes compañeros de fut matando las alegres tardes libres de marzo y abril echándonos chamuscas sin parar hasta el rojizo anochecer.

Mis padres leían todos los periódicos con asiduidad. Escuchaban siempre *Guatemala Flash* en la radio pero comentaban poco conmigo porque todo el mundo había aprendido a ser discreto y cuidarse de los orejas que aparecían en todas partes como moscas en la sopa o zancudos en noches húmedas. De los pocos comentarios que recuerdo fue cuando mi viejo gritó con el mismo gesto retorcido de cuando me quería cinchacear:

—¡Si Fidel fusiló a cuatrocientos, aquí habría que fusilar a mil!

Por razones aún no procesadas del todo, aunque no me merecía respeto por apagar sus miedos con el trago, en política sí le daba credibilidad, por la cual se me quedó el comentario grabado en la cabeza.

De vez en cuando aparecía mi primo Lico por la casa. Lico siempre caminó un poquito acurcuchado, con la cabeza levantada hacia arriba subrayando lo dientudo. Era hijo del hermano mayor de mi mamá. Ya iba llegando a la veintena. Se daba sus vueltas con la excusa de visitar a mi abuelita y aprovechaba para quedarse armando avioncitos de madera con Manolo y Lacho. Ellos vivían en la vecindad y tenían casi su misma edad. Los domingos solían ir a volar los nuevos avioncitos recién armados al descampado de la Avenida de las Américas. A mí me encantaba ver la paciencia con la cual bombeaban la gasolina dentro del motorcito miniatura y luego a puro dedo índice empezaban a rotar la hélice. De entradita se negaba terco a moverse en la dirección indicada, pero al final prendía luego de unos diez intentos. Enseguida Manolo tomaba control de los cables alámbricos y Lacho o Lico se paraban sosteniendo el avión mientras la hélice desplegaba su anhelo de volar como prohibido placer por fin realizado a campo abierto. A la señal convenida lo soltaban. Con su ronroneo simpático el avioncito empezaba a volar en sonoros círculos que atolondraban a los sanates de los arbustos cercanos hasta el momento en el cual, poniéndose graciosos, empezaban a hacerle loops, piruetas y picadas. Más de alguna vez fallaron en sacar el avioncito de la picada y los esfuerzos de la semana terminaron en un agónico montón de palitos desparramados con retazos de papel de china todos apiñados en la grama.

Lico llegaba siempre de chumpa con el zipper hasta la mitad. Creído y fanfarrón, hablaba hasta por los codos con ojos chispeantes. Se imaginaba genio y así se lo anunciaba a todo el mundo aunque era más bien hazmerreír. Nunca hizo nada con su vida fuera de ligarse a un culazo maravilloso. Lo abandonó en cuanto pudo y terminó de alta funcionaria del BID en Washington. Como uno de tantos veinteañeros de la época se aparecía de oyente en la colita de las clases de diversas facultades universitarias sin sacar título de nada. Así se le iban los años y el tiempo que parecía abundar en ese entonces, cuando la vida se disfrutaba más y se trabajaba menos. A diferencia de Manolo y Lacho quienes se saltaban del balcón de su casa en la noche y se iban a pasar los fines de semana a Puerto Barrios para "echar bala", Lico nunca se metió en nada.

Todo era siempre bolas en esa época ya que los periódicos sólo publicaban las tablas de posiciones de las ligas brasileñas, argentinas y españolas de futbol. Yo sólo me enteré de la bomba en la puerta de la casa de Chilolo Zarco, periodista de *Prensa*

Libre, porque vivía a pocas cuadras. Oímos el estallido como extraviado temblor de los de diciembre de 1958 que botaron la cornisa de la casa de doña Puri. Benevolente, la Alicia me acompañó después a mirujear el boquete en el zaguán, los pedazos de cemento desparramados por todas partes y la reja retorcida, pues me moría de ganas de verlo. En pocos años ya nadie volvería a tener esa curiosidad. Las bombas se volvieron tan rutinarias como mirar al panadero en bicicleta anunciando sus franceses que en nuestro país tenían forma de binoculares. Mientras tanto leía las tablas de posiciones de las ligas de otras partes y aprendía nombres misteriosos como *Canto do Rio, Olaria, Bonsucceso* o *Newell's Old Boys.*

Del resto sólo me enteraba por las verborreas agitadas de mis viejos, abuela y tíos mientras se echaban el farolazo del mediodía. Yo me hacía el loco arrastrándome gusanesca en el corredor con mis Dinky Toys, parando la oreja con cuidado hasta que la Alicia gritaba desde la cocina con su estridente voz "¡Ya está puesto el almuerzooo!" somatándose las palmas para que la oyeran por encima del palabrerío fluyendo como si se estuvieran pajeando. Según decían, los de la Normal y los del Instituto se habían unido a los universitarios en las barricadas y la huelga ya era general. Según decían, le habían tirado a los depósitos de la Chevron y el país entero se iba a quedar sin gasolina. Desde nuestra terraza se veía la crispada humareda espesa, peor que cuando se incendió el mercado de la Reformita. Según decían, Arévalo estaba secretamente de vuelta y listo para retomar el mango. Según decían, el general se estaba tambaleando y el viejo de Pedro andaba metido en el complot junto con otro vecino de nuestra calle, el coronel Peralta Azurdia. Según decían, había bulla en el Mariscal Zavala. "¡Se va a enfriar la sooopaaa!"

Todos los días parecía haber cadena nacional. Muy pronto descubrí dos nuevas frases estridentes otrora desconocidas, la "suspensión de garantías" y el "toque de queda". En esos días las sórdidas implicaciones todavía me eludían. Luego las repetí mil veces como maleficio. La melodramática musiquita repetitiva anunciando al mediodía el comienzo de *Guatemala Flash* en la trepidante radio Grundig con su bocina de brin parecía tan marcha fúnebre como el repique de las campanas de Capuchinas, sonidos de ultratumba peores que los de las películas del Santo.

En esa época yo no conocía todavía a la Juana. Ni siquiera podía imaginarme la existencia de alguien como ella en algún rincón perdido del mugroso planeta quemándoles los labios a otras con su roce indeleble y susurrando amores que explotaban en llanto por desadormecer las tristezas. Muchísimo menos a alguien como soy ahora. Es más, estaba en una edad en la cual no me gustaban las niñas para nada. Todo era jugar con hombrecitos, fuera de indios y vaqueros, fut, fuera salir a pasear en cicle por los arcos y la Avenida Hincapié hasta el mirador de la Plaza Berlín o irse de excursión al Pacaya intentando acercarse lo más posible a los ríos de lava antes de echar carreritas al regreso, resbalándonos por esa liviana correntada de piedrín de lava seca. No dolía para nada si uno rodaba hasta abajo. Todo se reducía a ese pequeño círculo de vecindad. Apenas si cubría algunas cuadras de un rinconcito escondido de la zona nueve en una época pre moles cuando ni siquiera existía el Comercial Montúfar, a ese pequeño núcleo de compañeritos consumiendo mis emociones y llenando los placeres de la cotidianidad.

Por eso me marcó tanto cuando Lico dijo que jalaba para las barricadas. Recuerdo con claridad la sorna de Manolo y del Lacho. Lico insistió con el melodramatismo de quien está tratando de convencerse sobre todo a sí mismo con antinatural tibieza, encarnando ideas del honor dignas de guardia suizo:

—Yo nunca hice nada por mi patria pero ya es hora. Me voy a unir a los muchachos.

Después salió con brusca decisión, dando violento portazo. Me impresionó sobremanera. Lico era la última persona que se me hubiera ocurrido que lo hiciera pese a la incredulidad de Manolo y de Lacho, quienes ya habían hecho mucho más, aunque luego Manolo se largaría para siempre a los Estates y a Lacho le quebrarían el culo. Si hasta Lico se metía de veras la cosa estaba ardiendo pensé, aunque su rollo fuera como matar sanates con puñados de alpiste.

En pocos años llegó el alejamiento del Pedro, del Fidelio y del León. Se fueron al Adolfo Hall mientras sus padres se cambiaban de casa o se largaban a otras colonias de chafas más nuevas, seguras y lujosas. Ya no los volví a ver sino como adultos y en las circunstancias más atroces, remodelamiento de mi culefax que quisiera borrar para siempre. Fue por una nimiedad, por una babosada personal irrisoria, pero ya en una época en la cual todo lo personal podía ser mortal. Nada que ver con esa otra, fresca y tierna del bicampeonato brasileño velado por neblina rosada y espejismos, cuando todavía volábamos barriletes en noviembre y nos íbamos de paseo por Amatitlán en esas inesperadas vacaciones extras ganadas en el inolvidable año de 1962. Mientras yo me despedía de lo que creía fue mi mágica niñez el país entero comenzaba a arder en grandioso incendio. Tardó décadas en apagarse. Pero a otro loco con ese cuento porque ya quedamos con usted desde que la conocí que de eso no abrimos el pico pitorro ya que, ¿se recuerda que me lo dijo usted misma?, suficiente equipaje cargaba con lo otro. Ahorita se la paro aquí porque es la hora de ir al súper. De lo contrario las tripas dan concierto porque no hay cena esta noche. Ah, y también estoy sin Sominex, figúrese.

*

Aquí le copio esta vieja carta que recién me encontré, sin comentarios. Se explica sola.

Mi queridísima Clotis:

¡No sabés cuánto me alegra recibir tus cartas! En parte porque todavía me sorprende recibirlas cuando ya todos los cuates a puro emilio se comunican. Pero hasta en eso vos sos de la vieja escuela. Y hay que decirlo, hasta cuando traen alguna mala noticia, cosa que suele ser casi siempre, aunque ésta es la primera que te concierne directamente con eso del susto que te dio tu corazón y que por suerte no llegó a más, son de lo más entretenidas. La verdad, contés lo que contés, tus cartas siempre están llenas de belleza, de una singular dulzura grácil, integridad y acuciosa inteligencia que me permiten escaparme de la aburrida rutina diaria y volver a perderme en la poesía con la colorida ingenuidad pueril de cuando era aquella niña inocente y despistada que nunca soñó con terminar donde estoy parada en estos momentos. Por eso cuando las recibo siento como si te tuviera delante mío, como si fueras un auroleado sortilegio mágico. Esas también son tus cualidades, tus ingredientes principales, y hacen que mis palabras resuenen al contestarte como si cayeran de un riachuelo de ensueño.

Gracias por las noticias de Guate, especialmente las novedades de Lucía, que no nos sorprenden para nada ni nos importan, la verdad sea dicha. Sabemos ya que hemos quedado fuera de juego en esa chateza de país desde hace ya mucho tiempo, desde que perdimos la guerra, y más allá de resignarnos, nos hemos no sólo acostumbrado al hecho sino que nos sirve hasta para sacar fuerzas de flaqueza, estirarles el dedito mediano en todo lo alto, sacarles la lengua, darles el culo y darnos un sopapo en las nalgas para que vean lo que se pierden por babosos. ¿Qué más podemos hacer? Me imagino que sabés que no nos invitó a la feria, ¿no? Supimos de la misma por una poeta con quien nos hicimos amigas este verano cuando estuvimos con Paula en Barcelona, camino de Sitges. Paula. De ella te tengo que contar por aparte. Pero, siguiendo por donde andaba, esta poeta se llama Ana María Moix, y ¡cuál no sería mi sorpresa al enterarme de que ella sí asistió a la feria! Tal vez no la conozcás porque ahora Moix se dedica más a la ficción que a la poesía, pero es realmente excelente. Fue parte del grupo de los novísimos (la única mujer para más honra), y escribió una poesía realmente vanguardista. A través de Gimferrer, Moix encontró una novela de Rosa Chacel, quien vivía en el exilio en Brasil y la Argentina. Sabés que para mí Chacel es la más grande novelista española del siglo veinte. Las dos empezaron a escribirse con regularidad desde 1966 hasta 1970. Es una mujer sumamente tímida pero brillantísima. Si podés, conseguí un ejemplar de su novela más reciente, *Vals negro*. Por cierto, otra poeta que se hizo amiga de Chacel cuando ésta volvió a España en 1974 es Clara Janés, cuya obra también te recomiendo muchísimo. Me encanta, aunque yo no le caí bien cuando la conocí en su apartamento de por la Castellana en Madrid. Creo que no le gustó mi desparpajo, mi actitud tan poco recatada, tan directo al grano, que la hizo sentir más o menos como si fuera una egregia pervertida sexual o algo por el estilo, y dejó que eso le impidiera visualizar mi compulsiva obsesión por la poesía. Mis modales nunca han sido elegantes, pero ni modo. No por eso deja de gustarme Janés como escritora. Cuando se separó de su marido empezó a buscar fuentes intelectuales y espirituales fuera de España (estamos hablando de los años 70), y las encontró en varias partes: en la poesía checa, la turca, y la árabe, pero también en las artes plásticas, en las teorías científicas y filosóficas y hasta en un estudio de la historia social de la enfermedad que ella misma tradujo al castellano. Por cierto, ha traducido muchísimas novelas, y también la poesía de Holan y la de Yunus Emré. Su dimensión intelectual es verdaderamente impresionante. Me recuerda un tanto a nuestra Luz Méndez. Por eso creo que te gustaría. Es bueno que leas a su vez Blanca Andreu e Isla Correyero, quienes me gustan muchísimo.

Me parece absolutamente acertado lo que decís de mi querido Jaime Gil de

Biedma. Efectivamente, es todo ironía y desdoblamiento. Aunque parece ser más autobiográfico que Cernuda, su intimismo es meramente una ilusión, siempre mediado por construcciones y alusiones poéticas. En cuanto a filosofía, ¿has leído algo de Foucault? Como me consta que te gustó Nietzsche, te puedo asegurar que te encantará el divino calvo que tanto me ha inspirado. Si te cuesta leer en francés, no hay tos. Está traducido al español. Tal vez empezá por sus ensayos sobre literatura, lenguaje y sobre Nietzsche antes de meterte a lo mero grueso.

En cuanto a lo demás, estoy tratando de adelantarme por fin en el libro sobre poetas mujeres. Va lento porque tengo demasiado que decir, pero me atrevo a decir que creo que me saldrá muy chingón. ¿En qué estás trabajando vos ahora?

Por cierto, y antes de que se me olvide, te cuento que sigo viviendo todavía con Pacha. Salió muy bien de la primera operación. La recuperación ha sido lenta como te podrías imaginar, pero más complicado aun ha sido su adaptación sicológica, a pesar de que ya venía bastante avanzadita con todo eso gracias a su relación con una excelente sicóloga llamada Zerlina Vitale. Te aseguro que ya había pasado lo peor con lo del tratamiento de hormonas, que como te conté en una anterior, fue largo y complicado. Después de cómo la vimos de fea durante todo ese larguísimo período, la operación fue casi lo de menos. The icing on the cake, a pesar de que, cuando uno lo piensa, parece de lo más grueso por lo irreversible. Por cierto, recientemente consiguió un puesto de profesora en Pomona College como a unos 45 minutos de la casa, lo cual no nos dejó de sorprender un tanto a las dos, no por su capacidad, sobra decirlo, sino porque conocían su reciente situación. No sé si te la imaginás de profesora, pero la verdad que es muy ordenada y disciplinada. Estamos felicísimas, aunque un poquito apretadas en este huevito, y ya no vemos la hora de que terminen de construir la casa de Laguna Beach en diciembre. ¿Estarás en México por cierto, para noche buena? Pensamos pasar unas tres semanas en Cuernavaca, así que espero que tengamos bastantes oportunidades de vernos y de "fofocar" como dicen simpáticamente los brasileños. Te tengo que contar más de Paula.

¿Cómo está tu queridísimo Balta? Dale un gran beso y un enorme y fuerte abrazo de nuestra parte.

*

Laguna está teniendo un nefasto efecto en mi ánimo este brumoso final del verano. Quizás porque no quiero regresar a Pomona. Me siento aislada allí, pero puede ser también consecuencia de lo otro, o miedos por mi nueva condición, a pesar del deslumbrante mar azul semidormido en la distancia como viejo amor. Estos días me ha dado por hacerme la payasa. La gente se ríe de todo lo que cuento. Estoy de acuerdo con la Luisa de los pasos firmes y la energía inacabable, quien me hizo creer siempre que mi carrera debió ser la de cómica. Esto lo subrayan mis aventuras por la vida. Suelen ser cosa de risa aunque yo trate de darles seriedad. La verdad, no es que se me ocurran cosas graciosas. Es que me ocurren cosas graciosas, chapina que soy al fin.

Mi padre, como doña Puri, era todo lo contrario. El tedio animaba sus movimientos cronométricamente idénticos de todos los días como agotado ratón domesticado. Quizás su única anécdota simpática es la del golpe del general Orellana de 1928. Siempre la contó muerto de la risa aunque ni así pude disolver esa otra imagen que tenía de él, mugriento y andrajoso, llorando a moco tendido. Estaba sentado en la cama con la mano izquierda sangrante mientras su madre y la mía se la vendaban y lo puteaban al mismo tiempo. Nunca me contó episodios de su pasado. Lo guardaba con tan terca opacidad en las burbujas de su memoria que él se me desdibujaba.

Pero la historia del general Orellana la contaba siempre con risa sofocada, razón por la cual me gustaba oírla una y mil veces. Era una de las escasísimas veces que lo observé riéndose en mi vida, aligerándose y poniendo la vida en movimiento y vida en los suyos. Su mamá lo había mandado a hacer un mandado al "Divino Rostro" porque ya estaba grandote como para no hacer ni pura lata y aún no había comenzado a estudiar esa carrera de derecho que abandonó a medio terminar. Mi viejo, adolescente en esa fecha, se aprovechó, pues a doña Puri le gustaba mantenerlo bastante amarrado a sus faldas y administraba su casa con mano de fierro. En vez de agarrar hacia la séptima se fue a sextear, pues vivían en el callejón Concordia entre 14 y 15 calles, con la misma excitación tumbadora de nervios con que yo me voy a sexear. Se caminaría toda la sexta hasta el parque central para mejor admirar a las colegialas exhibiéndose como él porque allí estaba cuando sintió que el suelo se movía. A punto de gritarles "¡temblor!" a los bolitos tirados enfrente de la cantina del portal, vio los tanques subiendo en fila india por la sexta calle. En esa época, según contaba, había un kiosco en el centro del parque que después lo mandó a quitar Ubico cuando construyó el Guacamolón. Aunque desconocía la naturaleza de lo sucedido, oliéndoselas de que donde aparecían blindados nada bueno podía suceder y de que más sabe el diablo por viejo que por diablo, corrió desenfrenado hasta el kiosco para que no lo vieran los cuques y la agarran a patadas contra él. Desde allí contempló los tanques rodeando el palacio. Luego aparecieron unos jeeps con unos generalotes portando mil medallas. Bajándose de los mismos con agilidad de gansos engordados entraron a palacio. Al poco tiempo salieron unos oficiales de menor rango con un pobre tipajo calvo, de levita. Lo llevaban casi en zopilotillo por los sobacos. Era don Baudilio Palma, el presidente a quien acababan de darle el golpe. Lo estaban mandando de regreso a su casa para que "abrumado por el cargo" se dedicara "a sus asuntos personales" como dijeron los periódicos del día siguiente. Pasada la conmoción los tanques desaparecieron y mi papá pudo regresar a su casa a contarles la intraspasable experiencia a "cada Paco" y a toda la parentela.

La verdadera gracia del asunto se supo sólo después. Ese día era el cumpleaños del general Orellana. Panzón, bigotudo y de nalgotas paradas, aparentando unos sesenta años bien vividos a pesar de no pasar de los cuarenta, desde temprano en la mañana se juntó a chupar con sus amigotes en una cantina barata de por la doce avenida. Todos eran oficiales de alto rango. Ya cuando estaban bien bolos, cuando la doña de la cantina les sentía la estocada a un buen par de metros de distancia y se les había enfriado el k'akiic, con los ojos inyectados uno de ellos le espetó, "¿A que no te atrevés a dar un golpe de estado, jueputa?" Al general Orellana se le salió lo machito y ya bastante picado respondió, "¡A que sí!" "Veamos pues", dijeron los otros dos con voces de soprano y con esa ligera sorna de los bolos que sólo tomados se atreven a soltar su mala leche de a poquitos como veneno de alacrán mientras apachan un ojo y tuercen la jeta. Con histriónicos ademanes de opereta el general Orellana se levantó, quedándose pálido durante el breve instante en el cual perdió el equilibrio, pero volviéndole el color cuando recuperó el control de su acojinado cuerpo. Caminando como pato se acercó hasta el teléfono para llamar al cuartel de Aceituno y enviar los tanques al parque. Luego, con falta de naturalidad y exceso de vozarrón le ordenó a su edecán prepararle el jeep. El resto, como dice el cliché, fue ya historia.

Contaba poquísimas escenas de su niñez. Entre ellas soltaba también otra pero con mucho menos humor. Tuvo lugar también en el parque central, derruido ombligo, anus mundi de la vida urbana del país hasta los años sesenta. Pero la anécdota tuvo lugar cuando la caída de Cabrera en abril de 1920. Según mi viejo, en el parque central estaban linchando a sus colaboradores. La multitud enfurecida gritaba, "¡otro toro!" Los milicianos soltaban a otro prisionero cabrerista y la multitud les caía encima como manada de perros hambrientos en deslumbrantes espirales hasta destrozarlo con la indiferencia de una boa engullendo su alimento. Enseguida surgía de nuevo el tormentoso grito, "¡otro toro!" Pero fue en ese momento cuando "cada Paco" y tío Hugo, estudiantes o bien jóvenes abogados, no recuerdo con exactitud, intervinieron para acabar con esa salvajada. Al terminar de contar la anécdota siempre destilaba orgullo por el papel "civilizador" jugado por sus "papás", esos tíos abuelos que lo mantenían a conveniente distancia.

Sin embargo su mayor tragedia fue por allá por mitad de los años treinta. Las González lo invitaron al puerto San José. Su contribución era una botella de whisky escocés, dificilísima de conseguir en esos años de carestía cuando los productos importados costaban un ojo de la cara. Las González pasaron junto con otro "ramillete de rosas", alusión de la época a un grupito de jóvenes y guapas chicas, a recogerlo a su casa del callejón Concordia. Era el único hombre en ese particular carro aunque la excursión consistiera de varios vehículos. En otro de ellos iba Alberto Park, su primo Beto, no recuerdo quiénes más. Padecieron la tremenda zarandeada del viejo camino al puerto, una enlodada y desolada tira de tierra llena de baches desafiada por los Fords "T" de la época. Llegaron por fin a la sofocante entrada de las altas palmeras y arena negra ya bajo los severos latigazos de ese solazo del Pacífico centroamericano tan tarareado por los gringos y por Asturias, aunque este último no sea la patria querida de los españoles pese a ser emblemático de la patria y ser querido. Se estacionaron frente al hotel "California" y empezaron a descargar. Mi padre había cuidado su botella a todo lo largo del durísimo camino con todo el maternal cariño protector que sólo se le otorga a un frágil bebé recién nacido. La tomó del cuello y somató la puerta del carro. En ese instante el sudor de la costa hizo que se le resbalara entre los dedos. La botella cayó, pegó contra una descolorida piedra incrustada en la tierra, y estalló en mil pedazos. El silencio que siguió a su alarido fue más aterrador por su torva desesperación. Vio en ese instante la desaparición de sus ahorros, del anticipado placer fantaseado del día, pero sobre todo, la melancólica vergüenza de quedar mal ante las González y el deslumbrante "ramillete de rosas", sintiéndose sucio, descolorido, un leproso. Evidenciaba una vez más ser un incapaz. Se le salieron las lágrimas de los ojos y lanzó un cortísimo sollozo desgarrante mientras recogía de rodillas los inútiles chayes y lo poco de líquido no absorbido aún por la tibieza de la arena o evaporado por los efectos del sol. Percibiendo su drama las González se acercaron, acuclillándose a su lado, lo abrazaron y le dijeron que no importaba, que no se preocupara. El tierno bienestar de ser confortado por ellas generó todavía más lágrimas, tocado por el cálido remolino de insospechada afectividad. El asunto lo traumó lo suficiente como para contármelo mil veces de niño y más todavía cuando el Alzheimer le había terminado de carcomer los pocos sesos que le quedaban como las viejas esponjas deshilachadas del lavadero.

*

Juana me miró duro a los ojos, no sin antes destellar ese malicioso deleite de quien arrincona a su contrincante, arqueando sus labios tibios y sonrientes. Exhibían una desconocida gama de gestos y expresiones premonitorias, turbadoras:

–Por mí no lo hagás.

–No lo hago por vos, lo hago por mí.

–Me gustaría creerte pero no me convencés del todo. A mí lo que se me hace es que creés que así me quedaría con vos toda la vida y estás muy equivocado. Yo soy quien soy.

–No... Si no es eso.

Fue cuando me adelantó que le gustaba la Paula de verdad. No me lo creí desde luego porque Juana cambiaba de sabores todos los días.

–Me siento más cómoda con ella que con cualquier otra mujer que haya conocido en la vida, con una posible excepción algo enfermiza.

Se rió, echando la cabeza hacia atrás. Le brillaba la piel de la espalda como si se acabara de encremar, una mano enredada en la servilleta de papel. Estábamos en la terraza de la casa de Laguna viendo la caída del sol. Hablaba sin parar como sólo podía hacerlo ella, mortificándome con académicas alusiones sexualizadas a mi persona mientras giraba su inolvidable cabecita hacia donde los pelícanos se desplomaban en el plateado mar como endebles figuritas tímidas huyendo subrepticias de un modesto paisaje luminoso resonando en mi memoria. En esta ocasión la sonrisa se le iba tornando triste, fragmentando la mirada de sus ojotes color de ejotes, magníficos, como si en ese momento fueran símbolo de hastío, de un aun no verbalizado final. Sentí la amistad de pronto condenada a la acerada indiferencia, a una angustiante, para mí, despreocupación de su parte que me asustó. Lo sentí como confirmación de una repentina vejez, inaceptable siempre para los cuerpos golosos.

–Seguro que no lo hago por vos, y menos por retenerte. Eso que te conste.

–Es que a mí nadie me retiene. Ni creo que Paula pueda hacerlo. Pero, la verdad, en este momento me siento enamorada como adolescente, por absurdo que parezca.

Pretendí no oír esas atroces palabras nunca antes pronunciadas aunque sentí algo que carente de habilidad para expresarlo con palabras sólo podría definir como feo, nudoso, en la parte baja del abdomen, un intestinal desasosiego pútrido. Apreté los labios. Me sentí como el niño que atrapó una bella mariposa de colores. Aprovechando la curiosidad del babosón que contemplaba a su despampanante cautiva abriendo las manos ligeramente, ni corta ni perezosa ésta logró escaparse, alas para que te quiero, dejando al chirís sumergido en la solitaria tristeza nostálgica de fragilidades evanescentes que se ganó solitito por bruto.

El sol iluminaba ahora la bien visible isla de Catalina haciéndola parecer como especie de espejismo vergonzante separado de los riscos de la bahía, un brilloso reptil perdido en el mar. Algunas rocas parecían traviesas cabezas de ballenas grises asomándose a contemplar el horizonte conforme la marea bajaba. El cielo se había transformado imperceptible del intenso azul libidinoso a la ligereza grisácea anunciando el acercamiento de la bruma nocturna. Los anaranjados y morados del crepúsculo se mezclaban con la serpenteante perspectiva oscura de la calle principal, la carretera del Pacífico, Ruta Uno o PCH, Pi Sí Ech en inglés ordinariote, refractándose en innumerables luces pálidas a lo largo de la costa como larga culebra tasajeada por las luces neón de los grasosos locales de comida rápida. El olor de salitre se dejaba sentir en el refrescante viento, apenas entremezclado con el dulzón aroma de la mariguana subiendo a esa hora de las casas ubicadas en la parte baja del cerro. Al fondo, a la orilla de la playa, se divisaba el domo entreabierto de la mansión de catorce millones de dólares abandonada con rapidez una noche por el traficante que contempló innumerables noches estrelladas desde su lecho redondo. Un oscurecimiento brumoso en la parte más alta invitaba a pensamientos errabundos.

La cara ladeada, Juana lanzó una mirada hacia el hielo derretido de su vaso, suspiró y sacudió la cabeza como si la hubiera asaltado alguna angustia enojosa ante el recuerdo de nuestras locuras. Se había borrado toda complicidad como si estuviera de pronto poseída por cierta soledad milenaria que me excluía. Parándose corrió con trotecito corto hasta la repisa en busca de la botella de Glenlivet y se sirvió otro trago como buscando esa desesperada frescura inalcanzable. Absorta en la contemplación del vaso sudado, envuelta en aire irónico, estaba vestida apenas en apretados shorcitos blancos resaltando la incandescencia de sus repulidas piernas enmudecedoras y la hipnótica imagen de su redondeado trasero que ponía a temblar a cualquiera. Uy, Zerlina. Creo que se me salió lo masculino. ¿Describiría una mujer a otra de esa manera? No me vuelva a regañar. Tenía una brevísima banda negra que atravesaba horizontal sus concisos senos, incapaz de aprisionar el relieve frutoso de sus despuntantes pezones. Pero esa perfección física no es necesariamente un requisito, me decía. Ella insistía en que tenía siempre otro tipo de mirada, como le comenté cuando lo de nuestra estadía en Salvador de Bahía. Ella se fijaba más bien en el contoneo pavoneado, la fanfarronada de lo femenino, en los ojitos, los gestos, las manos, sobre todo las manos. Pude cambiar muchas cosas, pero no mi tipo de mirada.

–Nunca quise retenerte. Siempre fui tu amiga, tu confidente, tu dama de compañía.

–Dejame de joder. No nos hagamos los locos, Pacha. Siempre fuiste la aspirante, la que quiso envolverme. Por eso te digo que no lo hagás por mí, pisarrina de menta. Huecadas sólo en la cama.

Me paré y empecé a caminar en círculos, las manos tras la espalda. Entré a la casa. Me miré en el espejo del baño, maldiciendo la agusanada imagen crujiente allí reflejada. Una vil imitación. Encima me pareció estar vieja. Sentí el dolor de tan tenebrosa palabra como repentina e inesperada condena de muerte. Comparé mi rostro con el de Paula. Yo no era sino una imitación avejentada. Recorrí con mis manos sus grietas y endurecimientos sin conseguir alisar las huellas de la caída, riéndome a solas por lo babosa que era. Reconocí que a esas alturas ya ni modo. Cierto que la Juana me provocaba celos ultrajantes de pasión criminal pero igual no había nada que hacer. La única otra solución posible era drenar la herida de amor hasta curarme si es que mi infección no era fatal, como suelen serlo las de todas las que se pierden entre la ficción y el artificio. Ya no era el niño que fui, ni sería nunca la mujer de mis sueños. Sólo su grotesca imitación, tardía e ilusoria, que llegaba para despertarme tortuosa en las abreviadas noches que aún me quedaban con la horrorosa realización de su eventual ida, antes de sumirme en la rutina, la hipocresía y el aburrimiento inimitables. Saludé al espejo, las manos cubiertas de venas saltonas, la piel ajada, con ese gesto amargado de torero de época quien, retirándose, se despide por última vez de su apasionado público resintiendo ya la soledad y el silencio. Sin embargo antes de dejarme embargar por el patetismo barato que tanto destempla a los pendejos adopté una postura de la más ridícula seducción gay y meneé el culo con suavidad, luego con sacudones más fuertes y ágiles, tarareando *This is the song for the lonely* con bastante fidelidad. Enseguida volví al balcón, desplomándome en mi butaca repleta de cojines triangulares.

—No lo hago por vos, te lo juro, y aunque te vayás con ésa y me dejés solitita, triste y abandonada como dice la maldita canción, lo haría de todas maneras. Es lo que quise ser siempre. Mientras tanto, sigamos pretendiendo que volvieron los buenos tiempos, cuando nuestra tierra todavía era verde y aun creíamos que era posible salvar el mundo.

*

Yo sólo vi llorar a mi padre dos veces. La primera fue cuando el incidente de la mano ensangrentada. La segunda cuando se murió doña Puri. El primero de ellos me marcó mucho. Tendría no más de unos cinco o seis años. Como tantas veces, el viejo no vino a almorzar ese día. Como sucedía siempre en esos casos, mi madre se puso histérica. Hablaba en voz alta sobre su irresponsabilidad, dónde estaría, y culpaba por enésima vez a Pepe, el dueño del Bar Madrid, y a su colega de trabajo Lolo Resina por incitarlo a chupar.

A diferencia de otras ocasiones sin embargo, en ésta fue apareciendo a la media tarde. No recuerdo todos los detalles. No hubo llamadas de por medio. En esa época vivíamos todavía en el centro y no teníamos teléfono ni carro. Tengo presente, eso sí, ver primero aparecer a doña Puri, muy preocupada, cuchicheando con mi mamá. Nos paramos todos en la puerta de calle. Esta daba a la 10a avenida, entre 12 y 13 calles. En eso lo vimos venir. Dobló de la 13 calle hacia la 10a avenida bajando de la novena, seguido de un par de jóvenes mirones. Venía con su vestido café, corbata ancha y ese ágil caminar en el cual parecía sacar la panza hacia adelante mientras sus grandes zancadas lo obligaban a arquear los hombros y las gruesas piernas hacia atrás en una especie de paréntesis que no se cerraba nunca.

Me di cuenta de inmediato. No traía puestos los gruesos anteojos de carey. Sostenía contra el ojo izquierdo el tradicional pañuelo blanco con sus iniciales bordadas despuntando de la bolsa del saco. Conforme se acercaba percibí los borbotones de sangre escurriéndose entre los dedos sosteniendo el pañuelo. Mi madre y doña Puri se abalanzaron a recibirlo, gritando al mismo tiempo, "¡Eulogio, por Dios!" Yo me quedé parado en la gradita de la puerta, a la deriva, fascinado por las melíferas reacciones de las dos. Era como si no tuviera nada que ver conmigo, como si yo fuera sólo una especie de desdeñosa cámara cinematográfica registrando las escenas sin despliegues de turbia emoción, sin ejercer mi individualidad.

Enseguida la imagen salta a lo ya relatado: mi padre sentado en la cama abatido y suplicante. Estaba en camiseta de las viejas, el pelo entrecano del pecho saltándole por sobre la orilla de la misma como viejo oso de circo barato, la peludez obscura, germinal, de los sobacos en igual evidencia. Era corpachón de primate. La mano izquierda sangrante, doña Puri y mi madre se la vendaban y lo regañaban al mismo tiempo como par de comadrejas. Mi padre lloraba de forma aterradora, limpiándose las lágrimas con la otra mano. Trataba de explicar lo sucedido con voz ronca y carrasposa, pues siempre le entraba una ronquera tremenda cada vez que chupaba. Yo le había preguntado a mi madre por qué y ella me dijo que de tanto hablar. A mí me extrañó porque casi nunca hablaba en la casa. Sin embargo, años después, otro día en el cual no vino a almorzar, mi madre me llevó de la mano hasta la cantina "Las Rosas" en la trece calle entre cuarta y quinta avenidas. Parados los dos en la banqueta distinguí desde allí su inconfundible voz ronca hablando y hablando y hablando sin parar como engrasada maquinaria industrial. Sólo ese día entendí que mi padre necesitaba ponerse bien a verga para atreverse a decir lo que sentía.

En la ocasión del incidente relatado, mi madre salió a telefonear a la tienda de la esquina. Al volver dijo que el doctor Ponce no estaba en Guatemala así que había que irse donde el doctor Medrano. A los pocos minutos un viejo taxi azul, un viejo Packard de los años cuarenta, se paró frente a la casa. Las mujeres de negro lo ayudaron a salir y el taxista lo metió en el vehículo. El carro arrancó. Sentí que me quedé solito en la casa aunque estaba con doña Puri y la abuela materna. Discutían entre ellas, usando palabras como "irresponsable", "bueno para nada", "patán", "bravucón", pero también decían "pobrecito, debe estar enfermito porque la situación lo angustia". "Ahora, no les queda otra que vender la paja de agua." Nunca entendí lo que era una paja de agua pero siempre supe que no tenía nada que ver con la masturbación.

Tampoco llegué a saber lo que pasó de verdad. Según mi padre fue un malentendido en el cual lo confundieron por otro. En su insistente contar, venía tan tranquilo de vuelta a la casa con ganas de almorzar cuando de la nada un tipo caminando tras de él se le acercó furtivo y le dio un botellazo por detrás, con la mala suerte de que varios crispados pedacitos de vidrio terminaron incrustados en el ojo. Un segundo tipo, compinche del primero, le gritó al perpetrador: "¡Ése no es!" Ambos se dieron veloces a la fuga. Sin embargo mi madre aseguraba que ya con los tragos se había pegado con otro en la cantina y que no era la primera vez que sucedía.

No lo volví a ver llorar sino hasta la muerte de doña Puri unos doce años después. Del incidente relatado le quedó una tremenda cicatriz. Le atravesaba todo el ojo izquierdo como espesa nube gris. A pesar de los turbios escalofríos provocados por su nuevo mirar, mi madre insistía en que "le debía al doctor Medrano no haber perdido el ojo". Pensé que debido a la gran cicatriz mi padre vería todo doble y a lo mejor por eso chocó el carro de mi tía Elisa poco después, intentando esquivar a un ciclista a última hora. Asociaba el mismo problema a su insistencia en voltear a ver para atrás cada vez que caminábamos por las calles de la ciudad para tomarnos una crema y comernos unas milhojas en la cafetería Jensen.

Los anteriores detalles se los escribí el viernes recién pasado. El sábado no hice nada. Estaba demasiado de goma por la coca y el éxtasis del viernes en la noche. Fui al "Girl Bar" para recomponer mi imagen de la ciudad (por favor no se olvide de esa confidencialidad entre usted y yo en la cual convenimos; no quiero poner en riesgo mi trabajo ni, mucho menos, mi libertad) y me ligué con la Viviana. Me gusta bastante a pesar de ser poquito gordita. Es inteligente, lo cual la hace adorable a pesar de su impaciencia y erráticos cambios de personalidad cuando bebe, llegando incluso a morderme el cuello más fuerte de lo considerado por mí cómodo o sexy. Igual, se asustó un poco cuando picada por los tragos y el deseo, le conté mi malhadada historia con lujo de detalles. A ver si me vuelve a llamar. Espero que el problema no sea mi edad.

El domingo intenté ir a la playa nudista de San Onofre pero al llegar, por babosa me equivoqué y en vez de entrar por la entrada sur entré por la norte. Cabal. Terminé en la playa de los surfistas, adelante de la planta nuclear de la Edison en vez de en la playita gay con cuerpitos desnudos que buscaba. ¡Fue un horror! Resignada me volví a la calma chicha de Laguna. Pasé al Woody's a tomarme una cervecita y verme con los meseros quienes me adoran, y a casita. Hoy retomo mi narración de los asuntos de la semana pasada. No sabe lo bien que me hace.

El deseo de irme del país pasaba a huevo por la situación que éste atravesaba. El terror flotaba en el aire, espeso como el humo de la quema del diablo. Sin embargo, echándome la pensadota ahora con mayor cuidado, como a usted le gusta, creo que mi salida pasó sobre todo por la voluntad de alejarme de mi padre. En el espacio de pocas semanas se me juntaron las convulsionadas emociones llevadas casi a flor de piel hasta engusanarme.

Primero tuve que sacarlo vergonzante de una hedionda cantina con falsos claroscuros de la diecisiete calle donde chachalaqueaba sin cesar con esa voz ronca de rigor, sólo para calmar a mi histérica madre que llamó obsesiva por teléfono a todos los antros de perdición de la ciudad hasta localizarlo.

Enseguida doña Puri petateó un viernes por la noche sin decir palabra mientras yo estaba de fiesta. A la vuelta del bendito baile me aguanté la chilladera y voz vidriosa, entrecortada, del hombrote pálido, nervioso, quebrando la calma con su arpegio vibrante y prolongado. El influjo sórdido de su resquebrajamiento me ponía los pelos de punta. El desvelo y la salida a esas horas de la madrugada en engomadas condiciones a la funeraria, donde por suerte le ofrecieron brandy a todos los presentes, fueron seguidos la tarde siguiente por el entierro, único al cual asistí en mi vida. Su ataúd de cedro estaba tan cubierto de empalagosas flores que parecía invernadero. Los visitantes se veían obligados a socializar en el cuarto vecino pues no cabían en el de las flores, de manera que la caja estaba en una soledad espantosa en un mar de flores, como triste anda de procesión abandonada en un rincón perdido de la iglesia. En algún momento preestablecido se inició el largo desfile de carros apiñados de gentes que no veía hacía siglos, todas de un negro riguroso. Tengo pocos recuerdos del entierro en sí, fuera del momento en el cual me vio a la cara una prima segunda, Alejandrina Lecuona. Fue verla y chillar. Ella me miró estupefacta, con vergüenza, como si me hubiera sorprendido desnuda. La verdad, se me vinieron los mocos por la culpa que sentía de no haber visitado a doña Puri durante su larga enfermedad, por mis deseos secretos de que se muriera y se llevara a mi padre con ella.

Pocas semanas después se quebraron en plena Avenida la Reforma al embajador gringo cuya pelirroja hija de nombre Marilyn me latía mucho aunque nunca se me ocurrió siquiera confesárselo. Ella no le hablaba a ninguno nacido en nuestro paisucho. El carro del papá de mi mejor cuate iba detrás de la limosina del embajador la tarde del ametrallamiento, de manera que él nos contó después el episodio con desmesurados ojos. En consecuencia pusieron toque de queda otra vez. Ahora ya conocía su significado: no poder salir en las noches. Quería decir quedarme claustrofóbica, encerrada en casa con el energúmeno, la manchada bragueta del pantalón de su pijama abierta en forma descuidada mientras veíamos juntos un capítulo repetido de *Los intocables* por televisión sin decirnos una sola palabra más allá de "buenas noches".

Como resultado de todo ese relajo secuestraron al arzobispo y se pusieron a buscarlo por toda la ciudad, cerrando cuadra tras cuadra con operativos militares. Cuando llegaron a mi casa una tarde seca arrullada por el repique de helicópteros en el cielo, no había nadie más acompañándome. Me tragué solito al montón de piojosos soldadotes que entraron marchando a la casa, ametralladora en mano, buscando al mentado Sor Cotuzo bajo las camas y entre los closets sin encontrarlo nunca, no sólo porque no había nadie más en mi casa, sino porque Sor Cotuzo ya había salido del closet de la manita de Sor Pijije.

Algo de todo eso, mal mezclado como cuando uno rompe la regla de oro y combina alcoholes variados a lo largo de la noche, fue la gota que derramó el vaso de agua. Se acordeonaron emociones en pocas semanas y de pronto la leche hirviendo se desparramó por todas partes. Fue así como ese valle de la Asunción que en esos años era casi un vergel salpicado de coloridos chalets con murallas pintadas de inesperados marrones dejó de ser el mejor de los mundos. Me fui del viejo aeropuerto, apiñado con cientos de gentes en ese galerón celeste construido por la Pan Am como anexo del viejo edificio de tejas rojas un ventoso día de noviembre ideal para volar barriletes. Mi padre estaba con impecable traje gris y corbata negra, perfectamente rasurado y oloroso a Aqua Velva, anegado con los movimientos burocráticos de rigor: revisando mis cheques de viajero, el pasaporte con su visa, los boletos en mi mano, tratando de evidenciarse útil e indispensable. Al fin, secretario de abogado. Yo feliz, pese a su eléctrico desasosiego. Aunque se suponía me iba sólo de vacaciones, ellos sabían que era el final, mi gran escape. De manera paradójica yo era lo que mis viejos más querían y ese amor se les desvanecía. El viejo hubiera preferido otro punto final a nuestra historia pero ya era demasiado tarde. Yo sabía que él nunca lograría atrapar su pasado. Con espíritu burlón me esfumaba etérea en el avión de sus calendarios de oficina, huidiza como putita traviesa. Pese a todo me sentí enredada en la desolación de su nunca verbalizada pérdida. Me di cuenta en el momentazo de la despedida. Sentí la infiltración de una desbordante ternura por ellos. Sin embargo, a la hora de las despedidas, tres veces intenté abrazarlo, tirar mis brazos alrededor de su cuello, y tres veces su sombra se me escabulló, liviana como el viento, fugitiva como mal sueño. Al final, ante el anuncio del abordaje inminente le di apenas un parco besito en la mejilla, seco y breve, conteniendo la respiración para no sentir su olor a fracaso. Antes de desaparecer en la sala de abordaje todavía me volteé para agitar la mano y descubrí dos lágrimas corriéndole por los cachetes mientras sostenía a mi madre a su lado. Me di cuenta de mi indiferencia, de la dificultad de esconder mi alegría por dejarlo, la caída de ese momento en uno más amplio capturando toda su vulnerabilidad mientras yo ya respiraba el polvo del mañana. Sólo ahora que le escribo a usted me doy cuenta de ese permanente goteo de amargura, defectuoso como chorro de agua mal cerrado e intento tapiarlo con mis palabras evocativas.

*

Pasaron muchas cosas entre mi primera salida del país y la última pero de eso no quiero hablarle porque chish, así que dejémoslo. Mi vuelta no se relacionó con los motivos que me han llevado a escribirle aunque sean parte central de mi pasada vida. Pero fue entonces que conocí a la Juana, una tarde chapiloca chapitusa de la cual tengo todavía el recuerdo. Fue casi al año de cuando Máximo Sánchez se fuera del país y antes de su vuelta, clandestino. Una fría tarde de ésas con viento cuando llueve horizontal y las gotitas calan hasta los huesos provocando un frío de cueva de murciélagos de esos imposibles de sacudirse. Fue en el casco antiguo del centro de la ciudad, en un viejo edificio colonial reconstruido para usos universitarios. En el escenario, atravesado por una larga mesa de caoba con patas barrocas, estaban sentadas tres personas. Una de ellas era la Juana. La conocía de nombre tan sólo. Ya tenía cierta reputación pública aunque todavía no la re-putación púbica que le conocí después. Como llegué un poquito tarde me senté en el último asiento de la tercera fila, al lado de la puerta por donde entré.

Habló primero un hombre de anteojos, pelo canche, con calma sonriente y grave, las palmas húmedas, muy enfocado en su asunto. Le siguió otro con más aires de pachuco entrado en años. Generaba automática desconfianza maligna, ironizando muchos de sus propios puntos y varios de los mencionados por el primer conferencista. Por fin habló Juana, con tremendo parecido a Natalie Wood en esa ocasión. Fue directo al grano. Serena y fuerte dijo lo que tenía que decir para que tuviéramos lo que teníamos que tener.

Cuando llegó el momento de preguntas y respuestas saltaron varias manos al aire. El primer hablante se otorgó a sí mismo el papel de moderador, tratando de evitar las preguntas dirigidas a ella. Juana se dio cuenta al instante de la burda maniobra y sonrió aparentando ser alcahueta. Con gracia cautivante le bajó la mano al inmoderado moderador mientras sus ojitos se cerraban por momentitos como si persiguieran una visión indescifrable de la felicidad.

Vino una pregunta para el segundo hablante, luego para ella. La pregunta se refería a lo ya explicado, pero en el malentender del hacedor de la pregunta, balbuceó la palabra "farsa" en vez de "frase". Durante brevísimo segundo todos se miraron entre sí, sorprendidos, entrechocando sonidos ásperos. Pero Juana comprendió. Su cuerpo se convulsionó mientras sus colegas adquirían una rigidez pétrea.

Casi enseguida soltó una enorme carcajada ronca. Le salió de lo más profundo del estómago y pareció sumirla en una inesperada condición extática evocadora del sufismo, mientras una generosísima malicia bailoteaba en sus ojitos lúcidos. Yo no salía de mi asombro. En toda mi vida nunca había conocido a nadie que soltara una carcajada de esa magnitud en público.

En ese instante se escuchó un ruido metálico en la puerta a mi lado, cerrada luego de iniciarse el acto. Todos saltaron de sus asientos. La única mente fría era la de Juana. Me dio una mirada penetrante y asentó la cabeza con ligereza, sin decir nada. Le devolví la mirada sin conseguir proyectar la misma fuerza. Lo extraño del intercambio fue sentir como si tuviéramos ya interiorizada la costumbre de esos gestos. Me paré, abrí. Se trataba de un estudiante con una bicicleta al hombro. Intentó franquearla y sólo consiguió golpear la bicicleta contra la puerta.

Al terminar el acto ya estaba decidida a hablarle. Tentativa me fui hacia el estrado. Para mi sorpresa ella también se dirigía hacia mí. Nos encontramos a medio camino y de pronto, rodeadas como estábamos de cientos de personas jaloneándola deseosos de su atención, sentí como si me hubiera adentrado en aquella escena de *West Side Story* donde Tony, encandilado, acaba de conocer a una abrillantada María en el baile y la cámara los enfoca sólo a ellos dos bañados en una tromba de luz, el resto de la multitud desapareciendo silenciosos en el trasfondo oteado de penumbra. Se me vino de inmediato la canción. Al darle la mano no pude evitar el balbucear *"I've just met a girl named..."* Saliendo del evento, en la banqueta frente al parqueo había un mago chino, quien hilvanaba agujas con su boca mientras se paraba en un solo pie.

Lo que la Juana no sabía, desde luego, era que la venía mirando por años de años. Siempre de lejitos, mirona que soy, cuidadosa, primorosa. Ya habíamos coincidido varias veces en algún bar de esos. La primera creo que fue yendo al baño. A mí me encanta siempre ese trayecto que exprime los riñones. Poco a poco una va rozándose con las niñitas sabrosonas, distraídas con sus otros menesteres. Por muchas disculpas que uno pida a la izquierda, a la derecha, o bien arriba y al servicio de la patria, ya las ha tocado con su mano, les ha acariciado la espaldita, el hombro y hasta lugarcitos mucho más prometedores, cuando no humedecedores. En esas situaciones siempre me acercaba a las que más me gustaban entre el gentío y hacía lo imposible por tocar cuanto pudiera; siempre, clarísimo está hasta la blancura, disimuladamente. Esa noche en que miré a la Juana andaba desilusionadota, depre, lamiendo las heridas de mis soledades solterosas, cuando de repente allí la vi, con otra, riéndose, bebiendo, mirando también al personal. Ya sabía quién era, qué hacía, pero a mí sólo me importaba su cuerpo: sus labios, sus tetas, su sexo. La había visto otras veces, de pasada siempre. Siempre acompañada, protegida, inaccesible.

Pero ese día, por fin me atreví. Me le acerqué tantito, como dicen los mexicas. Escuché su risita burlona, me fijé cómo bebía, cómo hablaba, cómo sus manos se movían. Más que sus manos me encantaban sus dedos, largos, fibrosos, soñaba con su recorrido, con su fuerza, con su caricia. Pasé a su lado, pasé por detrás, por delante, repetí la vuelta. La estudié sin que se diera cuenta. En una pasadita, como quien no quiere la cosa, le rocé un brazo, en la siguiente, la espalda. El lugar estaba rebotando de gente, y siempre soñé con atreverme a pasar por detrás suyo y rozarle el culo con mi sexo. Siempre que lo fantaseaba me ponía caliente, muy caliente. La noche en que más pensé hacerlo siguió su curso y me bebí uno, dos, quizá tres o cuatro *cosmopolitans*. Sin embargo, nadie se me había acercado en toda la noche y estaba otra vez destinada al fracaso y, como siempre, hirviendo de deseo. Entonces sucedió. Me pisó por casualidad, desafortunadamente en el sentido castellano y no en el chapín. Me dio un empujoncito accidental, me agarró del brazo y me dijo sorry. Llevaba en el cuerpo un par de whiskachos de más. Qué bien, pensé, quizá tenga chance, su cuerpo una ola del hirviente mar a punto de cubrirme. Pero ni madres. Tuve que esperar hasta la ocasión que le estoy contando en este mismísimo momento. Pero ya ve. Sucedió.

Le admito que fui una voyeur efectivamente, pero no en el sentido tradicional. No era que quisiera mirarla cogiéndose a otra, aunque luego sí la miré haciéndolo, una y muchísimas veces mirándola, cogiéndose a otra. Es que la miraba, siempre, la miraba, la estudiaba al mirar, analizaba sus rasgos mirando, sus líneas, su comportamiento, cómo se movía ágil como si dibujara carneramente, cuando no carnívora, el garabato de la carne desnuda con el vaivén de su cuerpo al caminar contoneado, inmersa en su lucidez, su fantasmagoría, yo mirando cómo reaccionaba ante situaciones sórdidas como velos de palabras. La fantaseaba desde luego. Fantaseaba su ternura, su movimentada sexualidad conmigo. En mi cabeza ya habíamos sido amantes mil años antes de conocernos y lo seríamos mil más aun. Tanto lo he vivido dentro de mí que a veces ya no sé lo que es fantasía o realidad. A lo mejor y más de la mitad de lo que le he contado en esta larga serie de e-mails es pura fantasía mía que nunca sucedió de verdad.

¿Qué decirle? Fantasía o no, la amistad perduró, se profundizó, pero mi cuerpo aun era otro. Eso me martirizaba. Juana ya era Juana, siempre muy Juanísima. El punto climático del primer momento de nuestras vidas llegó cuando por mala suerte nos tocó reencontrarnos con mis viejos amigos de la niñez, con el malencarado del Pedro Búcaro, el lisonjero de Fidelio Rey y el tímido León Zúñiga, ostentando los tres ese, rencor que sólo puede heredarse de la madre, hijos de la grandísima Guate. Esas ganas de vengar al padre de "la duquesa". A Máximo Sánchez ya no se le podía ver por esos tiempos. Pero no puedo contárselo. Se me atraganta. Dejémoslo allí, ni lo toquemos. Nos pasaron cositas feas de las cuales conseguimos escabullirnos de puritito milagro. Fue en realidad lo que nos llevó a salir juntitas del país. Ergo, a partir de 1984 terminamos viviendo en los Estados Unidos con la Juana. Su tercera salida, la definitiva. No se debió a un amorío entre nosotras como le insinué cuando recién la conocí. Esa es todavía mi fantasía oficial y muchos se la creen, pero ahora me atrevo a decirle la verdad. La diaria convivencia le resultó difícil a la Juana. Parecía conocer el camino de la vida con la fuerza de un puerto guarnecido por una muralla. Pero su aguilesco comportamiento se volvió más compulsivo. Para mi pena y la posterior del posterior de Paula, huía de las relaciones como si fueran colofones intergalácticos, aspavientos de tecnologías interactivas. Para ella, sexo, sexo, sexo. Sentir como perfume en la palma de su mano el sublime olor acre de la última pusita acariciada. El sexo era placer, suplente de libertad.

–Hay que conseguir amor por donde sea, pues es lo único que te ayuda a vivir.

Viajé a Toronto por razones de trabajo. Concluidas las reuniones me escabullí de la suntuosa torre sur del hotel Westin Harbour Castle. Salí a caminar a media tarde de ese viernes. Soplaba viento frío del lago Ontario, por lo cual subí apenitas un poco por Bay Street. Tenía el estadio de beisbol con su enorme domo blanco y la gigantesca torre LM a mi izquierda. A la altura de Adelaide ya me estaba congelando. Pero a pesar de la titiritadera la caminata me sirvió. De mi pasaje por Toronto no le contaré mi hermosa noche en el Crews Tango en Church Street bailando con dos altísimas travestis ni de la guapísima de la pancita al aire y un diamante en el ombligo cuya mano acaricié en el bar Zelda's en cuya pared trasera corrían millones de burbujas de agua tras el despliegue de botellas de licor, creando maravilloso efecto alucinatorio. No. En el vuelo de Air Canada de vuelta a Los Ángeles escribí rápido en mi palm pilot unas notitas desordenadas. Ahora se las transcribo para que me agarre la onda.

Cuando estudiaba en París asesinaron a Pierre Goldman. Asistí al funeral en otra tarde gris donde el calor de la masa tropicalizaba los edificios neoclásicos. A la entrada del Père Lachaise divisé a un muy avejentado Jean Paul Sartre casi desmayarse, sentándose al borde de una tumba mohosa, sostenido por una Simone de Beauvoir también flaca y acabada. Un grupo de jóvenes estudiantes los rodeaba, mirándolos como bichos raros. De Beauvoir se puso a gritar, "¡Ayuden, en vez de mirar!" Pocos minutos después el salsero panameño Azuquita somataba las tumbadoras mientras el cadáver de Goldman descendía bajo tierra. Esa imagen se me grabó y su contradicción aparente ha iluminado mi vida. Mi mundo se acaba, consumiéndose frenético como vieja comida sobrecalentada en microondas. Entonces, al carajo. A bailar al "Girl Bar". ¿Escapismo? Sin duda. ¿Impotencia? Con certeza. Pero ¿qué más hacer? Dediquémosle los días al placer, a disfrutar nuestro cuerpazo como finísima espuma destilada a través de inocencia artificial. No seremos los músicos del Titanic pero sí las Rockettes, las Cockettes, locas atrevidas en búsqueda del último orgasmo antes de que la mujer gorda se pare a cantar las arias de *Don Giovanni.*

Cuando volví al hotel esa grisácea tarde en Toronto subí hasta mi habitación en el piso 34. Afuera el frío brutal resecaba la piel. Soplaba viento. Desde la ventana de la habitación sin embargo la vista del lago Ontario era esplendorosa. En ese día claro el agua relucía plateada. Del otro lado se distinguía perfecta la costa de los Estados Unidos. Parecía un espejo de tranquilidad, bálsamo capaz de relajar los nervios más eléctricos. En toda su inmensidad un solo barquito lo atravesaba de oeste a este, justo en el medio. Era chiquito, casi un puntito apenas distinguible desde la punta de mi torre. Y sin embargo había dejado una larga estela. Se vislumbraba como una línea partiendo el lago en dos mitades perfectas. Pensé en lo maravilloso del poder humano. Un solo ser en una pequeña embarcación era capaz de partir esa gran inmensidad, marcar su pequeña presencia en un gran lago, dejar constancia de su paso y transformar así su mundo, un milagro celebratorio de la fuerza de la vida.

*

Mis tetas son de agua de mar. Del mar Caribe. Por lo menos eso le pedí al médico cuando me dijo que los injertos salinos eran mejores para la salud que los de silicona. Un poco duritas, no se lo voy a negar, como quien goza de erección perpetua, apuntándole siempre al cielo con la artillería pesada. A veces la salita se va asentando en la parte baja de la teta bajándolas tantito como diría ya sabe quién, horizontalizándomelas, pero allí se defiende una como puede. Agua salada estéril en bolsita plástica, quién diría. Casi como los cuquitos de que le conté cuando aterrizó el jet de la Pan Am. Eso sí, nunca he sufrido ni contracciones capsulares, que como sabe es cuando se le pone durota la cicatriz alrededor del injerto, ni, peor aún, infecciones de cualquier tipo. Tampoco se me ha roto ninguna bolsita con esos desagradables escapes, tetas incontinentes, suero de mar. Por suerte tienen menos consecuencias en el cuerpo dada la tibia delicia del agua saladita del Caribe color aguamarina, a diferencia de la fría silicona artificial.

Según me explicó mi querida Jennifer Wells, media vez la válvula de las bolsitas no falle, tudo bem. ¿Sabía que la bolsa es del mismo material con el cual se hacen los marcapasos cardíacos, los catheters intravasculares y cosas por el estilo? Me quedé con cara de babosa al enterarme pero es por eso que no representan riesgos inmunológicos. Asimismo, me aseguraron que la incidencia de contractura capsular es baja con los diseños metidos en mis deliciosos pechitos olorosos a piña colada. Los pedí chiquitos, redonditos y sabrosos como los de la Juana, en vez de esas monstruosidades horripilantes a lo Jayne Mansfield. Eso sólo les puede gustar a los anglos babosotes muy hetero y a mujeres estrechas tirándose idiotas al piso como si fueran alfombras para que los hombres se limpien los pies.

Ah, y me soltó también la doctorcita que los niveles de desinfle de estos *implants* es baja, lo cual me augura vejez de lo más sabrosona. Todavía están, eso sí, esperando estudios radiológicos del efecto de la bolsa en el tejido pechoso para evitar un cáncer de las tetas, ¿se imagina? Sería lo más auténtico que podría pasarme como mujer a pesar de lo doloroso y pendejo de sus implicaciones. Pero en general me aseguraron, hasta el momento todos los estudios existentes son positivos a ese respecto, garantizándome la seguridad y eficiencia de mis bolsitas.

Nada de lo dicho me hizo castañear los dientes. A pesar de todo ahora sí soy quien quise ser. Me produjo más problema la spironolactona, porque ese esteroide era diurético de caballos y las ganas de mear eran de lo peor. Me dejaban como conejo salvaje extenuado por la persecución de un hambriento coyote. Juana se quejaba. La despertaba todo el tiempo para ir al baño. Yo me reía y le decía tan solo, "si lo hago sólo por vos". Según mi doctorcita, los diuréticos le chupaban a uno los electrolitos, cosa que me imaginaba como especie de salivosa mamada por todo el cuerpo, pero que en vez de sacarme el dulce esperma con su consistencia de pudín de tapioca se llevaban de corbata todas las hormonas masculinas. La bendita droga era antiandrógena, otro rollo que yo ignoraba pero que quería decir, si bien me acuerdo, un mineral o corticoide metabolizado de la progesterona en las glándulas adrenales.

–Si esto es lo que me tengo que tragar ahora, a la hora de la operación ya no te voy a aguantar más, me decía la Juana con oscuridad en los ojos, desafiando al mundo entero.

Yo sólo me reía y le decía que era peor ahora, porque eso mismo me había dicho ya usted. Todos me lo habían dicho. La terapia preoperativa era lo peor del rollo. En realidad pese a todo lo que le chillé, no la pasé tan mal fuera de orinar toneladas y de sentirme poquitito más debilucha, pero sí me bajó la presión, me subió el potasio en la sangre y tuve un mi toquecito de confusión, de desorientación, de andar en onda, peorcito de lo que le confesé entonces. Andaba en onda sin haber fumado mariguana. Perdí apenas la memoria pero ya no me acordaba dónde había dejado el reloj o si había pagado las cuentas de la luz y del teléfono. También corté en pedacitos por error una tarjeta de crédito creyéndola expirada cuando era la nueva recién mandada para renovármela. Se me iba el pájaro, no en el sentido literal sino en el de perder la atención. Además padecí algo más de dolores de cabeza de lo que le admití en ese entonces. No jodían tanto como la migraña pero tampoco eran de los que se iban con un par de Tylenoles. Pero la Juana era impaciente. Se ponía como tigresa acorralada, mirándome furtiva con cercanía lejana.

—¿Para qué arriesgarse a un infarto, a joderte el hígado y a disturbios electrolíticos que te apendejan para bajar la producción de testosterona? Mejor castrate de una vez, más sano, y nos dejamos de aguantar tanta babosada. Como si ser mujer fuera la gran cosa.

Trataba de no perder la paciencia, de volver a decírselo. Como usted bien sabe, la médica no me dejaba irme directo al grano sin pasar por el tratamiento hormonal y por el psicológico con usted, mi queridísima Zerlina. Cómo me costó animarme para ir a verla. Hacía las citas y luego no me aparecía. Se acordará, más de una vez me llamó de vuelta para preguntarme por qué no cumplía y negué haberlas hecho. Pero me tragué la píldora porque la Jenny no me certificaba y sin eso ni máis, paloma. Nequis. Una vez di el primer, horroroso, timorato paso, usted me desarmó con su amplia sonrisa acogedora. Su cabellera blanca me recordó a la Mima y me di cuenta rapidito por todo lo dicho que no me consideraba ni de chiste una loca de atar.

—¿Y qué hubo con lo del acetato de sapo, esa pildorita mágica que te castra?

—Ay dios, ya quisiéramos todas. En primer lugar, no es acetato de sapo sino de leuprolida. En segundo, su efecto sólo empieza a la semana y apenas si dura un mes, además de que cada dosis cuesta cuatrocientos dólares. En tercero, sólo produce un efecto químico. Reduce la testosterona hasta apendejarlo a uno haciéndole sentir como si se los hubieran efectivamente cortado, pero los huevos siguen estando allí por muy fritos que te los sirvan. Sin embargo te van acostumbrando a lo que se viene.

Por lo demás, no sufrí mucha ansiedad con usted. Cuando me lo preguntó en mis primeras sesiones le dije toditita la verdad. No me acordaba de haberle pedido nunca a Dios que me hiciera patoja cuando era chiquita porque nunca fui creyente, ni de querer jugar con muñecas porque nunca fui imbécil. De la misma manera nunca quise tener güiros de adulto porque con este mundo superpoblado hay que ser cruel para querer más niños. Quería ser lesbiana, no una hetero descerebrada. No sólo eso. Me sigue gustando el futbol y nunca me he perdido un mundial por la tele. Me deprimiría algunas veces, sí, pero sobre todo por amores frustrados, por ganas de coger no concretadas, no por sentirme estancada en mi cuerpo ni nada parecido. Tenía conciencia de él y tenía que descifrarlo con regularidad temiendo sus masculinas traiciones, pero eso no me cortaba ninguna espontaneidad sexual. Tampoco me enamoré de la Juana porque quería ser ella. Tal vez como ella, como especie de feliz compensación que estalla todos los poros del cuerpo como una granada, pero no ella en particular, aunque sí me gustaba ir de compras con la susodicha para sobarme sobre la piel esas telitas supersexy las cuales le quedaban mejor que a ninguna otra. Las drogas y el alcohol vinieron después del último gran escape de la Guatemata pero fueron siempre por placer y casi siempre consumidas en grandes fiestas donde la promesa de encamarse con más de alguna era tan altísima como el centelleo de los ojos de la Juana. Nunca por amargura o por lo menos, raras veces. Esta chica aquí jamás llegó a la desesperación, nunca se le hizo intolerable el dolor de no ser quien quería ser, ni de chiste se le pasó por la cabeza el fatigoso suicidio, pues este fin sólo querría decir menos orgasmos dados y recibidos y lo único que me aterra en el mundo es dejar de orgasmear.

Usted misma se sorprendió de no descubrirme ni culpabilidad ni vergüenza aunque tampoco me lo creía del todo y le gustaba burlarse de mí, ¿o no? Incluso me regañó por no haber investigado lo suficiente las consecuencias de mi cambio, de lo llamado por usted *gender dysphoria*. En cuanto a ser hipersensible, bueno, lo era por ser artista como la Juana, pero no porque sintiera la obligación de seguir algún comportamiento apropiado impuesto por la abominable sociedad gringa moralista y puritana, sobre todo cuando era gobernada por republicanos con cocientes intelectuales más bajos que sus erecciones. Eso no implica no tener yo mis cositas, algunas contradicciones. Por ejemplo, cuando leí en su página web, *"My male-to-female client load currently contains eight fathers, a motorcycle gang member, a Viet Nam Medal of Honor winner, an ex-submarine Captain, and a foreign revolutionary"* me sentí morir y hasta llegué a pensar en demandarla. Pero me calmaron tanto sus propias burlas como las de la Juana, teñidas de refunfuñona impaciencia, lindando ya casi en sorprendente malcriadeza.

Un paradita para almorzar y para ir al baño pues ya están medio chillando las tripas. Además me acabo de comprar un queso manchego de esos de llorar con cada mordida. Cómper.

Pensé durante el almuerzo contarle que de veras, nunca tuve miedo. Sólo me preocupó la reacción de mi mamá y eso fue un tiemparral antes de animarme siquiera a soltárselo a cuentagotas. Conocía ese medio tan rejodido de la mugrosa Guateputa con su esencializado y famoso "qué dirán". Mi mamá siempre estaría conmigo pero nos pelarían a las dos hasta decir ya no. La familia estiraría el brazo firme y diría, "hasta aquí, porque más allá, no te conozco, mosco".

Después de soltarle prenda a usted por fin, me preguntó si me había odiado a mí mismo y le dije que no. Usted no muy se lo creyó pero era la puritita verdad. Nunca. Ni se me ocurrió siquiera ser pervertida, cosa por lo demás que a la Juana le hacía muchísima gracia. Repetía la pregunta con expresión sagaz y gozosa. No, siempre me acepté a mí misma. Desde que empecé a visitarla, Zerlina, llegué súper motivada. Usted me dijo ser típico de quienes tomaban esa decisión alrededor de la cincuentena. Incluso fui a un par de reuniones de grupo a sugerencia suya pero la verdad, no era mi rollo. Por eso me eché atrás, no por miedo. Eso de hablar con chontes gringos bien anglotes o con ejecutivotes pelones queriendo ser mujeres sin saber cómo decírselo a sus nietos y al encargado de sus acciones se me atragantaba en la garganta como falo gordote.

Cuando empecé a "emerger", como le llamaba usted a lo de aparecer en público, las cosas me parecieron más o menos simples. La Juana, la Luisa y su grupo de Madrid, la Marosa y los de Vigo, Livia y los de Rio, todos los amigachos más cercanos lo sabían ya todo y las hormonas estaban haciendo su trabajito. La transición parecía juego de niños. Después de lo que había sobrevivido, imagínese. Ya para entonces tenía décadas de preocuparme de cómo sería la cosa de llegar a tirarme al agua y no en balde decimos que los chuchos viejos ya no se orinan en las piernas de las visitas. De hecho, excitadísimo por todo me atreví a hacer excursiones cada vez más y más largas a todo tipo de eventos sociales, vernissages de galerías, salidas a la ópera o comidas enteras en restaurantes de los buenos con mi nuevo yo, mi nueva identidad. A veces me encabronaba cuando me confundían con hombre gay o con travesti pero le hacía de tripas corazón y lo pensaba normal en esa etapa de la ansiada transición. Al fin de cuentas las hormonas no habían completado su misión. Sin embargo la Juana se empezó a impacientar otra vez y a presionarme para que me soltara ya full time. Fue cuando fijamos fecha para el magno suceso, el día a partir del cual ya no habría vuelta atrás.

Para mí este período fue el más dichoso de toditita mi vida. Significó nada menos que salir con la Juana como mi pareja lesbiana, por fin, ir juntitas siempre al baño de mujeres, comprar ropa con ella en "Bébé's", "Express" y otras tiendas deliciosotas llenas de prenditas finitas y menudas, usar maquillaje. Lípstic sobre todo que me ponía loca, lípstic rojo oscuro, aunque la barba me jodía todavía y me frustraba sobremanera que me siguiera saliendo. "Cara de lija", me decía burlona la Juana con su sonrisa sagaz y mirada avivada.

Con pena lo pararé aquí porque voy a ver *La casa de Bernarda Alba* al Mark Taper Forum. Queda hasta el centro de Los Ángeles y con el tráfico hay que salir bien temprano. Aprovecharé para cenar en *Traxx*, el restaurante de la estación de trenes. Está allí casi al lado y es de primerísima.

*

Aquí le copio la carta que me pidió, sin comentarios, aunque usted ya conocía el contenido, acuérdese de todo lo que discutimos.

Querida Pacha,

En cuanto a su carta solicitando información concerniente a los requisitos para corregir anatómicamente las características sexuales en el transexual, le respondo lo siguiente:

Nosotros no tenemos una clínica de identidad sexual aquí. Podemos realizar cirugía para usted, lo cual incluye la cirugía genital u otros servicios que requiera vinculados con éste.

Nuestra tarifa básica es de $3,800.00 para la cirugía genital y $1,200.00 para implantes de senos. La tarifa del hospital será de $5,275.00. Cualquier servicio adicional más allá de la estadía promedio que pudiera surgir por alguna complicación inesperada será cobrado por aparte. Tanto nosotros como el hospital requerimos pago en cash al momento de proceder a realizar la cirugía. El costo del asistente del cirujano probablemente será de $125.00. Asimismo, de realizarse otros procedimientos durante la misma hospitalización el hospital requerirá de un pago adicional de $897.00 por implantes de senos, $189.00 para cirugía de la nariz, y $189.00 para el rasuramiento de la tráquea. Nuestra tarifa para el SMR con rhinoplastia correctiva es de $1,200.00; rasuramiento de la tráquea es $850.00 siempre y cuando se realicen durante la misma hospitalización con la cirugía previamente indicada. Llenaremos el papeleo para su seguro médico y puede cobrarlo directamente de la compañía aseguradora, o bien nosotros le reembolsaremos el monto si es previamente enviado a nuestras oficinas.

Asimismo, requerimos una historia social de su persona. ¿Ha estado viviendo completamente como transexual? ¿Trabaja como tal, etc.? También requerimos un informe detallado del tratamiento hormonal seguido, y por cuánto tiempo. Precisamos saber si se ha hecho electrólisis o cualquier otro tipo de cirugía cosmética. Como regla, antes de proceder a la operación exigimos certificado psicológico de que el individuo ha vivido satisfactoriamente en su sexualidad preferida durante un tiempo mínimo de un año.

Asimismo, requerimos pruebas de dos evaluaciones psiquiátricas, preferiblemente una por un psiquiatra recomendado por nosotros, y la otra por un psiquiatra o psicólogo con probada experiencia y con licencia para trabajar en el campo de la identidad sexual. Finalmente, usted debe comprender que será la última evaluación que realicemos la que determinará su aceptación para la cirugía. Esta será realizada por nosotros inmediatamente antes de proceder. Apreciaremos que nos envíe sus evaluaciones lo más pronto posible.

Por favor, envíenos a su vez una foto suya para abrirle desde ya una ficha con todos sus datos. La misma puede ser enviada por attachment vía Internet. Una vez hayamos establecido una fecha para la cirugía, un depósito de $500.00 para reservar la fecha será requerido. No aceptamos cheques personales. Debemos recibir los $500.00 en nuestra oficina no más allá de una semana del día en que se programe su cirugía. El depósito de $500.00 no es reembolsable bajo ninguna circunstancia media vez hayamos fijado la fecha de la cirugía, independientemente de que usted cancele la misma por cualquier razón o motivo. Todos los costos que le he indicado están sujetos a cambio sin previo aviso. El nombre del hospital es: Mt. San Rafael Hospital, Trinidad, Colorado, 81082.

Será necesario que se haga un examen de HTLV III o bien uno de HIV (SIDA) en un laboratorio certificado con seis semanas de antelación a la cirugía. Se le exigirá tener a mano los resultados negativos en el momento de llegar para la operación.

Nosotros proveeremos todos los papeles necesarios para su consentimiento al momento de su llegada. Será un placer el poderle servir si llena todos nuestros requisitos.

Sinceramente,

Stanley H. Biber M.D.

Nota: Si su pene es demasiado pequeño de manera que se requiera un transplante de piel para acompañar la técnica usual de inversión, habrá un costo adicional de $500.00.

*

Para que se entere y lo tenga en cuenta, le envío también las transcripciones de las conversaciones con el cirujano después de la operación. Él me prometió un juego de slides o diapositivas, numerado para que coincidiera con las grabaciones y cumplió,

como ve. Para mí es un lindo recuerdo. Para usted
será material de trabajo. Por ello se lo paso tal cual.

SLIDE:

Creo que aquí estoy trabajando con un retazo
de piel, lo que llamamos en la jerga médica la aleta
perineal. Será usada para cubrir la pared posterior
de la vagina, y tiene un efecto doble. Aumenta la
anchura de entrada de la vagina, aumenta también
el tamaño y hace que la piel del pene vaya hasta el
fondo, aumentando también su anchura. Esto lo
vengo haciendo desde hace ya casi dos años. Antes
sólo cortaba el perineo por el medio pero quedaba
una cicatriz congénita. En cambio con lo que te hice
a ti, los dos retazos se fusionan, siempre y cuando
tenga cuidado de que no se exceda cada retazo de
tres veces su anchura, porque no hay irrigación sanguínea en esa zona, y muchas veces durante la cirugía, cuando está colgando al revés se pone azul.

SLIDE:

Aquí puedes ver que la operación ya comenzó.
Tal vez debería poner más slides para llegar hasta
este punto, pero en éste se puede ver que la uretra
ha sido ya separada del bulbo, del *corpus cavernosum*, y puedes apreciar el astil del que fue tu pene.
La uretra ha sido cortada hacia abajo, pero hemos
puesto un *catheter* dentro con un tubo autoretentivo
número veinte, que se quedará allí por unos ocho o
nueve días. Pero no es todavía una uretra completa
porque la punta todavía está adherida aquí bajo la
piel, bajo la punta del pene que no ha sido liberado
todavía. Y, como ves en este otro punto, la base

tanto del *corpus cavernosum* que será cortada en "V" y la base de este tejido eréctil serán cortadas después para construir el clítoris. Justo debajo, debajo de este punto está el hueso del pubis. El siguiente slide por favor.

SLIDE:

Ahora una vista del progreso de la operación. La aleta perineal que tiene un color gris y algo azulado está colgando. Hay que tener cuidado a la hora de la disección porque hay que mantenerla gruesa y no entrar demasiado profundo en ese lugar donde se da vuelta porque sangre viva está fluyendo por allí y volviendo al corazón. Hay que preservar la punta para que no se muera y genere más problemas. Ves ahora que la uretra ha sido traída al frente y hay un fórceps agarrado a esta pieza triangular que es el *corpus spongiosum* alrededor de la uretra. Ésta es la vuelta, un lugar delicado entre la uretra masculina horizontal y la vertical, que va en dirección de la próstata y de la vejiga. Ésta es una vuelta en ángulo recto y debo decir que los que posteriormente tienen algún problema con la dirección en la cual orinan se debe al nivel en el cual fue cortado. Hay la vuelta en ángulo recto y está rodeado por el *corpus spongiosum* que es el segundo tejido masculino eréctil. No ayuda a la cirugía. Cuando los pacientes se quejan después de que está muy hinchado o les duele y se les hincha cuando se excitan, o bien que está encorvado en la vagina dificultando la dilación o el coito, se debe a este tejido, pero no te preocupes, eso no te pasará a ti. El próximo slide por favor.

SLIDE:

Verás ahora la parte difícil del procedimiento, porque la aleta perineal es jalada hacia atrás, hacia el frente y luego hacia arriba, y aquí es donde pasa, en el punto difícil. Yo siempre dije que remover los testículos es muy fácil, garantizado al cien por ciento y se hace con suma rapidez. Trueno los dedos y ya. La penectomía es más delicada porque el tejido eréctil puede sangrar. El sangrado es un alto riesgo en este tipo de cirugía. Sucede especialmente en esta juntura, donde se construye la apertura de la uretra. La conexión de la uretra acortada es frecuentemente un punto de estrechamiento y de infección. Pero aunque el slide esté un poquito fuera de foco, puedes ver que atrás hago en esta parte del procedimiento unas suturas fuertes a ambos lados para agarrar al cuerpo sanguíneo y reducir el sangrado. Hace la cirugía más fácil, más rápida y menos complicada. Ése es el punto donde uno puede meterse en problemas porque más allá de como una pulgada o pulgada y media encontramos un tipo de envoltura fibrótica que cierra el espacio para separar la pelvis masculina de la próstata y del recto. Para la reconstrucción tenemos que pasar a través de esta envoltura. Es delicado pero necesario, porque cuando le construimos un lugar a la vagina hacemos un corte allí, pero sin remover el tejido. Se corta, se divide, se separa y se aprieta hacia adentro y tiene que quedarse allí. Así que, el próximo slide por favor.

SLIDE:

Ahora esa etapa ya fue completada. No la ves bien pero tienes que creerme. Puse una esponja para hacer compresión, para hacerle lugar al astil penil cuando el molde hecho de piel sea ubicado dentro del cuerpo. Aquí puedes ver un hoyuelo pequeñito porque el tejido abdominal ha sido bajado y sujetado al pubis. A veces se sujeta también al clítoris, pero eso es transitorio, se disuelve en una o dos semanas. Ves la piel penil aquí y la punta donde fue separada del glande. El glande es descartado. Antes trataba de salvarlo y usarlo como especie de cervix, de cerviz, o de cervical inferior en el fondo de la vagina, pero era mucho problema. Creo que a veces uno sueña demasiado. Entonces, las puntas de la piel penil son cerradas con suturas interrumpidas ya que fue cortada en medio de la línea, se ve correr un poquito de sangre aquí, mira. A mí no me gusta parar para cauterizar todo el tiempo porque genera mucho tejido quemado y pone en riesgo el uso de la irrigación sanguínea en el futuro. Media vez no sangre mucho, prosigo. La mayor pérdida de sangre puede implicar más medicamentos para dormir, pero la preservación de la irrigación sanguínea facilita futuros coitos. Como ves, la uretra está allí, y te confieso que me costó hacerte el nuevo hoyito para orinar exactamente en el medio. Esa piel se estira mucho, y aunque siempre trato de pintar un puntito en el mero centro, a veces no me sale. Contigo hubo suerte. El próximo slide, por favor.

SLIDE:

Fíjate, el final de la piel penil está detrás, el *catheter* está saliendo, pero la piel está colgando para el lado opuesto. Este proceso se interrumpe con suturas todo el tiempo. Tiene que ser así. ¿Ves?

Para que la piel quede al reverso y para tener esta parte agarrada donde debe estar. Aquí está ya casi completa. Siempre empiezo de ese lado, tal vez porque soy derecho. Próximo.

SLIDE:

Mira, ya está completamente al revés. La piel que antes era exterior ya está para adentro. Es la pared de la vagina, pero aún no ha sido colocada en su lugar. Hay aquí algunas esponjas para comprimir. Próximo.

SLIDE:

Ya empecé a colocar la vagina en su lugar. No ejerzo demasiada presión porque uno tiene demasiado tejido entre manos, y si se presiona mucho, se acorta. Para mí, tiene que ser lo suficientemente larga aunque quede más apretadita. Esta cosa blanca que ves es como vaselina, una especie de goma anestésica. El siguiente, por favor.

SLIDE:

Aquí ves cómo la gasa yodofórmica va entrando. Ya ha quedado todo asegurado. Esto se completa de último. Es como embalar el nuevo producto para que adquiera su forma definitiva. OK, el siguiente.

SLIDE:

Ésta es la continuación. Ves la aleta posterior empezando aquí, enfrente del ano, y alineando la pared posterior de la vagina. Ves también la entrada de la vagina. Esto que ves dando vuelta aquí es la continuación de la aleta perineal que alinea la pared anterior de la vagina bajo la vejiga y bajo la próstata. Felizmente no está azul. Eso quiere decir que la irrigación arterial es buena. Si se hubiera puesto azul sería un problema enorme, querida. Próximo.

SLIDE:

Aquí vamos progresando. ¿Ves la uretra abierta en el centro? Ya ha sido asegurada mientras removía trozos de piel en el centro. Ésta es la gasa yodofórmica sostenida en su lugar por mi asistente. Aquí va a estar tu nueva apertura de la uretra. En esta foto todavía no ha sido completada. Por lo tanto, el ano, la vagina, el punto para orinar estarán todos aquí, y ves que ya hice un lado de la *labia majora*. He removido piel del escroto. Hay un tubo de silicona para el drenaje. En caso de sangrado siempre es mejor que esté afuera y no adentro. El lado izquierdo de la *labia majora* aún no está terminado. Queda todavía exceso de tejido que hay que remover, pero ya ha sido marcado con azul de metileno. Puedes ver que no hay lugar para ningún tipo de *labia minora*. Próximo.

SLIDE:

Ves aquí el *corpus spongiosum* externo, el tejido eréctil principal, siendo estirado. No puedo apretarlo demasiado sin embargo porque el tejido moriría. Ves también otra capa aquí, la mucosa. El que sigue.

SLIDE:

Ya casi está. De nuevo, un poquito de sangre. Dos capas con una costura a todo lo largo alrededor del delicado punto de la orina, después de que te quitemos el *catheter*. He ligado a las costuras gelatina coagulante. La llamamos *"gelcoag"* y es muy útil, aunque no estoy convencido de que sea necesaria. Pero ayuda a evitar el sangrado y eso es lo principal. Mi primera preocupación es siempre el paciente que sangra demasiado. Si baja la cuenta de glóbulos rojos, la oxigenación es baja, el pulso muy rápido y el paciente tiene dificultades para respirar y sienten dolores al pararse por falta de presión arterial, tenemos problemas. Te lo cuento porque nada de eso pasó contigo. Sigamos.

SLIDE:

Aquí ves a tu anestesista. Y ésta es mi asistente favorita, mi esposa. Yo hago toda la cirugía, pero el limpiado lo hace ella. Ves también el tubo de IV. Próximo.

SLIDE:

Sí, ya estamos casi al final. Hubo un poquito de sangrado aquí pero mantuvimos la pared de la vagina empacadita, y puse gasa extra aquí, entre los labios. Todo esto fue empujado hacia adentro luego y los labios de la *labia majora* son cocidos con puntos fuertes. Parece bárbaro pero ayuda, porque el sangrado se hace casi imposible. El que sigue.

SLIDE:

Ves, aquí ya los dos labios fueron cocidos y se quedarán así por cinco días. Los puntos se te quitarán un día antes de dejar el hospital. Éste es el punto de la orina, la vagina estará aquí, y el ano aquí. Con el potencial de infección tan alto, tratamos de que los pacientes no tengan movimientos fecales durante cuatro o cinco días. Cuando están listos, les damos un enema para separar la pared, y no deja de sorprenderme lo eficaces que son. Ya verás. A veces los pacientes sangran por la *labia majora* aunque estén cocidos pero ése no ha sido tu caso. Te hice una curación entre los labios pero hay que tener mucho cuidado. Si uno no ejerce demasiada presión habrá sangrado. Pero si ejerce mucha, no lo hay pero surge una necrosis que puede matar el interior de los labios. No pongas esa cara, que contigo no ha pasado nada de eso. Si acaso un lacerado mínimo, pero eso se pinta de rojo y queda como nuevo. Próximo.

SLIDE:

Aquí ya terminamos. Ya fue limpiada toda la zona, y se ven los tubos que te quitamos ayer, luego de 48 horas. Ves claramente la compresa que evita el sangrado. Último.

SLIDE:

El sobrante. Hemos cortado las dos orejas y el rabo como en los toros. Ves los *testes* y el *corpus cavernosum*. Ambos testículos tienen parte de la cuerda que corté y ligué. Ves el glande descartado. Parte de la piel del escroto. Es más grande de lo que parece, porque generalmente la veías encogida. ¿Alguna pregunta?

¿Que dónde está el clítoris? El clítoris es subcutáneo. La base del *corpus cavernosum* fue juntada. Eso hace un tipo de pequeño cerro que se mantiene subcutáneo. Puede sentirse con un dedo pero no puede verse. Eventualmente, luego de cirugía secundaria podemos abrir la piel para que se asome ligeramente y le anuncie todos tus nuevos orgasmos al mundo entero.

*

No le mentí. Hubo montón de cartas entre la Juana y la Paula. Ya le mandé una. Desde luego no tengo copias de todas pero iban y venían. Aquí me quedan algunas todavía. Rompí otras, eso sí se lo admito. No culpo a la Paula por lo sucedido. Ni siquiera a la Juana, dada su naturaleza y el desastre chapinlándico, el hundimiento entero de una nación. Pero fue en pésimo momento, eso sí que puedo decirlo con autoridad de vieja puta. Me había recobrado ya de la primera operación pero faltaba todavía el resto cuando alzó el vuelo. Déjeme empezar por copiarle otras cartas. En una de ellas la Paula, muy poética, le decía:

Pájaro riente sobre mis aguas turbulentas:

Si lo piensas bien, verás que tu alegría es capaz de destruir mi felicidad. Para mí, más vale que haya sido un encuentro sin trascendencia, y que sólo me irrite haberme añadido a una lista interminable de mujeres necias. Sólo lamento que la necedad haya sido tan pública.

Juana le contestó, siguiéndole el jueguito:

No busques el consuelo, mujer, añejándome en el desconsuelo del listado. Ni mis mujeres han sido necias ni las listas reales, sino una mítica expresión de un sólo amor no encontrado. Mi alegría podría, quizás, quizás, quizás, destruir tu felicidad pasajera, que tampoco lo es. Pasado el terremoto, encontrarías la verdadera. Valoriza las fuerzas activas y descodifica el miedo hegeliano. Atrévete a vivir...

Me quedo soñando con tu carta linda que neciamente te niegas a compartir. Y te confiero el secreto de los pájaros sonrientes: buscamos un solo amor. Al no encontrarlo, podremos picotear varios frutos, pero nos interesa uno solo, el más dulce, el más profundo, el más sutil, el que no quiere ser devuelto al mundo sino reimaginarlo mejor.

Todos los abrazos y besos del mundo.

Paula volvió con el tema, todavía flotando en su gozosa nube poética:

Risa:

Ya estoy viva, aunque no lo creas, pero no de la forma que a ti te gustaría. "Volver a visitarla en un hotel furtivo/ y barato, y saberla/ dispuesta a despertar a una palabra." La historia que

quisieras construir para mí no es la que
yo me he escrito...

La lista de las necias no es solamen-
te tuya, aunque por la cantidad de mujeres que le has añadido, podría dedicár-
tela. De lo que me cuenta Luisa, me
parece que te gusta exhibir tus conquistas. Pájaro riente, ¿no se te ocurre
que no existe la flor que te llene el
buche una vez y para siempre?

Basta para darle una muestrita del tono de su
correspondencia. Mientras tanto yo me operaba, la
primera de la serie de operaciones. Con ese largo
largo proceso me ensimismaba y me sumía en mi
propia metamorfosis trascendental, ay dios, qué horror de frase. Juana fue siempre atenta, fina, sin
deshacerse de mis airosas miradas, aunque impaciente. Se ocupó de mí como mujer, cosa rarísima
en ella. Fui tan bruta y andaba tan despistada en
esos meses que hasta llegué a creer que apreciaba
el operarme por ella, imagínese lo mal, toc toc, que
yo andaba.

Todo fue larguísimo y muy tedioso como si des-
pertase en tierra desconocida. Ya lo sabe, usted fue
la primera en prevenirme desde un principio y le he
venido reiterando la verdad de sus palabras. Como
no trabajé durante todo ese tiempo, Juana me mantenía. Aunque su situación era cómoda, no dejaba
de inquietarla o de mencionarlo una y otra vez,
frotándome la naricita nueva en la mierdita vieja.
Sobre todo cuando amanecía grumpita. La depen-
dencia me resultaba muy molesta, por no decir re-

jodida. Yo callaba. No por miedo a las discusiones sino a esa furia inflexible la cual con abolengo desataba huracanada con cada pequeña contrariedad. Sucedía cuando estaba inquieta o impaciente, cosa común al reempezar mi nueva vida como si anduviera sumida en el merito centro de la menopausia. Empecé a darme cuenta que las relaciones duraderas podían convertirse en jaulas, a veces de delicada construcción.

Pasados algunos meses su elegancia se transformó en enigmas negadores e ironías distanciadoras. Me hacían sentirme feúcha, cosificada, fetichizada como añejo objeto conquistado que poco a poco va adquiriendo una capita de polvo en el salón de trofeos. Su destemplada opacidad marcaba bien la imposibilidad de revivir lo ya carnalmente sentido. Empecé a creer que sus propios remordimientos le abombaban la visión de la dulzura vivida. Caminábamos por una marisma de malentendidos creada en parte por el preciso conocimiento de sus sentimientos sofocantes. Encontraba demasiado cortante su lengua irónica. Encubría con facilidad el sufrimiento de quien era incapaz de la duplicidad pero se encontraba en circunstancias que la requerían. Nunca como en ese período sentí faltarme la experiencia y sobrarme la inocencia para sobreponerme a las emociones necias de los días mórbidos en los cuales cada minuto era una larguísima hora profundizando los dolorotes de cabeza. Descubrí también que el placer era como el hambre. Incluso después de una comilona que había generado empacho al día siguiente, volvía la exigencia del cuerpo para retroalimentarse al poco tiempo, el clamor por no morirse de hambre. Empecé a tenerle miedo. Temía hasta darle un abrazo para evitar los agrios roces, las escaramuzas para tantear las defensas del otro. No podía darle esa tonelada de besos que desearía volver a darle algún día, anhelándola con todo mi cuerpo, oliéndola, comiéndomela en mi imaginación, saboreándola desde la distancia con todo el deseo sumergido en un gran mar de ternura. Volviéndome verdadera mujer por ella, amado en amada transformado pese a estar domado y pasmado aunque no tomado.

Una tarde grisácea de invierno de esas que rara vez vemos en el sur de California, mientras intentaba ayudarla en la cocina, faena detestada por Juana como casi todas las tareas domésticas asociadas en general a mujeres brutas sin tetas soberanas, mientras el CD de María Callas tocaba el aria de doña Elvira "Mi tradì quell'alma ingrata", me dijo tener que viajar. Así, en seco.

–¿A dónde?

–Madriz.

–¿Te vas a ver con la Paula?

–Me voy por razones de trabajo pero me veré con Luisa.

Yo había estado absorta y un tanto anegada de la cabecita con mi operación. Me costaba moverme. Me quedé escuchándola como tontita con los ojos muy abiertos, hundida en un silencio gélido. Me dijo que la Paula estaba emparejada, que su mujer estaba celosa de ella. Ni siquiera sabía si le dejaría verla. Yo no me lo creí. Tan babosa no era. En sorprendente ataque de furia agarré la botella de aceite de oliva y la tiré contra la pared. Por suerte era plástica. El aceite saltó como geiser al contacto con la dura superficie, desparramándose por todo el piso. Furibunda, la cara contraída, la boca alargada como pájaro enloquecido, se dejó venir contra mí, las manos empuñadas. El horror súbito de sentirme asesinada estalló casi real hasta ver que al pararse sobre el aceite desparramado en el piso la diva perdía el equilibrio, se arqueaba y salía disparadota como bólido en pista de patinaje sobre hielo, pasando de largo por mi lado y sólo deteniéndose al pegar con la pared opuesta, contra la cual extendió las codiciadas manitas para no darse de trompa. Esa noche ya no dormí con ella.

Para aliviarme de la desazón viajé a San Francisco para ver más detalles sobre lo de la siguiente operación. Iba comprendiendo. Ser la amante de la Juana era una resbaladiza posición de operático lirismo neblinoso, por finito que fuera. Yo no reconocía la imposición de límites y siempre busqué destruir los parámetros castradores que me impusieron. El conocimiento del erotismo exige, perdón por la solemnidad, una experiencia personal contradictoria en términos de prohibiciones y transgresiones. Usted lo sabe. Para vivir tenemos que violar siempre los tabúes. Rebelarnos contra todo cinturón de castidad. Seguimos siendo guerrilleros. No debemos dejarnos domesticar ni reconocer la trasgresión sólo al nivel de la teoría. Si defendía una posición no iba a ser sólo de la lengua para afuera. Iba también a lamerla, vivirla, a empaparme y embarrarme de su experiencia en sus fulgurantes placeres y en sus ineludibles dolores. Si no, me estaría traicionando a mí misma. Por eso pensé en ese corto viaje en seguir aplicando mis principios a la vida a pesar de tocar fondo. Sobraba decirlo. Seguía sintiendo a la Juana a mi lado irrumpiendo en alarido profundo, deseándola, deseando el deseo que la deseaba, deseando su deseo desencadenado, deseando el olor y el sabor de su deseo desenfrenado, soñando su malicia deliciosa, palpándola en mis sueños aunque me devorara como tigresa hambrienta con estruendo de trombón, dándome todas las mordidas del mundo, cada una a cual más sabrosa, sintiendo toda la fuerza del azulísimo Mediterráneo en donde empecé a perderla en cada gota de su espuma impregnada del amor de la Paula mientras evocaba el sabor de sus besos, sin poder volver ya más a la calma de los violines. Entendí que había entre nosotros una intimidad inmediata como si nos hubiéramos conocido y amado en otra vida, y por eso ya no importaba que fuera imposible en ésta. Una excitación que no era sólo de deseo sexual sino también el placer de encontrarla de nuevo después de siglos. Tenía que ver a su vez con oscuras fuerzas psicológicas: una atracción por un ser que me reflejaba hasta un punto poco común y que era, en muchos sentidos, como quisiera ser yo; un deseo por el yo artístico que soñaba ser pero del cual se reía mi padre; un deseo por mi padre mismo; un deseo por simular y superar con alguien infinitamente mejor que mi padre la crisis que tuve con él. Ese amor a primera vista fue como una recuperación de una parte de mí misma, vea usted. Me despertó a la vez una ternura infinita y un deseo de sujeción.

Le llamé por teléfono. Le dije que no volvería a casa sino hasta después de que se fuera. Luego de la llamada, temblorosa le confieso que casi me desmayo y algunos gritillos asaltaron mi bocota atrevida. Necesité ayuda médica para sobreponerme.

Me dejé sentir. Sentí lo interminable de ese latigazo. Durante tres días dormí con tranquilizantes, me desperté sobresaltada y sedienta, timorata, sintiéndome ciega y desdentada como las tigresas de los circos pobres de Centroamérica. Inmóvil, patética, una sombra de la belleza de la especie, reencontrándome con mi pérdida, careciendo de sus besos de miel. Al tercer día volví, sintiéndome como el ladrón nervioso que se esconde cada vez que un foco de luz amenaza su defensiva oscuridad. Juana ya no estaba. Me dejó comida preparada para varios días. La compró ya hecha. A su vez dejó un impresionante racimo de billetes para cubrir mis necesidades. Por las dudas, el teléfono de la Luisa. Yo sabía de memoria su número desde luego.

Juana nunca oyó mi nueva voz ni nunca pude ser su verdadera mujer. Pero, discúlpeme. Si sigo, esto se vuelve un bolerote de esos tremebundos con chirriante tonadilla de mujeres sufrientes, traición y abandono ya vistos y oídos. Dejémoslo aquí. Ya cayó la noche. Tengo que cocinar. No se lo niego, al acabar de escribir estas palabras nunca antes puestas en la pantalla me urge un whisky doble para volver a mis actividades no tan exitosas pero sí faranduleras, dado su tropicalismo.

Además me sigue molestando esa tos crónica. Ya ni a patadas se me quita y no tengo quien me consienta con sopitas o tecitos para lubricármela. Al final, las historias de mi vida siempre son de risa y cuando trato de darles seriedad me salen como melodramas baratos de cuarta categoría. Así es mi azarosa existencia. Quisiera contarle de mis dolores con toda la seriedad de Dostoievsky o Flaubert pero le mentiría como un sapo. El terror a sentimentalizar flota en el aire como el humo de la quema del diablo, así que la voy dejando, por el momento.

*

Cuando escribí las anteriores líneas hacía sólo dos meses que me habían operado de la voz. Me rasuraron la tráquea y de paso aproveché para levantarme un poquito el labio. La garganta me dolía todavía a la hora de la escritura, algo así como tener una bola dentro, muy punzante, a la hora de hablar. Va mejorando poquito a poco. Sin embargo las ilusiones no pueden ser despachadas de un plumazo aunque también sea cruel alentar milagros.

La incisión para el levantado del labio está justo en la arruga entre mi labio superior y la nariz. Necesitaré maquillaje por meses para cubrir la marca. Sin embargo ya he notado mejoría y el doctor me garantizó que desaparecerá con el tiempo.

La mera verdad, me gusta cómo quedó mi labio. Ya no tendré la necesidad de sobrepintarlo con liner. Además quedó más cortito, trompicón y sabrosito. No le digo que la Michelle Pfeiffer o la Angelina Jolie me vayan a envidiar, seamos honestos, pero tiene un su toquecito pícaro. Además de subrayar una sutilísima arrogancia me facilita abrirlos y enseñar la dentadura superior. Es para morirse.

Lo principal sin embargo fue la cirugía cricoidal. Déjeme contarle. La evaluación de la voz me la hizo

*

Tengo ganas de vivir a borbotones. Ganas de no perder más tiempo, de que la gente se olvide de quién fui y se vea el premio de mis logros. Nunca pasé de ser siempre un simulacro. Sólo ahora soy por fin quien siempre debí ser, la de siempre. Somos pese a nuestro refinamiento, de pequeña condición y como Régulo, no contamos. Sólo podemos hacer lo que creemos que fuimos hechos para hacer, mirar a este rejodido mundo con ojo feliz pero desde sobria perspectiva. Toqué fondo y eso es durísimo. El otro día en un café dije dónde había estado, de dónde he salido, y se formó un aplauso enorme que para qué le cuento. Decir la verdad sirve para ser acogido por los demás, cuando no re-cogido, los individuos de sentimientos bien formados, ambos ennoblecidos gracias a ese encuentro. Sólo espero poder corresponderles, a diferencia de la Juana.

Ahora dejo de escribirle, Zerlina, porque no la quiero aburrir más. Vio que utilicé su primer nombre hasta iniciar esta correspondencia, ¿no? Ya ve. Cuando nos veíamos cara a cara no podía. Escribir a veces permite el surgimiento de mayor intimidad, de mayor honestidad. A lo mejor sólo para eso sirve, pero ya es bastante. Me dijo usted a lo largo de esta correspondencia que no oía tanto a Juana, que sentía que la estaba excluyendo de la acción. ¿No será que usted también quería ser seducida por ella y entrar más a su mundo? ¿No querría ver también o escuchar sus estrategias de seducción? A lo mejor mi pobre imaginación ha fracasado. Pero déjeme aprovechar el desliz para decirle que hizo mucho por mí y que le estoy súper agradecida. Si la voy dejando es porque ya me di cuenta que con el contar logré cicatrizar mi corazón. Ahora ya puedo vivir sin ella. Encima, tengo que comprarme el boleto para Madrid. La Paula y la Luisa ya me esperan por allá. Además, es viernes. Son las cinco en punto de la tarde y quiero ver el asomo de la noche, pensar en la ropa suave, sedosa, semi-transparente que me voy a poner para salir a bailar. La oscuridad no me atosiga. Sigue significando la promesa del placer. Hay que conseguir amor en donde sea porque es lo único que nos ayuda a vivir. Hoy voy al "Girl Bar". *Nunc et latentis proditor intimo gratus puellae risus ab angulo.* Distribuyen las nuevas credenciales para las socias. No me lo puedo perder. Esta noche sobre todo. Bailaré de loca y cuando la DJ Kimberly S. permita a la inigualable Cher lanzarse con su brío característico a pellizcar electrónicamente las palabras de *Song For The Lonely*, gritándome al oído con toda la fuerza de la sintetizada música incapaz de esconder el carraspeado dolor de todos los que sufren, *This is the song* gritada en un éxtasis de desesperación que casi atropella a su destinatario, *for the lonely,* con su énfasis en la estirada letra final evocando inefables tormentos medievales con chirriantes hierros oxidados, derramaré una sola lágrima en la pista, pero nada más. Porque a pesar de extrañarla, cosa que haré toda mi vida sin ninguna duda, sé muy bien que sí valió la pena, sí, sí, sí.

> *This is a song - for the lonely*
> *Can you hear me tonight*
> *For the broken hearted, battle scarred*
> *I'll be by your side*

And this is a song - for the lonely
When your dreams won't come true
Can you hear this prayer
'Coz someone's there for you

Además estoy segurísima que me voy a encontrar una chavala joven, sabrosísima, de esas de piernas largas y falditas abusivas de lo corto que son, con uno de esos tops apenas capaces de cubrirles los senitos redondos, dejando la espalda al desnudo, visibilizando los flancos enérgicos al bailar, exhibiendo la gloriosa fijeza de su armonioso costillar mientras yo grito It's gonna be alright, it's gonna be alright, it's gonna be alright. Una chavala de esas que al mover las nalgas, dos enormes bolas de carne bien paraditas, rebotan con rítmico erotismo como pelotas de ping-pong ante las cadencias frenéticas de la ruidosa música mientras la sonrisa de los labios entreabiertos corta como cuchillo en mantequilla toda resistencia posible al empañado acercamiento de los cuerpos sudorosos. Sé que me voy a encamar con ella delicioso. Ni siquiera voy a dejar prendidas las luces de mi casa porque estoy segura que lo que es hoy, esta chica no regresa a dormir a su casa. Va a coger de lo más sabroso. Le deseo todo lo mejor.

Madrid-Irvine
2002-2004

Arias de Don Giovanni de Arturo Arias, número 5 de la colección Premio Nacional de Literatura, se terminó de impri-
mir en octubre de 2010. F&G Editores, 31 avenida "C" 5-54
zona 7, Colonia Centro América, 01007. Guatemala,
C.A. Telefax: (202) 2439 8358 / Tel.: (502) 5406 0909
informacion@fygeditores.com www.fygeditores.com